C0-AXE-147

UNE
HISTOIRE PERSONNELLE
DE
L'ANTISÉMITISME

DU MÊME AUTEUR

Meurtre à l'Aurore, roman, Calmann-Lévy, 1994
L'Expédition d'Égypte, en collaboration avec Laure Murat, « Découvertes », Gallimard, 1998

NICOLAS WEILL

UNE HISTOIRE PERSONNELLE DE L'ANTISÉMITISME

ROBERT LAFFONT

ISBN 2-221-09309-7

Pour Philippine
Pour Tal

Introduction

Un paradoxe est à l'origine de ce livre. Alors que depuis l'automne 2000 les agressions antijuives se multiplient dans les villes et les banlieues de France, que des synagogues sont incendiées, leurs portes défoncées, alors que des enfants sont attaqués tandis que, dans les écoles[1]* ou à l'université, on ne compte plus les humiliations verbales ou physiques que subissent, souvent en silence, les jeunes Juifs, il se trouve des intellectuels pour contester encore la réalité de la vague nouvelle d'antisémitisme, la première pourtant de cette ampleur en Europe depuis la Seconde Guerre mondiale, et estimer que la réalité de celle-ci reste « sujette à caution[2] ». Certains clercs qui devraient être aux aguets pour la combattre s'attardent à mettre en doute son existence. Au point que retracer l'histoire de l'antisémitisme dans ses manifestations les plus contemporaines équivaut, hélas, à faire le récit d'un aveuglement qui prend des proportions chaque jour plus flagrantes.

---

* On trouvera les notes numérotées en fin de volume, classées par chapitres.

Que l'antisémitisme reste si difficile à percevoir est toutefois possible et ceux qui renâclent tant à le voir ne sont, la plupart du temps, pas de mauvaise volonté. Leur défaut de perception s'explique plutôt par le statut tout à fait étrange que revêt la haine antijuive depuis la Libération. Alors que reconnaître qu'il y a du racisme ou de la xénophobie ne provoque guère de difficulté, admettre qu'il puisse *y avoir* de l'antisémitisme après la Shoah, et surtout après que, depuis les années 70, s'est développée une conscience publique du Génocide, n'est-ce pas constater la présence au cœur même de la société d'une force de destruction particulièrement radicale, propre à miner les fondements éthiques et politiques de nos démocraties ? N'est-ce pas avoir le courage, celui de l'adulte, d'accepter qu'une blessure soit irréparable et qu'elle interdise désormais la nostalgie aussi bien que l'utopie d'une société parfaitement juste ? Aider à supporter une réalité aussi angoissante entrerait dans le cahier des charges des intellectuels et c'était en gros le cas depuis l'affaire Dreyfus. Malheureusement, depuis une vingtaine d'années, une grande partie de l'intelligence française préfère se lover dans une posture défensive peu propice à admettre les retours sur soi ou l'« éthique reconstructive » — celle-là même qui admet la fragilité de l'identité historique par la reconnaissance des fautes passées[3]. Plus le goût de se risquer aux ébranlements identitaires s'avère nécessaire, plus l'attrait des repentances ou du travail de mémoire semble diminuer. Les mieux disposés préfèrent défendre la thèse qu'une France qui ne s'aime pas, qui s'obsède dans la contrition ou le ressassement de ses errements, de Vichy à la colonisation, est peu à même d'inspirer à ceux des jeunes des banlieues fauteurs d'agressions antijuives, et plus généralement à l'étranger qui habite en sa maison, l'amour de l'autre, l'esprit des Lumières et la tolérance. Peut-être. Mais n'est-ce pas là évacuer un peu vite ce que continue à charrier d'antisémitisme, dans les pratiques comme dans les âmes, un pays dont l'essentiel de l'intelligentsia passe son temps à revendiquer sa « normalité », à jurer que la haine antijuive est en voie d'éradication, à plaider pour que l'on passe « à autre chose » ou qui, sans craindre les effets désastreux de la concurrence victimaire ainsi mise en œuvre dès qu'on parle d'antisémitisme, sort la carte de l'« islamophobie » ?

Vouloir à ce point être normal, n'est-ce pas le propre du malade ? Il me paraît impossible de négliger les facteurs *endogènes* pour ne se concentrer que sur les symptômes d'un antisémitisme mondialisé auquel il suffirait d'opposer la nation, à défendre en toute occasion, sans tache ni reproche. Telle me paraît la faiblesse des quelques analyses de l'actuelle poussée d'antisémitisme. Il convient toutefois de souligner que, dans le silence assourdissant, elles ont au moins le mérite d'exister[4]. Mais souvent issues de plumes trempées dans l'idéologie républicaniste, exagérément soucieuses du bon renom français, celles-ci ont tendance à privilégier, dans l'approche de l'antisémitisme, ce qui en fait un pur produit d'exportation, le résultat d'un mouvement international né de l'intégrisme musulman qui s'associerait de temps à autre ces alliés aussi naïfs qu'objectifs que sont l'extrême gauche ou le mouvement antiglobalisation, et qui aurait pour base sociale les périphéries des grandes villes[5]. Ce tableau a du vrai. Mais derechef la volonté évidente de protéger la mémoire de la République — se fermant du même coup à la possibilité de l'améliorer —, la mise sous le boisseau de l'héritage légué par l'histoire de l'antisémitisme, l'enflure typologique qui exagère les coupures entre antijudaïsme (religieux), antisémitisme moderne (« scientifique » et racial) et « judéophobie » contemporaine ne permettent guère un tableau complet de la situation. Un bémol doit être mis sur la thèse d'un antisémitisme qui serait presque exclusivement d'origine arabo-islamique. Non qu'il faille se refuser à voir ce qui provient effectivement de cette source-là. Mais il faut aussi garder à l'esprit ce que les sources de l'antisémitisme islamique ont pu conjuguer d'antisémitisme occidental avant de se donner libre cours sur le sol français, non sans bénéficier d'une certaine tolérance de la part des élites médiatiques et politiques[6]. C'est pour cette raison qu'il ne m'a pas paru justifié de renoncer au terme d'« antisémitisme » et de *nommer* autrement le présent déferlement de haine antijuive qui, à moi, ne me semble pas si nouveau. La combinaison permanente d'une explication *endogène* et *exogène* me paraît un plus sûr chemin, et c'est celui que je vais suivre.

L'antisémitisme emprunte en effet toutes sortes de détours qui entretiennent son invisibilité et brouille les pistes. On en entend bien la musique dans les reproches adressés aux Juifs d'exploiter à des fins politiques (justifier la politique israélienne), voire mercantiles (c'est la thématique du *Shoah business*), le « ressassement » de leurs persécutions. On en entend également l'air dans un discours anticommunautariste sans nuance où le Juif suspecté d'entretenir sa « différence » est accusé de fissurer l'idéal universaliste — reproche qu'on peut considérer comme un avatar du mythe du « Juif révolutionnaire », ferment de décomposition. Il convient de rester attentif aux espaces où les freins lâchent aussi, où des alliances s'effilochent et qui ne se limitent pas aux banlieues peuplées d'immigrées. Comme le sociologue Edgar Morin y invitait dès les années 60, il faut regarder là où les observateurs sociaux ne sont pas forcément postés ni les caméras braquées.

Si quelque chose a changé depuis la Shoah, ce sont les techniques de camouflage et de cryptage que l'antisémitisme adopte désormais systématiquement (hormis peut-être dans le monde arabo-musulman où il semble s'étaler sans pudeur, dans les feuilletons télévisés ou dans les colonnes des journaux). Mais il n'est pas interdit de penser que les tours et détours qu'il emprunte, loin de l'affaiblir, lui confèrent au contraire un surcroît de puissance. Ainsi le cercle de l'antisémitisme étend-il sa circonférence au-delà des fanatiques. Il est devenu un phénomène diffus par nécessité comme par essence. Il ne s'en insinue que plus facilement dans un discours consensuel. Ni l'habillage ni le maquillage n'empêchent toutefois sa radicalisation. L'antisémitisme s'acclimate à l'horreur de la découverte des camps (qui un temps l'avait sidéré), soit qu'on en nie la réalité — comme le faisaient les négationnistes —, soit, pis encore, qu'on trouve des prétextes pour justifier l'extermination (quand on accuse par exemple les Juifs des crimes du communisme). Il se transmet volontiers sur le mode de la connivence, par clins d'œil plutôt que par vociférations. Il se véhicule par appels au peuple effectués sous la table, en direction d'une opinion publique dépeinte comme bridée par un philosémitisme officiel, interdite de critique d'Israël, pliant sous le fait d'un prétendu tabou, d'une nouvelle « bien-pensance », d'un « politiquement correct »... On ne dit pas des Juifs qu'ils sont les ennemis à abattre. On leur reproche d'encaisser les « dividendes d'Auschwitz* » ou d'être des privilégiés

* L'expression fut utilisée par un ancien directeur de la revue *Esprit*, Jean-Marie Domenach, à propos d'Elie Wiesel. C'était

de l'antiracisme. Comme l'aristocrate de jadis, ils sont les « mauvais objets » de l'ère démocratique, de même que naguère les Juifs émancipés avaient été les cibles par excellence des nostalgiques de l'« État chrétien » !

C'est sans doute de l'« Est » soviétisé, lors des procès-spectacles accompagnant la stalinisation des démocraties populaires au début des années 50, que l'antisémitisme, contenu un temps par la proximité de la Catastrophe, a retrouvé son chemin vers les consciences (puis en direction du mouvement communiste dans son ensemble). Même si, dans le contexte de ces procès, comme celui de Rudolf Slānskȳ en Tchécoslovaquie, le terme « sioniste » — presque tou-

---

dans le contexte de la polémique du « Carmel d'Auschwitz », controverse provoquée par l'installation de religieuses sur le site du camp, elle-même suivie de protestations de la part de la communauté juive, notamment française, et d'un débat sur la signification juive ou « universelle » d'Auschwitz (comme si les deux étaient nécessairement contradictoires). Jean-Marie Domenach s'expliqua sur cette sortie dans *Le Monde* du 20 septembre 1989. « Les très nombreux témoignages d'approbation que j'ai reçus, de Juifs et de non-Juifs, écrivit-il, m'ont prouvé qu'il existait dans ce pays un "refoulé" plus inquiétant que je l'imaginais chez des gens qui n'ont rien à voir avec Autant-Lara [le cinéaste venait de se répandre en propos antisémites grossiers visant, notamment, Simone Veil], mais qui sont las de l'intimidation que des extrémistes font peser sur la liberté de l'esprit. Il y a pis : dans les quelques protestations que j'ai pu lire, j'ai trouvé des échos, parfois ignobles, d'un nouveau racisme qui se développe sous le masque de l'antiracisme. Ceux qui, des deux côtés, exploitent la déchirure, il n'est pas trop tard pour établir contre eux un front commun. » À propos du débat sur la signification d'Auschwitz, le philosophe Yirmiyahu Yovel l'assimilait, à juste titre, à une reformulation du débat entre Juifs et chrétiens sur l'élection divine, ce qui permet de situer les enjeux qui se terrent derrière les notions d'« universalité » et de « particularisme ». Sur le climat dans lequel ces propos furent tenus, voir le chapitre 2.

jours pris en mauvaise part — n'était pas forcément l'équivalent strict du mot « Juif », l'effet de substitution rendait celui-ci autrement plus efficace, et la leçon ne sera pas perdue dans d'autres contextes. Le qualificatif de « sioniste » y constitue, pour la première fois, le sésame qui permet de réduire la contradiction entre l'affirmation démocratique de l'égalité absolue entre les hommes et la discrimination à base ethnique qui a travaillé en profondeur le communisme réel et ses sphères dirigeantes, et peut-être, après lui, le monde démocratique[7].

Pourquoi une approche autobiographique : l'antisémitisme expliqué « par les effets »

Je dois cependant préciser que les pages qui vont suivre ont moins pour objet d'expliquer la genèse de l'antisémitisme contemporain ou de décrire ses chemins de traverse que d'en proposer un « état des lieux » correspondant à ce que j'ai pu observer au cours d'une partie de mon existence (entre vingt et quarante ans, de la fin des années 70 au début du nouveau millénaire). Pour croiser l'histoire de l'antisémitisme et la mienne, je m'attacherai à prendre pour point de départ la *réception* des événements. Je tenterai ainsi de suivre et d'évaluer les ébranlements causés au plus profond de l'âme par une rencontre avec l'antisémitisme, toujours source de crises aux conséquences dévastatrices[8]. En adoptant la démarche autobiographique, je suis toutefois conscient des risques encourus, surtout en ces matières. Reconstructions, narcissisme négatif, hyperboles ou fantasmes guettent l'auto-observateur imprudent. À titre de garde-fou, d'injonction à moi-même et au lecteur, j'évoquerai ici, brièvement, une de ces dérives les plus récentes et les plus spectaculaires qu'il m'a été donné de suivre en tant que journaliste[9]. Il s'agit d'une affaire survenue à la fin des années 90 et qui porte le nom de son malencontreux héros : Benjamin Wilkomirski.

Wilkomirski était le nom que s'était attribué un clarinettiste suisse qui répondait en réalité au patronyme de Bruno Dössekker. Ce Wilkomirski/Dössekker s'était reconstitué un passé d'enfant déporté juif, miraculeusement rescapé des camps d'extermination de Majdanek et de Birkenau. Cette usurpation d'identité résultait vraisemblablement d'une thérapie analytique curieusement conduite. Quoi qu'il en soit, des années durant, Wilkomirski/Dössekker avait arpenté les routes d'Europe en quête des traces d'une enfance juive qu'il restait persuadé d'avoir vécue. Le résultat fut justement une « autobiographie » parue sous le titre de *Bruchstücke* (« Fragments », traduit en 1997 en français, aux éditions Calmann-Lévy), aujourd'hui retirée de la vente. S'appuyant sur une solide connaissance de la Shoah, ce curieux personnage racontait, avec force détails d'une crudité insoutenable mais qu'il affirmait tirer de sa mémoire visuelle, les atrocités de son prétendu passé concentrationnaire. À soi seul, le caractère *kitsch* de ses descriptions n'aurait pas suffi à invalider l'authenticité de son témoignage. Il fallut pour cela l'antipathie d'un romancier du nom de Daniel Ganzfried agacé par le pro-israélisme affiché par Wilkomirski, le douteux écrivain-survivant étant alors au sommet de sa gloire. Il devint bientôt clair pour tous que ledit Dössekker/Wilkomirski avait pour ville natale non la Riga juive de 1938 mais le canton de Berne, où il semblait bien avoir vu le jour en 1941, avant d'être séparé de sa mère et d'être adopté par une famille de médecins zurichois du nom de Dössekker. Sans doute celui-ci avait-il forgé et rêvé sa propre « histoire juive » dans un processus pathologique d'appropriation d'identité — le statut de « survivant de l'Holocauste » tendant à devenir une sorte d'équivalent universel de toutes les misères du monde, peut-être à bon droit... Si j'évoque, en passant, cette histoire, lamentable à bien des égards dans la mesure où elle a jeté le discrédit sur les témoignages, authentiques ceux-là, provenant des survivants de la Shoah, c'est surtout pour me fixer à moi-même par un exemple extrême et pathologique les bornes de toute quête d'identité victimaire [10].

Cette limite étant tracée, est-il fructueux — et même seulement possible — de mettre en évidence l'antisémitisme d'une époque par ses répercussions dans l'esprit d'un seul individu ? Oui, à condition de faire la part de l'exagération qu'implique toujours le choc avec la haine. Pour documenter ce choc et ne pas le réduire à des impressions rétrospectives, j'utiliserai surtout, dans les premiers chapitres, une « archive de moi-même », sous la forme d'un journal tenu régulièrement depuis la fin des années 70 jusqu'au début de la décennie 90. Le commencement et la fin de ces notes sont marqués d'ailleurs du sceau de deux incidents antijuifs : l'attentat de la rue Copernic et, à l'autre bout, la profanation du cimetière de Carpentras*. Copernic marque surtout auprès des Juifs de

---

* En apparence deux événements d'inégale gravité puisque le premier fit des morts tandis que le second consista en une agression contre les morts. Mais, comme le disent Theodor Adorno et Max Horkheimer, « le saccage des cimetières n'est pas un simple excès de l'antisémitisme, il est l'antisémitisme même », *La Dialectique de la raison. Fragments philosophiques*, p. 192

France la première prise de conscience depuis la fin de la Seconde Guerre mondiale que l'antisémitisme pouvait tuer. Dix ans après, le saccage du cimetière de Carpentras leur rappela que l'antisémitisme ne les laisserait décidément pas tranquilles. Par la suite, mon travail de journaliste particulièrement chargé d'observer des problèmes ayant trait à Israël, au judaïsme ou à l'antisémitisme s'est substitué à l'autoanalyse. Ce sont d'autres matériaux, plus immédiatement publics, qui servent de support aux autres chapitres[11].

D'où je viens : 1) ce que je veux dire quand je dis que je suis juif

Avant de poursuivre, il convient que je me présente un peu mieux. Il suffira de quelques remarques destinées à permettre de me situer exclusivement dans ma relation au judaïsme et à l'identité juive. De ce point de vue, si l'on adopte les critères de l'antisémitisme légal pratiqué à Vichy ou à Nuremberg, juif, je le « suis » totalement et indiscutablement, pouvant aligner une rangée de quatre grands-parents de religion juive. Si l'on ne veut pas en rester à ces critères saumâtres, le choix individuel de se définir ou non comme juif devient décisif et en tout cas admissible à l'ère de la modernité démocratique. Comme symétrique inverse de la définition raciale du Juif dont on connaît les conséquences, le critère du « choix » domine. Dire « est juif qui décide de l'être » ne borne pas l'acquisition de l'identité aux seuls critères religieux (être né de mère juive ou être converti). Pour

---

[1944, 1969]. La traduction française d'Éliane Kaufholz (Gallimard, 1974) est disponible aujourd'hui en poche, coll. « Tel ».

autant, cette définition du Juif « par choix » recèle bien des insuffisances. Ne va-t-elle pas de pair avec le fantasme d'autonomie absolue qui pose tant de problèmes à l'édification d'un monde commun démocratique ?

Le judaïsme a tous les traits d'une civilisation profondément hétéronomique, c'est-à-dire une civilisation dont la boussole est l'acceptation de l'existence d'une extériorité absolue à soi, d'une transcendance, qu'elle soit éthique ou divine, reconnaissance qui implique qu'au-dessus ou à côté de l'individu se trouve une altérité de surplomb, Dieu ou mon prochain, par rapport à laquelle je me trouve perpétuellement en situation d'appel. Comme l'œuvre du philosophe Emmanuel Levinas le montre, le judaïsme se constitue d'abord comme une éthique qui nous engage « envers autrui ». Autrement dit, la définition de l'être juif ne saurait être assujettie au seul caprice des individus qui voudraient le devenir ni à ce que les non-Juifs entendent par là. Elle est aussi fonction de la reconnaissance que m'accordent les autres, Juifs, orthodoxes ou séculiers, qui acceptent de me considérer comme tel.

Affronté à cette contradiction qui consiste à définir ma judéité par une démarche volontaire tout en cherchant à m'inscrire dans une histoire collective (qui donc ne saurait dépendre exclusivement de mon bon vouloir), j'ai toujours attaché beaucoup d'importance à cette reconnaissance, et j'ai souffert quand elle m'a manqué. Les hasards de l'existence m'ont toutefois fourni l'occasion de trouver des soins palliatifs aux douleurs identitaires. Grâce à l'apprentissage de langues juives — en ce qui me concerne l'hébreu vers la trentaine, puis un peu de yiddish. Le rapport à la langue suppose un travail souvent ardu. Mais il a l'avantage de ne pas impliquer autant de renoncements à la modernité intellectuelle que la *Techouva* (le retour à une pratique orthodoxe du judaïsme). De plus, il installe au cœur de l'individu une culture qui fait signe en direction d'une collectivité, laquelle est disponible sans être oppressante. Moyen devenu fin, la langue me paraît le mode le plus sûr de devenir, d'être ou de rester juif, dans la mesure où elle me lie, au moins potentiellement, à une histoire et à une entité collective, le tout dans un inachèvement rassurant. J'ai opté pour ce « judaïsme linguistique » après avoir renoncé à la pratique religieuse à laquelle j'étais revenu un temps. Il est même tentant de substituer à la vision du « Juif par choix » celle qui voudrait que soit « juif quiconque parle une ou plusieurs langues juives ». Mais c'est trop préjuger de la capacité de la grande masse des Juifs de la diaspora qui ont, depuis longtemps, renoncé à leur langage pour celui du pays de résidence. L'oubli des prières a conduit à l'oubli de l'hébreu. Apprend qui veut une langue, certes. Encore faut-il pouvoir y consacrer suffisamment de temps pour dépasser le stade fastidieux du balbutiement. Tous les hébraïsants ne sont par ailleurs pas des Juifs et tous ne se soucient pas forcément de le devenir. Enfin de multiples autres voies sont possibles : l'intérêt pour l'histoire juive, pour la politique juive, pour Israël, etc. Je constate néanmoins que, grâce aux langues, mon identité juive a cessé de constituer un poids, sinon un problème.

Je m'empresse de noter que mon itinéraire n'a rien de représentatif. L'expression de « Juif non juif » forgée par Isaac Deutscher convient sans doute mieux à la réalité du comportement majoritaire des Juifs d'aujourd'hui[12]. Cette attitude implique moins un rejet qu'une passivité absolue vis-à-vis d'une identité léguée par l'Histoire. Minoritaires sont ceux qui ont cédé aux sirènes du revivalisme religieux de la fin des années 70, quand l'épuisement du romantisme anticapitaliste ramenait un certain nombre de gauchistes d'origine juive vers leur « vieille maison ». J'ai eu parfois à pâtir de ceux que mon affirmation publique (et notamment les articles que je publiais) dérangeait dans leur quiétisme identitaire... Agnosticisme de l'identité que j'apparente à une forme de paresse morale parce qu'elle fait bon marché des souffrances endurées par les Juifs du passé*. Pour les autres, plus rares, mais tout de même en nombre appréciable, le rapport volontariste à l'identité s'est exprimé (dans ma génération) soit par l'affirmation religieuse, soit par un sionisme inaccompli ou, plus rarement encore, réalisé (ma sœur aînée, Barbara, s'est installée à Jérusalem dès 1976).

À mes yeux, l'option sioniste comme l'option religieuse représentent des tentatives, certes admirables à bien des égards, de forcer le cours de l'histoire personnelle et collective et d'échapper à la dilution. Là

* Je partage sur ce thème l'opinion du philosophe Leo Strauss qui dans le texte d'une conférence consacrée à Freud (« Freud et le monothéisme ») disait : « Chaque génération de Juifs a dû faire les plus grands sacrifices, le fait d'avoir supporté des indignités indescriptibles n'étant pas le moindre d'entre eux. Mais nous avons gardé la tête haute parce que nous savions que celui-là seul est méprisable qui a besoin du respect des autres pour se respecter lui-même. » Pour Strauss, le dévouement héroïque de leurs ancêtres pour conserver leur identité impose aux Juifs un souci qui doit équilibrer l'envie de disparaître de la scène que suscite l'antisémitisme. « Je ne suis pas sûr que Freud ait été un bon Juif en ce sens », ajoutait-il. *Pourquoi nous restons juifs. Révélation biblique et philosophie*, traduit de l'anglais (États-Unis) par Olivier Seyden, La Table ronde, coll. « Contretemps », Paris, 2002, p. 267.

est leur grandeur, mais aussi leurs limites. L'une et l'autre comportent une ambition régénératrice qui appelle à s'échapper de soi-même. Encore faut-il avoir envie de devenir autre que soi ! Dans la bibliothèque de mes parents, on trouvait une petite brochure, traduction française d'un discours de David Ben Gourion destiné à la « jeunesse palestinienne » (les jeunes Juifs à l'époque du mandat britannique). Ben Gourion y expliquait, en 1946, que la particularité de la « révolution juive » (« sioniste socialiste », précisait-il) était de représenter une « révolte contre le destin » et non, comme les autres révolutions, contre l'ordre établi, une classe ou un pouvoir dominant [13]. Pour ma part, je ne suis jamais parvenu à me plier à ce genre de contraintes, même si elles m'ont tenté. Il m'a semblé en définitive que l'identité juive européenne telle qu'elle m'a été léguée contenait encore assez de richesse pour qu'on n'ait pas forcément le désir d'y renoncer ou de la limiter à une posture d'« éternel protestataire » [14]. De plus, les mouvements de révolution ou d'involution personnelles, outre qu'ils traduisent chez ceux qui les poussent à leurs limites une bonne dose de névrose, me sont souvent apparus comme autant de sacrifices inutiles. Changer, ne pas changer, évoluer sans se transformer... Autant d'indices d'une contradiction intérieure que je ne suis jamais parvenu à surmonter et que le contexte historique de ma vie ne m'a pas non plus aidé à résoudre. Aujourd'hui, j'aurais tendance à considérer que l'authenticité d'un mouvement d'appropriation ou de réappropriation de l'identité juive se mesure avant tout... à la capacité de s'arrêter à temps sur le chemin du retour ! L'un des paradoxes avec lesquels je me suis accoutumé à vivre.

Je suis surpris moi-même d'écrire ces lignes d'un

cœur aussi léger. Car autrefois je ne décolérais pas dès lors que je sentais dans le propos des maîtres* qui m'ont guidé dans mon itinéraire juif l'avertissement au jeune homme que j'étais contre un certain « romantisme » lié à la démarche de retour. Aujourd'hui, à l'âge mûr, j'ai l'impression de leur devenir enfin fidèle.

D'où je viens : 2) une génération de post-parias

L'expérience familiale de la guerre est l'autre composante de ma relation au judaïsme. Je suis né à Paris de parents juifs nés en France et dont les parents étaient également nés en France. Cela eut des conséquences sur la façon dont ils vécurent la persécution exercée par Vichy et sur leur rapport au judaïsme. Globalement, aucun membre de ma famille n'a connu la déportation, sinon un grand-oncle éloigné, un peu dérangé, disait-on, arrêté par malchance dans un train alors qu'il avait décidé d'aller coûte que coûte aux sports d'hiver en pleine Occupation. Mon arrière-grand-père, Wolff Epstein, militant actif de la SFIO et menchevique de toujours, fut dénoncé par un adolescent alors qu'il était allé faire ses courses aux heures réservées aux « Aryens ». Envoyé à Drancy, puis (du fait de ses protections dans les milieux des néosocialistes des années 30 dont quelques-uns étaient devenus des collaborateurs) transféré au camp d'Austerlitz où l'on regroupait les « maris d'Aryennes » (bien que sa femme, Hélène, ait été comme lui

* Parmi eux je citerai le grand rabbin Gilles Bernheim, le regretté Georges Lévitte et plus indirectement, surtout par ses livres, Emmanuel Levinas.

une Juive de Lituanie), il fut affecté au triage du mobilier pillé dans les appartements des Juifs déportés*. Ramené à Drancy, à l'extrême fin de l'Occupation, mon arrière-grand-père avait pu éviter de justesse d'être embarqué dans les derniers convois. C'est à Drancy qu'il fut libéré.

Mon père et ma mère n'en eurent pas moins à éprouver dans leur adolescence le pénible sentiment du paria : l'antisémitisme renaissant des années 30 et surtout l'Occupation ont laissé chez eux des marques très profondes, que je n'ai appris à reconnaître que fort tard. Des jeunes gens relativement aisés, issus de la bourgeoisie commerçante, se retrouvèrent ravalés au ban de la société, leur ascension dans l'échelle sociale barrée, avec le pressentiment qu'un sort bien plus terrible les attendait en cas d'arrestation. La lourde pierre de l'assimilation retombait brutalement très en deçà de son point de départ. C'est par contraste avec ce sentiment sourd de désaffiliation collective de mes parents que mon propre sentiment d'appartenance identitaire, notamment mes relations au judaïsme, a fini par se construire. Si je m'efforce de pister la mémoire vive de la Shoah, je ne retrouve dans celle de ma famille ni le traumatisme de la mort des proches ni les angoisses qui en résultèrent pour les descendants des survivants de parents déportés. D'une façon ou d'une autre, ma relation à l'expérience juive s'en est ressentie et j'attribue à cette raison le fait que mon identité juive n'a jamais été vécue sur un mode pessimiste. Ou s'il y eut souffrance sédimentée, celle-ci fut compensée par ce sentiment de

---

* Dans le cadre de l'*Einsatzstab Rosenberg*. Ce mobilier était destiné aux Allemands installés à l'est de l'Europe occupée par l'Allemagne nazie.

puissance dont Elias Canetti révèle qu'il accompagne la survie, mais aussi peut-être par la honte sourde d'avoir survécu[15].

Une remarque entendue, au dernier cours de Pierre Bourdieu, le 28 mars 2001, au Collège de France, peu de temps avant sa mort, m'a bizarrement fait comprendre ce qu'avait pu signifier, pour mes parents, un tel retour à la case départ. L'exercice d'« autosocio-analyse » en quoi consista cette dernière rencontre avec un auditoire de fidèles n'est pas sans relation avec la démarche pratiquée dans ce livre. Pierre Bourdieu peinait à dire « je » et avait également le plus grand mal à remplacer la première personne du pronom personnel par « il » ou par ses initiales, « P. B. », comme il avait tenté de le faire au début de sa conférence. Il s'agissait, pourtant, bien de lui — replacé dans le « champ » de sa discipline, bon connaisseur des paysans de son Béarn natal qui lui avaient servi, disait-il, de point de comparaison avec les habitants des villages de Kabylie où il avait fait ses premiers pas d'ethnologue, dans les années 50, alors qu'il publiait ses premiers articles dans la revue *Études rurales*[16].

C'était lui toujours, lorsqu'il s'étendait irrespectueusement sur les petits défauts de ses maîtres. Ainsi, une remarque me fit sursauter quand, à propos du sociologue Georges Gurvitch*, il parla « d'un *Homo academicus* parfait qui comme immigré [faisait] de l'hyper-identification au modèle français ». Cette légère insolence me parut lumineuse. Elle illustrait à mes yeux ce qu'avait été, après guerre, l'attitude d'adéquation obsessionnelle de mes parents à tout ce

* Né à Novorossisk en 1894, Georges Gurvitch est mort à Paris en 1965.

qui était signe d'identification bourgeoise et d'assimilation : habiter un appartement au-dessus de ses moyens, mais avec des moulures au plafond, imposer le latin et le grec à ses enfants, souhaiter qu'ils deviennent écrivains et entrent à l'École normale supérieure, rejeter toute idée qu'il puisse y avoir de l'antisémitisme en France et dire que c'étaient les Juifs « qui exagéraient » : bref, nous les enfants, nous étions investis de la tâche de renouer le fil interrompu d'une assimilation devenue impossible, de faire que la brisure de l'Occupation n'ait été qu'une parenthèse. Sans doute est-ce pour cela que le retour d'une mémoire de Vichy n'a pas forcément déclenché leur enthousiasme. Notamment celui de mon père, pourtant ancien résistant. Grâce à l'allusion à Gurvitch, j'ai mieux compris la souffrance qui a grevé la jeunesse de mon père et de ma mère et qui a, sans doute, secrètement accompagné leur vie : celle d'avoir vu planer sur eux en l'espace de quelques années la condition du Juif comme paria*.

---

* C'est Max Weber qui à propos du *Judaïsme antique* (traduit par Freddy Raphaël, Plon, Paris, 1970, 1998 en Pocket) définit les Juifs de la Bible et de l'Antiquité à l'aide de la notion de paria : « Qu'étaient donc les Juifs, écrit-il, sociologiquement parlant ? Tout simplement un peuple paria, autrement dit, comme nous le montre l'Inde, un peuple-hôte [*Gastvolk*], vivant dans un environnement dont il est séparé rituellement, formellement ou effectivement. De cette condition découlent tous les traits essentiels de son attitude à l'égard de son environnement, et plus particulièrement son ghetto volontaire qui a précédé de loin la réclusion qui lui a été imposée », p. 9. La différence entre les parias juifs et indiens tient selon Weber à ce que les Juifs sont devenus des parias « dans un monde ignorant les castes ». Elle tient également à ce que la promesse de l'Alliance rend aux yeux des Juifs l'ordre social provisoire par rapport à l'ordre vrai censé être rétabli à la fin des temps (voire même inversé puisque les Juifs seraient censés y retrouver une situation d'éminence, symé-

Par rapport à la condition qui fut la leur, ici très grossièrement esquissée, je définirais volontiers ma génération comme celle des post-parias. Nous ne sommes pas redevenus des Israélites, Français de religion juive comme on nous appelait encore jusque dans les années 80, et nous n'avons pas eu non plus suffisamment de problèmes avec notre identité française pour ne pas la violenter à l'occasion, et surtout pour ne pas éprouver la tentation de critiquer la façon dont la France nous traite. Cela me différencie de ceux dont les parents étaient de vrais immigrés, parlant encore yiddish à la maison, qui reproduisaient des attitudes encore plus conformes au « paradigme de Gurvitch ». Tout à fait conscient d'être juif et même

---

trique inverse de leur abaissement présent).

Cette définition pose de nombreuses questions. Après l'antisémitisme nazi, il est difficile de parler encore de servitude ou de ghetto volontaire. La définition du Juif en tant qu'acteur de son histoire ne doit pas être rejetée pour autant mais suppose un décryptage minutieux. Dans *Économie et société*, Max Weber donne une définition plus neutre de la notion de peuple paria comme « groupe dépourvu d'organisation politique autonome, s'associant en une communauté héréditaire spéciale » — communauté dont les traits caractéristiques sont l'endogamie et les privilèges négatifs politiques ou sociaux : cité *in* Michael Löwy, *Rédemption et utopie*, *op. cit.*, Paris, PUF, 1988, p. 43. Voir aussi d'Hannah Arendt, *The Jew as Pariah. Jewish Identity and Politics in the Modern Age*, Grove Press, New York, 1978 (en français, *La Tradition cachée*, traduit de l'allemand et de l'anglais par Sylvie Courtine-Denamy, Christian Bourgois, coll. « Détroits »). Pour la critique de la conception de Weber par un historien, voir Arnaldo Momigliano, *Contributions à l'histoire du judaïsme*, traduit de l'italien par Patricia Fanazzo, éditions de l'Éclat, Nîmes, 2002 (première édition, Turin, 1987) : « Considération sur la définition webérienne du judaïsme comme religion paria », p. 219-226. Voir enfin, de Freddy Raphaël, *Judaïsme et capitalisme*, coll. « Sociologie d'aujourd'hui », Paris, PUF, 1982.

tenté par une éventuelle installation en Israël où je faisais de fréquentes visites depuis que ma sœur s'y était installée, je ne me suis vécu ni consciemment ni inconsciemment comme un exclu qui avait tout à faire pour dissimuler l'humilité de sa caste. Copernic allait commencer à bouleverser cette donne en amorçant, pour moi aussi, le lent retour du peuple paria.

1

Copernic ou la prise de conscience (1980)

Avec l'attentat de la rue Copernic, une période s'achève sans doute définitivement : celle de l'« israélitisme » français. Celle-ci avait survécu à la reconstruction d'après guerre, époque où le judaïsme restait cantonné à la sphère privée, hormis en 1967, quand l'angoisse pour la survie d'Israël précédant la guerre des Six Jours avait précipité des milliers de manifestants dans les rues. À la suite de Copernic, la vie juive fut projetée au centre de la scène publique qu'elle ne devait plus guère quitter. Comme si, espace d'intimité, la synagogue se voyait désormais exposée aux regards de tous. Tous ces jardins secrets qui fleurissaient dans le profond intérieur d'une vie juive confinée : l'attachement à Israël, la redécouverte des textes, le renouveau religieux ou l'émergence d'une conscience nationale et ritualisée de la Shoah, tout cela devait, à compter de cette date, se jouer sous les yeux de l'opinion indiscrète. Mon propre itinéraire est significatif d'une telle mutation. D'abord réservées aux pages manuscrites de mon journal jusqu'à la fin des années 80, mes réflexions sur le judaïsme allaient, dans les années 90, devenir l'objet d'un travail public par excellence : un sujet pour les journaux. Avec Copernic également, la possibilité d'un antisémitisme qu'on considérait jusque-là en baisse tendancielle retrouvait, pour la première fois, le chemin des consciences depuis la Libération. Antisémitisme meurtrier dont la perception s'accompagna d'emblée d'un malentendu puisque, vécue sur le moment comme un attentat dont l'extrême droite était responsable, la bombe se révéla être palestinienne. Ce flottement allait se reproduire, devenant l'un des obstacles principaux à l'identification claire des actes antisémites. On peinera toujours à admettre qu'une autre source que l'extrême droite puisse nourrir une haine mortelle à l'encontre des Juifs.

L'explosion

Le vendredi 3 octobre 1980 donc, comme chaque veille de Shabbat, plusieurs centaines de fidèles sont rassemblés dans la synagogue libérale de la rue Copernic, à Paris. À cette époque, les offices étaient souvent suivis d'un joyeux rassemblement devant l'entrée des temples, auquel les mesures de sécurité qui suivirent l'attentat ont mis un point final. Ces groupes qui s'attardaient contribuaient, à leur manière, à réinscrire un peu de vie juive dans le paysage urbain. Mais ce soir-là, vers 18 h 30, un bruit sec et violent interrompt les prières. Une partie du plafond s'écroule. La salle est plongée d'un coup dans l'obscurité. La verrière du temple vole en éclats, criblant la foule, qui d'instinct se jette à terre. Le rabbin Williams conseille de ne pas sortir : « Nous craignions une fusillade », dira une fillette. En réalité, au-dehors, c'est la charge d'un explosif peu connu en France, la pentrite, qui vient de sauter dans la sacoche d'une moto. Éclatant à la sortie de l'office, un quart d'heure plus tard, la bombe aurait provoqué un véritable massacre. Le bilan demeure cependant lourd : quatre tués, une trentaine de blessés, des files de voitures transformées en amas de ferraille, et toutes les vitres des alentours soufflées.

Les flammes ne sont pas encore éteintes que l'AFP répercute une revendication téléphonique au nom des « Faisceaux nationalistes européens ». Dans l'atmosphère de la période, cela paraissait plausible : ce groupuscule avait en effet pris la suite d'un mouvement néonazi, la FANE, dissous un mois plus tôt. Dès le lendemain, une douzaine d'extrémistes néonazis sont interpellés, ce qui accrédite plus encore la piste de l'extrême droite. Un attentat vient rarement seul, il est vrai. Et si les explications du terrorisme obéissent à la loi des séries, justement, depuis quelques mois, semblable « série noire » existe dont les attentats de Bologne du 2 août (quatre-vingt-cinq morts) et de la Fête de la bière à Munich le 27 septembre (douze morts) sont en apparence autant de jalons. Cette substitution d'attribution entre Palestiniens et néonazis s'est d'ailleurs transformée en condition de toute mobilisation protestataire. Quand il deviendra impossible, comme à l'automne 2000, d'attribuer à l'extrême droite les incendies de synagogues, on ne trouvera plus que des Juifs, ou presque, pour manifester contre l'antisémitisme.

Dans les heures qui suivent l'attentat de Copernic, les réactions prennent une ampleur telle que l'événement frôle la crise politique. Dès le lendemain matin, plusieurs milliers de manifestants se retrouvent spontanément devant la synagogue, convergent vers le ministère de l'Intérieur puis remontent en direction des Champs-Élysées. Tout aussi spontanés sont les rassemblements qui se forment dans certaines grandes villes de province, à Strasbourg, à Lyon, à Toulouse... L'onde de choc traverse les frontières. Elle gagne Israël, dont le Premier ministre d'alors, Menahem Begin, s'en prend durement à « la politique anti-israélienne du gouvernement français » (c'est l'époque où la presse publie des photos du président Giscard d'Estaing laissant penser qu'il regarde Israël à la lunette, désignant symboliquement l'État juif comme l'ennemi de la France, et où le gouvernement français se montre fort compréhensif, pour ne pas dire plus, envers les entreprises qui se plient aux contraintes du boycott arabe de l'État juif). Aux États-Unis, le candidat à la vice-présidence, George Bush père, manifeste, lui aussi, son indignation. L'Allemagne fédérale, dont le chancelier est alors Helmut Schmidt, condamne « un attentat lâche et meurtrier ». En France, l'émotion culmine avec le cortège du mardi 7 octobre, où des dizaines de milliers de personnes défilent, de la Nation à la République. L'Assemblée nationale, après avoir observé une minute de silence à la mémoire des « martyrs », vote à l'unanimité une suspension de séance pour permettre aux députés qui le souhaitent de se joindre au cortège.

Au-delà de ces démonstrations politiques qui s'inscrivent également dans l'histoire de la reconquête du pouvoir par la gauche, que peut bien signifier un tel soutien populaire aux Juifs attaqués ? Un message rassurant, certes. Mais il faut aussi noter que de semblables rassemblements n'étaient pas inédits et, malheureusement, qu'ils n'avaient jamais empêché grand-chose. Un million de Berlinois étaient descendus dans la rue afin de rendre hommage au ministre juif Walther Rathenau assassiné par un nervi d'extrême droite. Laissons le philosophe Leo Strauss commenter ce grand concours de peuple dans lequel il ne vit qu'un beau jour sans lendemain : « La République de Weimar était faible, disait-il. Elle connut un unique moment de force, sinon de grandeur : sa réaction devant le meurtre du ministre juif des Affaires étrangères, Walther Rathenau, en 1922. Dans l'ensemble elle donna le spectacle pitoyable d'une justice dépourvue de force ou d'une justice incapable d'employer la force[1]. » Les grands concours de peuple sont impuissants à inverser la courbe.

Un acteur de l'époque ne donne à aucun moment l'impression d'être au diapason de ce « consensus » humanitaire d'un genre inédit : le pouvoir. Dès le vendredi 3, le Premier ministre Raymond Barre, au journal du soir sur TF1, commet une énorme bourde en clamant son indignation : « Cet attentat odieux, dit-il, a voulu frapper les israélites qui se rendaient à la synagogue, il a frappé des Français innocents qui traversaient la rue Copernic. » Dans l'atmosphère exacerbée du moment, cette formulation s'imprima dans les mémoires. Et les propos sans équivoque que Raymond Barre prononça le 8 octobre à l'Assemblée nationale, assurant « ses compatriotes juifs » de la « sympathie de l'ensemble de la nation », ne suffiront pas à la faire oublier. Quant au président Giscard d'Estaing, il est à une chasse, en Alsace, quand il apprend la nouvelle. Sans rien changer à son programme, il se contente de faire publier par l'Élysée un bref communiqué, puis envoie un message de sympathie au grand rabbin Joseph Kaplan. Mais en négligeant de venir en personne à la synagogue, il laisse le terrain libre à son rival d'alors, François Mitterrand.

Ce dernier, lui, accourt à la cérémonie du samedi matin rue Copernic en compagnie de Simone Veil, affirmant à qui veut l'entendre qu'il est venu « pour être auprès de [ses] amis frappés ». L'absence du président imprimera sa marque à l'événement, dont la gauche saura incontestablement engranger les bénéfices politiques, comme elle saura admirablement le faire *ad nauseam* dans les années 80 de la lutte antiraciste (cette tactique s'est-elle forgée à Copernic ?). Un vide se crée au sommet, tandis que l'opposition retrouve une énergie qu'elle avait perdue depuis la rupture du Programme commun (1977) et son échec aux élections législatives (1978)[2].

Copernic et surtout l'« après-Copernic » ont donné un nom à un renouveau de l'antisémitisme dont les chiffres montrent que le regain était déjà sensible depuis 1975. Sur la période 1975-1980, la commission du bilan, établie par François Mitterrand après son élection, recensera une centaine de synagogues et plus de vingt cimetières profanés. Fait troublant et ce bien avant Carpentras : ces actions étaient parfois l'œuvre de très jeunes gens. Cinquante-trois incidents antijuifs (dont dix-sept particulièrement graves) sont dénombrés en 1975. Deux cent trente-cinq (dont soixante-quinze graves) en 1980. Pour autant, les opinions déclarées devant les sondeurs continuent à entretenir la thèse de la décrue. Un sondage Louis-Harris-France/*L'Express*, réalisé sur un échantillon de mille personnes trois jours après l'attentat, révèle que seuls 10 % des sondés répondent « non » à la question : « Un Juif est-il aussi français que les autres Français ? » (en 1977, ils étaient encore 22 %). Pourtant, le même sondage montre que 42 % estiment que l'antisémitisme est « assez répandu », donc qu'il fait partie d'une ambiance perceptible. En somme, en 1980, la renaissance d'un activisme antijuif s'accompagne du maintien d'un noyau dur qui représente tout de même un Français sur dix.

Pour parachever ce tableau, on notera que, depuis 1978, souffle sur ce foyer le vent du négationnisme[3]. Face à cette situation, les institutions juives estiment que la position des Juifs a été fragilisée. Alain de Rothschild, alors président du Conseil représentatif des institutions juives de France (CRIF), dénonce « la passivité des pouvoirs publics et l'indifférence de nos gouvernants ». Du côté des médias, on en vient autant à craindre les débordements incontrôlés en provenance de la « communauté juive » que d'autres actions antisémites. Sans doute faut-il y voir une façon, pour la société, de se déculpabiliser en exprimant sa peur de la violence... de ceux qui viennent de la subir. L'émotion finit tout de même par s'apaiser. Et le 17 octobre, *Le Monde* ferme sa page « Idées » au flot de réactions qui continue inlassablement d'arriver dans sa rédaction de la rue des Italiens.

Ma réception des faits

Premier attentat contre une synagogue parisienne depuis l'Occupation*, Copernic fut vécu par tous comme un saut qualitatif, comme un tournant qui marqua moins un renouveau de l'antisémitisme qu'un retour de cette question sur la scène des consciences

---

* Dans la nuit du 2 au 3 octobre 1941, sept synagogues de la capitale subissent des attentats à l'explosif. À l'origine de ces agressions on trouve le groupe Deloncle de la « Cagoule » agissant sur les ordres du Sipo-SD et couvert ultérieurement par Heydrich qui freinera toutes les enquêtes sur ce crime.

et dans l'espace public. Certaines digues s'effondraient. Si la « fin du tabou » permit une meilleure exposition de la chose juive, elle s'accompagnait aussi de la fin d'un silence protecteur. Un tournant qui, à son tour, entraîna une modification de la relation des Juifs à eux-mêmes. J'en vois la meilleure expression dans une note que je laissais dans mon journal le 6 octobre 1980, quelques jours après l'explosion où paradoxalement je m'accuse d'être en partie comptable de ce qui venait de se passer. « Certes, écrivais-je, nous ne pouvons être tenus pour responsables de ces crimes. J'ajouterai même que le lien qui nous y rattache est assez ténu. Mais pour être peu perceptibles, ces fils de la culpabilité ne nous en enchaînent pas moins aux meurtriers. » Puis je sautais à une conclusion, face retournée de l'attitude antisémite consistant à attribuer les gestes et les pensées des individus à l'ensemble d'une communauté réduite à des comportements uniformes : « C'est à cause de *nous* aussi que des gens ont pu dire un beau jour *pourquoi ne pas tuer des Juifs*. La conduite de chaque Juif est nécessairement et malgré lui exemplaire : il porte sa personnalité comme un joug. » En somme, le symptôme de l'attention nouvelle portée à l'antisémitisme se traduisait par un accès de culpabilité né du malaise de constater qu'autour de moi on parlait beaucoup de « nous ». Car bien des Juifs de ma génération éprouvaient une sorte de malaise chaque fois que l'on évoquait les Juifs en public. Cela me gênait sans que ma famille ait jamais appartenu à la catégorie des « Juifs honteux ». Quand il fallait parler de « nous », on avait coutume de le faire sur un mode défensif ou apologétique. Du coup le judaïsme se confondait, à nos yeux, avec un idéal magnifique, une sorte d'aristocratisme de l'altérité. L'antisémitisme en devenait d'autant moins compréhensible et ne pouvait assurément s'expliquer que par une faute de notre part*.

En cette ère inaugurale d'un ébranlement des consciences, un autre phénomène parvenait à maturation que Copernic va précipiter : la formation d'une mémoire publique de la Shoah, dépassant les cercles des survivants et des Juifs, et ce avant même que le film de Claude Lanzmann n'ait popularisé le terme. Celle-ci naissait moins d'une réaction d'angoisse pour Israël consécutive à la demi-défaite de la guerre du Kippour, en 1973, que de la crainte du passage du temps. Ce que nous ne savions pas vraiment nommer nous habitait plus qu'on ne le pense avant les années 80. Mais à dire les choses franchement, la « déportation » avait tous les traits d'une vieille histoire que nous connaissions mal, mobilisant surtout les amicales et les associations spécialisées. Je me souviens

* « En termes objectifs, il est indéniable que le comportement des Juifs de France aujourd'hui est collectif par nature », écrivait le sociologue Shmuel Trigano dans un ouvrage de 1985 — évolution qu'il rapportait à la crise du modèle du franco-judaïsme. Je partage cette analyse à bien des points de vue, bien qu'elle me paraisse négliger l'impact de l'antisémitisme sur une telle évolution et, du coup, évacuer la lecture plus pessimiste que l'on peut avoir de cette renaissance supposée d'un esprit de communauté politique dans la France des années 80. Cité *in The Jew in Modern France* sous la direction de Frances Malino et de Bernard Wasserstein, University Press of New England, Hannover et Londres. Le livre de Dominique Schnapper, *Juifs et israélites* (Gallimard, « Idées », Paris, 1980), prend lui aussi acte de l'épuisement du modèle du franco-judaïsme hérité de l'émancipation révolutionnaire — symbolisé par le remplacement du terme « israélite » par celui de « Juif » auparavant perçu comme insultant ou dépréciatif. Je précise que, par orthodoxie, j'entends ici non pas toute pratique religieuse juive, mais un mouvement politico-religieux né dans le judaïsme au XIXe siècle en réaction à la *Haskalah* (aux Lumières juives).

par exemple qu'au milieu des années 70 un vieil ouvrier à l'accent yiddish, parent d'élève, était intervenu dans une assemblée générale de lycéens de Voltaire en grève des cours, afin de plaider pour le retour en classe. Traité de « fasciste » par un élève, l'homme avait alors exhibé son bras tatoué à Auschwitz. L'assistance s'était tue un instant : l'incident faisait renaître brusquement un monde fort éloigné de l'atmosphère plutôt hédoniste de l'après-Mai 68 dont ces grèves étaient imprégnées.

Je ne parviens du reste pas à dater ma première visite au Centre de documentation juive contemporaine. En revanche, je me souviens parfaitement de l'impression que me fit cette visite. Du sentiment de totale étrangeté dans lequel me plongea le spectacle des vieillards qui le fréquentaient, parlant un jargon incompréhensible (celui-là même que j'entendais parfois dans les synagogues et que je prenais pour de l'allemand curieusement prononcé). Ils étaient là, discutant inlassablement devant des papiers pelures jaunis, illisibles à force de passer de main en main, le tout baignant dans une lumière jaunâtre et un décor de bureau au mobilier sombre dont l'atmosphère évoquait plus les ateliers d'imperméables du *Pletzl* que l'image que je me faisais d'un centre de recherche. Le romantisme rétrospectif s'attachant aux traces mythifiées du *yiddishland* (révolutionnaire ou pas) n'avait pas encore fait son œuvre. La distance avec la Shoah n'était sans doute pas suffisamment grande pour se muer tout à fait en respect.

À la fin des années 70, un autre phénomène s'était mis à déborder sur l'espace public : le négationnisme. Mais je ne me rappelle pas avoir vraiment, à l'époque, pris l'épisode au sérieux. En revanche la question de la Shoah s'était transformée en problème intime, capable soudainement de peser sur mes amitiés. Le 20 octobre 1980, quelques jours après l'attentat, j'éprouvai soudain le besoin de relater un épisode qui, en réalité, était survenu quelques années plus tôt :

> Je vidais, un jour, l'un des tiroirs de mon bureau en compagnie de X [un camarade non juif]. Mes mains se remplissaient de médailles militaires et de souvenirs de toutes origines [dont je faisais alors collection]. Chaque objet appelait son commentaire : le passé de ces choses mortes tissait une sorte de trame. Tout à coup, surgit entre mes doigts une pièce de tissu de couleur ocre jaune, formée d'un seul mot en lettres de flamme cerné d'un liséré noir au parcours complexe. L'inscription s'étalait, obscène, autour du dessin arachnéen, et les lettres semblaient exécuter une danse macabre. Je considérai l'objet sans rien dire, presque gêné de son apparition à laquelle je ne m'attendais pas. Mon camarade marqua sur son visage les signes d'une répulsion qui allait croissant. Il toucha à son tour le morceau de tissu, comme pour le palper et en vérifier la réalité quelques instants, puis le rejeta avec une expression de dégoût. La nausée qu'il ressentait à presser entre ses mains la chose ignominieuse provenait d'un mouvement généreux, et du scandale que lui inspirait cette trace d'humiliation. Mais je ne pus me défendre — idée que je repoussai de toutes mes forces comme exagérée — de m'imaginer aussi que cette indisposition n'avait pas seulement une sympathie légitime pour origine, mais renvoyait également à un mouvement d'agacement contre celui — ou ceux — qui dérangeait ainsi la tranquillité de son monde.

À la suite de Copernic, ce camarade qui m'était cher me confia que l'image de l'attentat de la synagogue en flammes l'empêchait de dormir. Mais, là encore, cette marque de sympathie, au lieu de me toucher et de me rassurer comme elle aurait dû le faire, suscita en moi une réaction négative : « J'ai retrouvé chez lui, couchai-je alors sur mes petits carnets, un sentiment de colère primaire, presque charnelle et ambiguë : pas une parole de pitié ni de solidarité, simplement une indisposition physique troublant son sommeil. Était-ce l'attentat contre les Juifs qui le tenait ainsi éveillé ou bien étaient-ce les Juifs qui l'empêchaient de dormir ? Comment savoir ? » Je réagissais, moi qui n'avais jamais fait jusque-là l'expérience directe de la haine antijuive, comme un enfant battu qui se protège même devant qui lui offre une friandise. Obsidionalité, sentiment d'isolement et angoisse de culpabilité continuèrent à me miner longtemps après que la vague fut retombée. J'en vois encore un écho dans ce rêve que je consignais le 19 février 1981, qui me paraît comme un signal du processus d'intériorisation des passions libérées au moment de Copernic :

Il me semblait que j'avais pris l'identité du vicomte de Chateaubriand. Celui-ci — moi-même, en partie — quittait le pays en compagnie d'un seul fidèle, à la suite de la révolution de 1830. Alors qu'il s'en allait chercher quelques effets dans une sorte de remise, survient une bande de jeunes légitimistes qui ne le reconnaissent point, le prennent pour un petit Juif, et commencent à courir dans tous les sens pour le jeter dans un cours d'eau voisin, au bas d'un talus. Ce forfait accompli, les jeunes royalistes se voient fustiger par le compagnon d'infortune du vicomte qui leur crie : *Savez-vous bien ce que vous venez de faire ? vous venez de jeter à l'eau le vicomte de Chateaubriand.* Entre-temps, ce dernier, ruisselant, fait un geste qui exprime (et peut-être le dit-il aussi) que ni cette méprise, ni la cruauté des jeunes gens ne l'étonnent. S'ensuit une sorte de gros plan sur le visage beau et frais des muscadins, dont certains portent un survêtement.

La mention du « survêtement » mérite un commentaire. J'avais entendu dire, quelques jours auparavant, qu'une amie de ma mère avait été si ébranlée quand elle avait appris la nouvelle de l'attentat qu'elle avait spontanément quitté son immeuble en survêtement sans trop savoir ce qu'elle allait trouver dans les rues en réalité désertes. Sortir, mais se battre contre qui ? D'instinct, l'émotion l'avait pourtant jetée dehors parce qu'elle avait cru, un instant, revivre la période de l'Occupation qu'elle avait connue dans sa jeunesse. Cette femme, s'agitant à la lueur du crépuscule dans une artère indifférente et déserte : tels furent le symbole de l'humiliation et de la solitude juive retrouvée, revenue hanter mes nuits. De même éprouvais-je — toujours en février 1981 — le besoin de noter un *Midrach* (un commentaire rabbinique de la Bible, sous forme de narration) qui explique pourquoi Joseph, ministre de Pharaon, se mit à pleurer sur l'épaule de son frère, Benjamin, quand il le revit (Benjamin étant mon premier prénom). La réponse du *Midrach* ne se situe nullement sur un plan émotionnel mais sur celui de la prophétie. Les larmes de Joseph auraient été inspirées par une vision, qu'il aurait eue, alors, de la destruction du Temple, situé non loin du territoire attribué aux descendants de son frère cadet. La vision juive de l'histoire remet en question la continuité chronologique, concluais-je. Mais cette absence de continuité reposait sur la vision d'un temps qui ne me semblait pouvoir être désormais tendu qu'entre deux catastrophes : le frère abandonné et la ruine d'Israël.

Le contexte de Copernic : renaissance juive et « mode rétro »

Le jeune homme de vingt-trois ans que j'étais alors, élève à l'École normale supérieure de la rue d'Ulm, était tout entier absorbé par un lent processus de réappropriation du judaïsme. Celui-ci avait commencé par la fréquentation de ces groupes d'étude qui proliféraient depuis la fin des années 70. Là se croisaient de jeunes Juifs égarés dans l'aventure du gauchisme en posture de « retour » vers la tradition. Une tradition qui sollicitait à l'époque l'intérêt des intellectuels les plus prestigieux*. Ce public composé de jeunes gens frustrés d'études par leur engagement dans le gauchisme, de psychanalystes, d'étudiants ou

* Un phénomène sur lequel on n'insistera jamais assez (et qui peut-être constitue la spécificité de la scène française) est l'intérêt réel qu'a suscité le judaïsme auprès des intellectuels les plus marquants de l'après-guerre comme Jean-Paul Sartre ou Jacques Lacan. Il y eut un temps où l'on se souciait de faire une place à la pensée juive, sans craindre obsessionnellement le « communautarisme » ni l'orthodoxie. Le fait que ce mouvement semble tari et surtout qu'il n'ait connu aucune traduction dans l'Université ni dans la recherche constitue, à l'inverse, un des phénomènes inquiétants de la période contemporaine parce qu'il grève l'avenir de la vie juive en France. Déjà peu écoutés par les autres Juifs qui ont, apparemment, plus besoin d'identification émotionnelle que de contenu, les intellectuels juifs sont renvoyés à leur solitude. Quand ils ne cèdent pas à la puissante pression sociale les invitant à parler d'« autre chose » s'ils veulent être entendus — ce qu'ils finissent souvent d'ailleurs par faire. L'ouvrage d'Alain Finkielkraut, *Le Juif imaginaire* (Le Seuil, Paris, 1980), est un bon exemple de cette volonté de contenu, restée inaccomplie dans la suite de l'œuvre.

de simples curieux commença à faire sortir l'œuvre du philosophe Emmanuel Levinas de sa confidentialité communautaire ou universitaire. Ce fut aussi à cette époque que l'on commença à traduire ou à retraduire en français certains textes fondamentaux du judaïsme : les premiers volumes du *Zohar* aux éditions Verdier, le *Guide des égarés* de Maïmonide ou *L'Étoile de la rédemption* de Franz Rosenzweig (traduction qui amorçait la lente exhumation du foyer de culture judéo-germanique). Ces trajectoires informelles et « circulatoires » de retour à la tradition concernaient une génération d'aînés, soixante-huitards, à laquelle je n'appartenais pas. Elles étaient encore trop balbutiantes pour susciter l'intérêt de milieux orthodoxes qui de toute façon, et à quelques notables exceptions près, les comprenaient mal.

Au début des années 80, la renaissance juive en France s'appuyait sur une idéologie des différences alors valorisées — ou moins diabolisées qu'elles ne devaient l'être à la fin de la décennie avec l'irruption de l'idéologie républicaniste. Sous divers masques et prétextes, Copernic a imprimé un tour plus défensif à ma relation au judaïsme. La vie juive se transformait peu à peu en « culture d'enclave » où l'effort portait surtout sur la définition des limites entre un « dedans » et un « dehors », tandis que le contenu intérieur demeurait en jachère[4]. À une demande spirituelle, à la recherche d'un judaïsme profond et ouvert, celui qui s'était développé dans le cadre des colloques des intellectuels juifs de langue française que fréquentaient mes parents, se substituait le judaïsme des limites et des confins.

Mais c'est d'un tout autre effet de contexte que procède à mon avis ce sentiment de culpabilité lancinant qui accompagna la période de l'attentat et de ses suites. Pour comprendre l'origine de cette conviction bizarre selon laquelle j'aurais eu, moi aussi, une part de responsabilité dans la tuerie, il faut replonger dans un esprit du temps aujourd'hui quasiment effacé des mémoires, la « mode rétro », pourtant caractéristique de la fin des années 70. En dépit de ses aspects parfois futiles, cette vogue révélait un tournant dans la perception de l'Occupation. Certains verrous avaient sauté, libérant de manière anarchique les esprits qui ne se sentaient plus astreints à reproduire la vision « résistancialiste » de la guerre (laquelle voulait que la plupart des Français aient presque tous soutenu la Résistance), dominante à l'époque gaulliste. On se trouvait dans une manière d'entre-deux. D'une part la thèse de la France résistante heurtait trop la vérité historique, d'autre part la mémoire de la persécution des Juifs sous Vichy n'avait pas encore pris toute sa place. D'où un certain engouement pour les écrivains « collabos », à commencer par Drieu La Rochelle ou Robert Brasillach, dont les œuvres, et surtout les vies, suscitaient alors de nombreux travaux et rééditions. Certains films affectaient une sorte d'ambiguïté morale quant au jugement à porter sur les « années noires ». Cela pouvait aller jusqu'au brouillage des repères entre bourreaux et victimes du nazisme. La fascination pour le morbide, pour le thème des camps ou de l'Occupation, s'étalait au grand jour, parfois sous des habillages sophistiqués comme dans *Les Damnés* de Visconti (1969) et surtout dans *Portier de nuit* de Liliana Cavani (1973), devenu emblématique de cette mode douteuse. Ce film racontait l'histoire d'une ancienne déportée retrouvant par hasard le SS qui l'avait martyrisée dans les camps. L'héroïne finissait par tomber dans une fascination sado-masochiste pour son persécuteur. Outre-Atlantique, cette thématique particulière a reçu le qualificatif d'*holoporn* (soit une forme de pornographie liée à l'Holocauste) et elle est sévèrement jugée. À l'époque, le prétexte de l'amour interdit suffisait à conférer un label « contestataire » à cette confusion des repères.

Lacombe Lucien de Louis Malle, sur un scénario coécrit avec Patrick Modiano (1974), entre aussi dans cette catégorie[5]. Le jeune gars du Sud-Ouest, héros de l'histoire, se retrouvait plongé, vers la fin de la guerre, dans la collaboration après avoir été trouvé trop jeune pour entrer au maquis. La mise sur le même plan de l'engagement résistant ou gestapiste me choqua au-delà même de ce que contenait l'histoire. De même la mise en scène du provincial, fier de se dire de la « police allemande », éprouvant une jouissance revancharde à coucher avec la fille d'un élégant couturier parisien, fine caricature de riche Juif, me scandalisa. La belle histoire narrée dans *Au revoir les enfants* de 1987 (celle d'un enfant juif caché par des prêtres sympathiques) valait-elle demande de rachat pour *Lacombe Lucien* ? Quoi qu'il en soit, l'opposition des styles de récit marque bien l'évolution des mentalités. Mais, dans les années 70, la curiosité malsaine focalisée sur les années 30 et 40 l'emportait sur le devoir de mémoire.

Rétrospectivement, ce moment bizarre de la vie culturelle, qui correspondait à mes vingt ans, peut difficilement se rapporter à un quelconque « fascisme qui vient » même si, chronologiquement, il précède la montée en puissance électorale du Front national. La « mode rétro », considérée par ses contempteurs comme une réhabilitation rampante de la collaboration, était souvent le fait d'artistes considérés comme plutôt gauchistes. L'historien Henry Rousso a suggéré que ce passage correspond à un moment d'érotisation de la période sombre. Érotisation qui, elle-même, aurait été le « symptôme » d'un début d'appropriation de « l'événement Occupation » par les premières générations à ne pas l'avoir vécu. On peut aussi, dans les termes de l'égyptologue allemand et théoricien de la mémoire Jan Assmann, décrire cette étape comme le signe de la lente métamorphose de la mémoire communicative (celle des vivants et des survivants) en une mémoire culturelle (éventuellement institutionnalisée[6]), puisque les représentations de la guerre et de l'Occupation échappaient pour la première fois, peut-être, au discours de ceux qui en avaient été les acteurs. La « mode rétro » a joué, dans le registre esthétique, le rôle de « chiffon rouge » ou de modèle répulsif faisant ressentir ce à quoi pouvait ressembler une société oublieuse des horreurs de l'Occupation. La mémoire de la Shoah qui allait prendre tant d'importance s'explique aussi comme un rejet de cette atmosphère délétère.

Au tournant des années 70 et 80, ce qui paraissait s'annoncer, c'était le risque de l'oubli et non le trop-plein de mémoire tant dénoncé dans les années 1990. La possibilité d'un *fading* de Vichy semblait réelle et les ambiguïtés véhiculées par le courant rétro étaient considérées comme un sous-produit nauséabond du phénomène. Ces curiosités dérangeantes avaient beau être parées des atours (si l'on entend par là le renversement des tabous) d'une esthétique progressiste, il n'y avait guère d'ambiguïté quand celle-ci s'accompagnait de l'exhumation de vieux collaborateurs en chair et en os. *L'Express* avait ainsi publié en 1978 une interview tonitruante du successeur de Xavier Vallat au Commissariat général aux questions juives de Vichy : Darquier de Pellepoix. Réfugié en Espagne, il profita de l'occasion pour pérorer qu'à Auschwitz

« on n'avait gazé que des poux[7] ». En lisant cet entretien, je compris pour la première fois que, dans l'esprit des persécuteurs, un sentiment comme le remords ne trouvait pas sa place, peut-être parce que le crime excédait les capacités de pardon. De même la déferlante négationniste amorça-t-elle sa carrière publique précisément à cette période de confusion entre ultragauchisme sans repères et extrême droite sectaire et antisémite. Je me souviens également qu'un personnage, Alfred Fabre-Luce, était alors très présent dans les médias. Ce rescapé du pacifisme passé au doriotisme, puis, pendant la guerre, au lavalisme, récupéra, au soir de sa vie, une certaine audience — à laquelle les complaisances de l'esprit rétro pour les soi-disant maudits n'étaient pas totalement étrangères. En 1979, dans un petit ouvrage caractéristique de ce que l'on pouvait alors risquer en matière de discours sur les Juifs, Alfred Fabre-Luce proposait à ceux-ci une sorte de pacte : les Français s'engageaient à ne plus faire d'eux les boucs émissaires des malheurs nationaux et, en retour, les Juifs cesseraient leur prosélytisme culturel en concourant à l'établissement d'une version jugée bonne de l'histoire de Vichy. Cela supposait de renoncer à une conception judéocentrique de la période consistant, selon lui, à mettre par trop l'accent sur les responsabilités françaises dans la persécution. Sous forme de supplique sournoise au « lobby juif » tout-puissant, à qui l'on prêtait le pouvoir d'imprimer ses vues à l'Histoire, ce genre de suggestions se répétera sous de multiples autres formes jusqu'au procès de Maurice Papon en 1997-1998, devenant un des véhicules de l'antisémitisme contemporain[8]. Alfred Fabre-Luce, qui fut un temps rédacteur en chef de *Rivarol*, n'en était du reste pas à sa première charge : au début des années 70, il s'en était déjà pris vigoureusement au *Chagrin et la Pitié*, jugeant, dans *Le Monde* du 13 mai 1971, « qu'il est toujours gênant de voir les survivants [les Juifs] accabler un homme [Pétain] à qui ils doivent la vie[9] ». Contrairement à ce qui se passera dix ans plus tard, lors de la profanation de Carpentras, il y eut alors un intellectuel pour dire haut et fort que cela suffisait. Se faisant l'écho du malaise provoqué par le climat ambiant, François Furet, dans *Le Nouvel Observateur*, tira la sonnette d'alarme : « En cette fin d'année 1979, il règne à Paris, s'inquiétait-il, une sorte d'arrogance de la pensée libérale qui me paraît contradictoire avec l'esprit du libéralisme. La passion de "normaliser" le problème juif et l'existence collective des juifs français ou en France constitue un bon exemple de cette arrogance : des pensées courtes sur une question immense. Or le problème juif n'est pas "normalisable", ajoutait-il. Il faut vivre avec lui à l'heure qu'il est. C'est la condition de la démocratie. »

De Copernic, irruption de l'antisémitisme sous les formes les plus radicales de l'après-guerre, date donc pour les Juifs une habitude : celle de vivre avec la mémoire de la Shoah. La honte que j'éprouvais d'avoir cédé au charme du rétro montrait à quel point la relation à la chose juive serait désormais marquée de culpabilité. En revanche, on constate qu'à cette époque la « vigilance » sur un sujet comme l'antisémitisme ne posait pas de problèmes. À cet égard, le climat entourant la profanation du cimetière juif de Carpentras allait mettre au jour des comportements bien différents.

2

Le désengagement des clercs : Carpentras (1990)

La profanation de Carpentras fournit un bon exemple de déficit des clercs en matière de vigilance contre l'antisémitisme. C'était le temps — le début des années 1990 — où la chorégraphie spontanée de l'effondrement des régimes de « démocratie populaire » remplaçait avantageusement les défilés du bicentenaire français sinistrement solitaire et intempestif, dans ce paysage de fin du communisme. Une autre métamorphose que, pour ma part, j'attendais beaucoup en observant la disparition du « socialisme réel » à l'Est était l'extinction de l'un des foyers les plus actifs de l'antisémitisme. J'avais même osé espérer que la violence du nationalisme palestinien (même si certains de ses représentants clamaient que le mur de Berlin tomberait aussi à Jérusalem !) en serait atténuée. Inutile de dire que ces attentes furent déçues. L'antisémitisme devait bel et bien survivre à 1989. Sur ce point non plus, il n'y aura pas eu de « fin de l'histoire ». Au contraire, la concomitance de Carpentras et de l'avènement du postcommunisme fut pour moi l'indice que l'antisémitisme sous sa forme la plus archaïque réussissait son passage dans une autre époque.

Carpentras a un lien étroit avec Copernic. D'abord parce qu'il s'agit de deux actes d'antisémitisme « pur », pourrait-on dire : un attentat contre une synagogue, la violation d'un cimetière. L'inaboutissement de l'enquête sur Copernic (en 1990, l'instruction du dossier n'était toujours pas close quand j'écrivis une page anniversaire dans *Le Monde*) avait laissé un goût amer. Beaucoup en avaient retiré la désagréable impression de s'être laissé flouer, d'avoir massivement protesté contre l'extrême droite alors que le terrorisme palestinien était seul en cause et juraient sans doute qu'on ne les y prendrait plus aussi facilement. Au lieu de réveiller les consciences, Copernic avait accru les effets de brouillage. Carpentras jouera un rôle similaire.

Mais avant d'aborder l'événement lui-même et ses répercussions, je m'attarderai sur une « affaire » survenue quelques mois plus tôt qui me toucha de près. J'y vois en effet s'y former précocement le nœud de réactions propre à l'après-Carpentras et que l'on peut résumer comme suit : une volonté agacée de passer outre à l'antisémitisme au nom des excès prétendus d'une « vigilance » elle-même appréhendée non comme un progrès de la culture politique et éthique mais comme le souci intéressé d'une minorité d'entretenir compulsivement des tabous à son profit.

Un prélude : l'affaire Finlay ou la naissance de l'antivigilance

Dans les mois précédant le bicentenaire, fin 1988, une vieille connaissance vint solliciter mon soutien.

Cet ami voulait me faire signer une pétition en faveur d'un poète et artiste conceptuel du nom de Ian Hamilton Finlay, un Écossais dont l'œuvre était tout entière bâtie autour de la symbolique de la violence politique et notamment de la Révolution française. À ce titre, Finlay avait été sollicité pour concevoir un « jardin de pierre » en l'honneur de la Déclaration des droits de l'homme de 1789 (que devait réaliser le paysagiste Alexandre Chemetoff). L'installation était destinée à prendre place non loin de l'hôtel des Menus-Plaisirs de Versailles, au lieu même où le texte de la déclaration avait été adopté. Le 25 mars 1988, la commande fut brusquement annulée par François Léotard, alors ministre de la Culture. La divulgation d'une correspondance entre l'artiste et l'un de ses sous-traitants canadiens, correspondance que Finlay avait truffée d'injures antijuives, venait de mettre le feu aux poudres*.

* Un bon résumé de l'affaire se trouve dans le compte rendu du procès en diffamation intenté et perdu par Ian Hamilton Finlay (*Le Monde*, 13 mai 1989) dans lequel sont cités les propos adressés par Finlay à son sculpteur Jonathan Hirschfeld : « J'en ai assez de vos bêtises. À l'évidence, vous avez regardé trop de films montrant vos compatriotes en train de brutaliser des Arabes non armés avec la crosse de leur fusil. Je ne suis pas un Arabe désarmé et je vous mets solennellement en garde de faire attention où vous mettez les pieds. » « Vous êtes une brute arrogante, bête et ignare », écrivait encore Ian Finlay avant un post-scriptum où, après avoir traité son ex-collaborateur d'« escroc », de « filou » et de « cinglé », il concluait : « Tel que vous êtes actuellement, vous devez être considéré à juste titre bon pour la déportation vers une autre planète. » Edwy Plenel, auteur de l'article, ajoutait : « Que les revendications professionnelles de M. Hirschfeld soient ou non justifiées, cette riposte a tout de même de quoi émouvoir. Faut-il préciser que, s'il est juif, M. Hirschfeld n'est aucunement citoyen israélien, il a seulement séjourné neuf mois à Jérusalem en 1975-1976 ? »

Cherchant à exhiber le lien qui unissait, à ses yeux, l'« esprit néoclassique » et la Terreur, Finlay vivait replié dans son domaine écossais de Syony Path, situé non loin d'Édimbourg et rebaptisé par lui « Little Sparta ». Il s'y était entouré d'une galerie de symboles mortifères : guillotine, svastika, cendres, etc. Ce travail sur les signes de la violence n'avait-il pas fini par entraîner une sorte de fusion entre l'auteur et la thématique de l'œuvre, dont les avatars divers et variés promenaient sans beaucoup de médiations le spectateur du jacobinisme au nazisme ? Cela ne rendait-il pas Finlay pour le moins impropre à devenir celui dont le nom serait associé à la célébration de l'entrée dans l'ère des droits de l'homme ? Une autre question me tourmentait. Pourquoi était-on venu me demander à moi un tel soutien alors que j'étais un parfait inconnu ? Représentais-je, malgré mon obscurité, une recrue de choix pour la cause des défenseurs de Finlay en raison de l'origine juive de mon patronyme toujours utile à faire figurer dans une pétition de soutien à un personnage soupçonné d'antisémitisme (même quand cet antisémitisme se revêtait des atours plus ou moins médiatiquement autorisés de l'« antisionisme ») ?

Pour ma part, sans m'arrêter aux malaises provoqués par cette barque artistique qui tanguait dangereusement entre « droits de l'homme », « nazisme » et « jacobinisme », je trouvais au début, non sans légèreté, que cette cause ne manquait pas de panache parce qu'elle permettait de dénoncer quelques abus de lynchage médiatique. Je signai donc la pétition. Malheureusement, l'ambiguïté que ses défenseurs faisaient planer sur l'antisémitisme de Finlay fut levée quand on rendit publique une nouvelle correspondance émanant du couple (la femme de Ian Finlay,

Sue, agissait souvent au nom de son mari, l'artiste prétendant ne jamais quitter Syony Path). Les lettres montraient à l'évidence que les réflexions de l'artiste dans sa lettre à Jonathan Hirschfeld ne provenaient nullement d'un coup de sang ni d'un goût prononcé pour le « jeu avec le feu », mais reflétaient bien un sentiment de détestation qui paraissait profond pour les Juifs, bref relevait de l'expression d'un antisémitisme pur et simple.

On trouvait du côté de Finlay quelques intellectuels communistes et d'anciens maoïstes dont certains n'avaient conservé de leur engagement de naguère qu'une fascination sans contenu pour la violence révolutionnaire exaltée par Finlay. Ces voix clamaient à l'envi qu'« attaquer Finlay, c'était attaquer la Révolution elle-même ». Dès lors, mon engagement pour la défense de ce personnage (qui dans les faits se limita à une signature que je retirai par la suite), tout motivé qu'il avait été par le rejet de la censure idéologique dont Finlay se prétendait victime, devint pour moi un motif de confusion. La honte me poussa à devenir plus sensible à ces manifestations d'antivigilance dont les débats autour de Finlay représentèrent les balbutiements. À l'époque, les protestations contre les abus de mémoire ou l'excès prétendu de vigilance face à la renaissance de l'antisémitisme étaient rares ou provenaient surtout de l'extrême droite. Dans la controverse autour de Finlay se noua pourtant un complexe nouveau : face à l'évidence d'un comportement antisémite, des intellectuels de gauche estimaient plus importante la lutte contre une « censure » (exercée en sous-main par le « lobby juif-sioniste » ?). Des alliances objectives semblaient se nouer entre une mouvance soixante-huitarde prompte à vouloir « ébranler les tabous » et les prodromes du repli républicain. Dans cette catalyse, toute vigilance démocratique contre l'antisémitisme, d'évidente qu'elle était naguère, prenait peu à peu les couleurs soit d'un insupportable frein à la liberté d'expression, soit d'une prétention particulariste ou « communautaire ».

Peu de temps après, mon ami d'alors, partisan résolu de Finlay, me montra un dessin. On pouvait y voir un chasseur à courre précédé d'une meute (la presse ?) forçant trois lièvres qui, pour autant qu'il m'en souvienne, portaient, inscrits sur leur pelage, les noms de Carl Schmitt, Heidegger et Paul de Man[1]. L'aristocrate chasseur, à la posture arrogante et cruelle, n'était pas nommé. Mais l'insinuation était claire. Il s'agissait de dénoncer le lobby mystérieux qui cherchait à araser toute aspérité idéologique en sourdine. On sous-entendait qu'un groupe de pression dont il n'était pas difficile de deviner l'identité tentait de faire barrage, en la stigmatisant comme antisémite, à toute manifestation de soutien aux « Arabes désarmés[2] ». « Arabes » (Palestiniens) dont le comportement et le sort se trouvaient ainsi rapprochés de ceux des intellectuels dont on commençait alors à interroger le passé douteux.

Après que j'eus pris connaissance de la lettre de Sue Finlay, j'en voulus à ses défenseurs d'avoir cherché par mille sophismes à dissimuler ou à excuser les dérives verbales du couple. Le comité de soutien cessa d'ailleurs rapidement ses activités. Quelques mois plus tard, discutant avec des collègues, dont certains étaient demeurés pro-Finlay, d'un projet de publication qui devait retracer les grandes étapes de l'histoire des droits de l'homme, partie par provocation, partie naïvement je proposai qu'on y associe la création de l'État d'Israël (liant dans ce contexte l'État juif à la Shoah). Mon intervention ne suscita que la réprobation des uns et le silence des autres : le sionisme a-t-il quoi que ce soit à voir avec les droits de l'homme — me fut-il opposé — et la naissance d'Israël ne fut-elle pas une injustice (faite aux Palestiniens)* ? Le projet avorta. Tel était le climat dans lequel j'abordais Carpentras, autre date clef dans la progression de l'antisémitisme en France à la fin du XXe siècle.

Cheminement de la mauvaise conscience

L'affaire Finlay avait fini par représenter, aux yeux de certains de ses partisans, l'illustration supplémentaire de l'*imperium* « sioniste » sur les médias et, par ricochet, sur les hommes politiques. On faisait de l'artiste écossais une sorte de témoin, peut-être de « martyr » d'une mythique puissance juive, alors que son débarquement de la commémoration du bicentenaire n'était qu'une réaction à ses bordées antijuives. Pour moi, écœuré, en proie à l'impression de m'être laissé manipuler, je tirai deux leçons de cette histoire. M'inspirant du *Viddouï* (la grande confession du Yom Kip-

* Que la création de l'État d'Israël se soit accompagnée d'injustices faites aux Arabes palestiniens et ait créé une dette dont ni les Juifs ni les héritiers juifs de 1948 — les Israéliens — ne peuvent se sentir exonérés (y compris par des arguments du type : échange de population — les Juifs chassés des pays arabes compensant l'exode des Palestiniens) est une évidence que l'auteur de ces lignes ne s'est pas contenté d'admettre du bout des lèvres mais qu'il a contribué à faire connaître au public français en parlant le premier des travaux des « nouveaux historiens » israéliens. Là où la solidarité avec les Palestiniens se confond avec l'antisémitisme pur et simple, c'est quand on prétend que la création d'un État juif constituait *en soi* une injustice.

pour), je m'imposai dès ce moment pour devoir de ne plus « égarer les autres » comme je venais de le faire en signant la pétition. M'adressant mentalement à ceux qui m'avaient attiré dans cette chausse-trappe, je me répétai sans cesse à moi-même l'injonction biblique de ne « point mettre des obstacles sous les pieds des aveugles[3] ».

Je me sentais également en proie à un sentiment quasi physique d'exclusion et me mis à projeter sur la société qui m'entourait une impression d'inquiétante étrangeté qui ne m'a plus quitté depuis. La réponse, contrairement à Copernic, fut séculière. En juin 1989, je partis faire un voyage d'« exploration » pour m'installer en Israël confronté, depuis deux ans maintenant, à l'Intifada. À mon retour voici ce que j'écrivais à propos d'un après-midi passé à visionner, à Jérusalem, un film sur David Ben Gourion et les premiers sionistes, ceux-là mêmes dont la tâche paraissait accomplie, mais que le soulèvement palestinien — l'Intifada — remettait en cause dans son achèvement même : « J'ai compris qu'Israël ne m'attirerait jamais comme utopie, qu'il faudrait y aller par sionisme et non par religion. Qu'il faudrait aller dans un État comme un autre que *l'on craint simplement de voir périr par sa faute*, à la rencontre d'un peuple israélien méconnu qui dans son prosaïsme incarne pour moi la contradiction entre l'infinité du devoir en nous-mêmes et notre finitude. » Toujours la culpabilité.

Je pressentais surtout, et à juste titre, qu'Israël ne jouerait plus jamais le rôle d'utopie socialiste réalisée qui avait assuré sa popularité auprès de la gauche européenne, avec son kibboutz où tant de jeunes idéalistes, juifs[4] ou non, avaient traîné leurs guêtres. Israël restait aux Juifs, mais était perdu pour le camp progressiste. Un tout autre esprit était en train de naître où les Juifs et a fortiori leur État n'avaient plus guère de place. Je déplorais que ceux qui, comme moi, avaient débouché des bouteilles de champagne pour fêter la mort de Franco n'aient pas éprouvé la même soif à la mort de Khomeyni. Enfin je constatais, sans l'approuver, la tendance à reporter sur les « jeunes de banlieue » la nostalgie de l'espérance révolutionnaire. Dire que le marxisme disparaissant (ou n'existant plus que de façon « spectrale », comme devait bientôt l'écrire Jacques Derrida[5]) avait laissé intact le vieux tiers-mondisme n'exprime pas exactement ce que je sentais poindre dans ces années de recomposition. Pas plus que je n'étais préoccupé comme j'aurais dû l'être de l'insidieux remplacement de la question sociale par des problèmes ethniques ou identitaires aussi envahissants qu'indivisibles et insolubles. Non, à lire mon journal du temps, ce qui m'inquiétait plutôt, à l'époque, c'était l'émergence d'un *gauchisme mystique* où la *Santeria* (l'équivalent cubain du vaudou) tenait plus de place que la lecture de Marx ou d'Engels. Gauchisme occultiste, gauchisme de réflexe, de nostalgie, et bientôt gauchisme d'origine, fonctionnant comme un signe de reconnaissance générationnel. Dans ce gauchisme-là, la cause palestinienne allait trouver une place de choix, sur un registre souvent plus émotionnel et théologique que politique[6].

Même la dissidence n'était pas un abri complètement sûr, malgré l'antisémitisme de plus en plus affiché du pouvoir soviétique depuis la fin de la guerre. Lors de la révolte des étudiants chinois de la place Tian'anmen, le 5 juin 1989, un ami vint me rapporter non sans une certaine délectation les propos de l'astrophysicien Fang Lizhi (qui avait été exclu du Parti communiste chinois en 1987)[7]. Celui-ci se serait plaint de ce que les pays occidentaux étaient moins demandeurs d'application des droits de l'homme en Chine... parce qu'il n'y avait pas de communauté juive ! Cette remarque imprégnée de ressentiment, de « concurrence des victimes » (le terme n'était pas encore forgé) et mise dans la bouche d'une autorité morale combattant pour les droits de l'homme me fit mal. Et plus encore le commentaire qu'y ajouta l'ami en question : « Ian Finlay ne dit pas autre chose. » C'était comme si la vieille contestation des « monopoles capitalistes » se transfigurait en critique du monopole de la mémoire et de la victimisation par les Juifs ! J'étais atterré face à une argumentation qui revenait à soutenir que, si les protestations en cas d'agression contre les Juifs étaient bruyantes, ce n'était pas parce que l'antisémitisme posait un problème à la société démocratique, mais simplement grâce à la puissance prêtée à leur « lobby » !

Un rêve, fait au cours de la nuit du 7 au 8 juillet 1989 et consigné dans mon journal, condense (au sens psychanalytique du terme) le mélange de culpabilité hyperbolique et d'angoisse dans lequel me plongeaient toutes ces mutations dont j'étais le spectateur impuissant :

Je me trouvais à Jérusalem après l'horrible attentat du bus 455 [un terroriste-suicide palestinien venait d'obliger le chauffeur de cet autocar qui assurait la liaison régulière entre Tel-Aviv et Jérusalem, route que j'avais moi-même souvent empruntée, à verser dans un ravin : l'attentat avait fait plus d'une dizaine de victimes]. Je rêvais qu'à titre de représailles des militaires, peut-être incontrôlés, avaient décidé de faire passer par un pont de corde cent quatre prisonniers palestiniens [je ne parviens guère à m'expliquer la raison de ce chiffre, peut-être représente-t-il symboliquement les quatorze victimes de l'attentat ?]. De loin, à la clarté déjà sombre du crépuscule, une ligne de feu tirait à salves ininterrompues sur les malheureux qui tombaient dans le ravin. La tension régnait à Jérusalem où je craignais sans cesse de voir surgir un fanatique me percer le cœur à coups de couteau. Comme celui qui venait de poignarder un professeur d'histoire dans la Vieille ville. Mais du côté des militaires, tout se passait avec l'humeur la plus égale du monde. Une soldate, vêtue d'un uniforme kaki clair, faisait observer qu'il fallait coûte que coûte respecter les quotas. Au loin, les prisonniers que l'on abattait ressemblaient à des formes noires, à peine humaines, aussi désincarnées que des personnages de jeux vidéo. Deux prisonniers qui couraient sur le pont et espéraient échapper à la fusillade furent impitoyablement abattus. Je me dis alors que je réprouvais cette logique de la terreur sans oser intervenir. Je me sentais envahi par la honte*.

Encore une fois, je vois dans ce cauchemar l'expression d'un immense sentiment de culpabilité, sans doute né d'une sincère indignation devant le sort fait aux Palestiniens en général mais aussi devant le retournement mimétique entre victime et bourreau dans la perception générale des Juifs que je sentais

* Bien que moins familier à l'époque avec la littérature consacrée à la Shoah, j'avais rêvé là une scène qui rappelle les massacres perpétrés par les nazis et leurs alliés pendant la Deuxième Guerre mondiale. Certains épisodes de tuerie de Juifs sur les ponts du Dniestr par les troupes roumaines ont une ressemblance troublante avec ce rêve, où s'exprime peut-être également un désir de vengeance (que ma personne éveillée réprouve, bien entendu). L'inversion diabolique entre victime et bourreau, caractéristique de toute phase antisémite, fut facilitée par les controverses qui accompagnèrent la guerre du Liban, en 1982, guerre au cours de laquelle les Israéliens furent parfois accusés de reproduire contre les Palestiniens les comportement des nazis contre les Juifs. Voir à ce sujet Alain Finkielkraut, *La Réprobation d'Israël*, Denoël, Paris, 1983.

confusément poindre dans l'air du temps*. Je ne tardais pas à constater que l'antisionisme, lui aussi, avait plutôt gagné en virulence, débarrassé des oripeaux démonétisés de la propagande soviétique. Il s'adaptait à la « nouvelle pensée ». Je dois ici confesser que l'antisémitisme de gauche et d'extrême gauche m'a toujours été plus pénible à supporter que celui de l'« autre camp ». D'une manière ou d'une autre, je le considère comme une tare des miens. Comme mes propres écuries d'Augias...

Toutefois, une autre idéologie que le post-gauchisme arrivait à maturation à la veille de Carpentras : l'idéologie *républicaniste***. Je la vois émerger au fil des pages de mon journal, en cette année 1989, à la suite de l'« affaire du foulard » qui défrayait la chronique au point d'occulter, elle aussi, les festivités du bicentenaire. Le 6 octobre, des élèves musulmanes du lycée de Creil (dans l'Oise) se virent refuser l'accès de leur établissement parce qu'elles portaient le voile islamique. Les élèves juifs qui, eux, portaient la kippa furent pris dans les méandres de cette controverse qui avait atteint des dimensions nationales. Alors que, par des arrangements locaux et dans la discrétion administrative, ceux-ci avaient obtenu le droit de la garder

---

* Après avoir différé plusieurs fois mon départ, je quittai la France en 1993 pour m'installer à Tel-Aviv. Je revins quelques mois plus tard à Paris, faute d'un avenir professionnel crédible. Chaque fois, ces poussées étaient l'indice d'une violente crise intérieure, et surtout de la pression extérieure qui les avait suscitées. Il m'en resta une solide connaissance de la langue hébraïque.

** J'utilise ce terme, à la suite d'autres, pour ne pas confondre l'idéologie sacralisant l'État-nation républicain à la française, avec la défense de l'idée de République et de la forme républicaine de gouvernement à laquelle je souscris bien volontiers.

dans les établissements scolaires, de manquer les cours ou de déplacer les examens dont les dates tombaient un samedi ou un jour de fête, ils prirent de front la réaction des enseignants radicalisés dans leur rejet du « tchador ». Un certain nombre d'« intellectuels juifs » se mirent à clamer, à l'unisson de nombreux enseignants, que seul le cadre de l'État-nation moderne hérité de la Révolution était en mesure de garantir les promesses de l'émancipation et d'une laïcité qu'ils considéraient comme en péril. Ils se sentirent obligés de prendre, du coup, parti contre le foulard *et* contre la kippa*. Si ces voix me paraissaient à tort entonner l'air d'un jacobinisme tardif, inutile de préciser que je n'avais aucune empathie pour les pressions sociales et familiales qui avaient contraint ces jeunes filles à prendre le voile.

Je retrouve la trace de ces débats bien lointains dans une entrée de mon journal datée du 12 décembre 1989. J'y écris : « Les intellectuels [qu'on n'appelait pas encore "nationaux-républicains" mais que j'identifiais comme "jacobins"] attaquent l'idéologie consumériste et identitaire au nom de l'école publique — seul antidote à leurs yeux. Mais où donc est-elle cette école idéale censée former les citoyens français régénérés ? La pratique du pluralisme ne suffit-elle pas à

* Par exemple Alain Finkielkraut, dans *Le Monde* du 25 octobre 1989, stigmatisa « la sainte alliance de tous les clergés ». Dans cette tribune, il alla jusqu'à parler, pour qualifier l'attitude trop permissive, à ses yeux, de la société face à la montée des revendications différentialistes ou communautaires, de « crime politique ». Sur ce point, je partage les analyses critiques venant du sociologue Shmuel Trigano dans *L'Ébranlement d'Israël*, « L'Histoire immédiate », Le Seuil, Paris, 2002, p. 249-266.

faire advenir ce processus d'arrachement à l'identité* ? »

Si je cherche à résumer mon état d'esprit à la veille de Carpentras, je puis dire que c'est alors de la gauche, des excès de l'antisionisme, que le danger me paraissait plus menaçant et non dans l'antisémitisme à l'ancienne, incarné par Jean-Marie Le Pen et consorts. Deuxièmement, tout retour à la pratique religieuse semblait exclu. Découvrant avec enthousiasme l'œuvre de François Furet et du philosophe Marcel Gauchet, je passais au contraire tout au crible de la « sécularisation ». Je projetais, à l'époque, d'écrire un ouvrage qui établirait que le sionisme s'insérait parfaitement dans la version française de la nation, elle-même placée sous la figure tutélaire du Moïse législateur[8]. J'étais devenu par ailleurs (car j'interprétais encore tout avec les mots de la Révolution) un admirateur de Thermidor, épisode habituellement méprisé, et c'est bien un Thermidor israélo-palestinien que j'appelais alors de mes vœux sans trop m'attarder au caractère peu vraisemblable de l'entreprise. Enfin, deux sources nouvelles — qui allaient dans la décennie suivante éroder les capacités d'alerte devant la menace du réveil de l'antisémitisme — commençaient silencieusement à produire leurs effets : l'idéologie républicaniste et le réveil de l'ex-

---

* J'adhère pleinement à la critique du républicanisme proposée par Jean-Marc Ferry dans *La Question de l'État européen* (Gallimard, Paris, 2000), qui y voit une posture essentiellement défensive et surtout minée par la contradiction entre sa revendication d'universalisme et l'idée selon laquelle l'universel ne serait accessible qu'à travers le modèle français de nation. La conclusion, paradoxale, qu'il en tire est que l'idéologie républicaine n'est finalement rien d'autre que la forme exacerbée d'un communautarisme à la française.

trême gauche un temps « sonnée » par l'écroulement du communisme.

Carpentras ou comment disparaissent le Juif et l'antisémite

La petite synagogue de Carpentras fait partie des monuments juifs les plus anciens d'Europe (elle date du XIVe siècle). Quant au cimetière juif de la ville, lui aussi témoigne de l'enracinement des « Juifs du pape » dans un terroir où ceux-ci avaient pu se maintenir, quoique ghettoïsés, dans les *carrières* (« rues » en provençal), alors que les Juifs des alentours étaient, petit à petit, expulsés du royaume de France (les Provençaux en dernier, à la fin du XVe siècle). Le terrain leur avait été concédé par l'évêque. Sans rien en conclure quant aux aléas d'une éventuelle transmission, je note que la cité toute proche de Valréas avait été, au XIIIe siècle, le théâtre d'une affaire de meurtre rituel. En mars 1247, deux personnages, des franciscains apparemment, avaient accusé les Juifs de la ville d'avoir crucifié une fillette de deux ans afin d'en recueillir le sang. Cette rumeur eut pour effet la mise à la torture et l'exécution de nombreux Juifs. Les survivants en appelèrent au pape Innocent IV. Le souverain pontife condamna, le 28 mai de la même année, la persécution et, par une bulle du 9 juillet, proscrivit qu'à l'avenir les Juifs soient accusés de se servir de sang humain à des fins religieuses[9].

L'histoire des *arba kehilot* (les « quatre communautés » de la France prérévolutionnaire, dont celle d'Avignon et du Comtat) s'achève en réalité avec la Révolution française, laquelle dissout les *carrières* et permet aux Juifs de s'installer à leur gré dans tout le royaume. Ceux-ci le font d'autant plus rapidement qu'à Carpentras, rapporte l'historien René Moulinas[10], les magistrats ne se pressent guère de faire appliquer les nouvelles lois ni de supprimer les discriminations — notamment la marque infamante imposée aux Juifs (le port du chapeau jaune). Même révoquées, celles-ci marquèrent longtemps les mémoires. Le romancier Armand Lunel raconte qu'à la fin du XIXe siècle encore, les enfants harcelaient les Juifs de passage aux cris de « *capo, capo* » (expression aux interprétations multiples, parmi lesquelles « chapeau bas » — *capeù* en provençal). La communauté de Carpentras ne fut réellement revivifiée qu'avec l'arrivée des Juifs d'Afrique du Nord, dans la seconde moitié du XXe siècle, discontinuité historique qui fait apparaître le symbole de l'implantation séculaire des Juifs dans l'univers provençal, invoqué à cor et à cri au moment de la profanation, en léger décalage avec la réalité historique.

Au pied du mont Ventoux, dans les plus beaux paysages du Midi, on aurait d'ailleurs voulu n'entendre que le mistral ou l'écho de la voix rugueuse de René Char en célébrer les empierrements depuis l'Isle-sur-la-Sorgue, cité voisine. Carpentras, ville témoin de la présence juive depuis le Moyen Âge : cela restait également vrai pour les rares Juifs français connaisseurs de leur propre histoire. Entre deux visites de cathédrales ou d'abbayes, mon père nous faisait parfois faire le détour par la fameuse synagogue, dans notre route vers le Midi.

Cette mémoire assez vague se chargea soudain de sens lorsque fut révélée la monstrueuse mise en scène qu'y découvrirent, au matin du 10 mai 1990, deux femmes venues se recueillir sur les tombes de leurs proches. Trente-quatre sépultures avaient subi des déprédations. Le corps d'un vieillard avait été exhumé. Une plaque et une étoile de David arrachées à des tombes voisines avaient été placées, par dérision, sur la poitrine de l'homme, Félix Germon, dont les profanateurs avaient tenté d'empaler la dépouille avec un pic de parasol[11].

Déprédation et profanation sont monnaie courante dans les cimetières, en particulier dans les carrés et les cimetières juifs. Elles représentent même la manifestation la plus répandue de l'antisémitisme populaire — de celui des jeunes, en particulier. Mais pour ne s'attaquer qu'à des pierres et des défunts, cette pratique n'en est pas pour autant la plus bénigne. Elle témoigne, au contraire, du potentiel de radicalité et de violence que recèle, plus que toute autre « phobie », la haine antijuive. Même quand elle ne s'attaque pas aux vivants, elle s'exprime d'emblée par une volonté d'éradication *absolue*. J'avais eu l'occasion de m'en rendre compte, au début des années 80, à Colmar, en visitant avec mon père les caveaux familiaux de marbre noir. Les nôtres avaient par miracle échappé aux destructions vengeresses infligées au carré juif par des Allemands et leurs alliés alsaciens en pleine déroute. Le fanatisme avait poussé les profanateurs, pourtant déjà vaincus, à saccager en toute hâte ce coin de terre afin d'effacer à jamais les noms et les traces des Juifs d'Alsace*.

---

* Voici la signification que, dans la *Dialectique de la raison*, Theodor Adorno et Max Horkheimer donnent des profanations de cimetières juifs : « Quoi que craigne un homme, [l'antisémite] le lui fera subir. Même le dernier repos ne doit pas en être un. Le saccage des cimetières n'est pas un simple excès de l'antisémitisme, il est l'antisémitisme par excellence. Les proscrits éveillent fatalement le désir de proscrire les autres. La violence s'en-

Je m'attarderai moins sur les faits eux-mêmes que sur la manière dont certains protagonistes du temps firent fond sur les lenteurs de l'enquête* pour mettre en accusation les médias et la société politique du mitterrandisme finissant. Les éléments particulièrement odieux du délit avaient de quoi émouvoir l'opinion publique, et si des leçons devaient être tirées, celles-ci auraient dû se concentrer exclusivement sur l'amélioration et l'intensification de la lutte contre un antisémitisme qui renaissait de ses cendres. Les premières réactions allèrent du reste dans ce sens-là. Le 14 mai eut lieu, à Paris, une grande manifestation de protestation place de la République (à laquelle je pris part). De nombreux Juifs de la région parisienne s'y associèrent, et le président de la République François Mitter-

---

flamme justement à la vue des marques que la violence a laissées sur eux. Tout ce qui se contente de végéter doit être exterminé. Les réactions de fuite désordonnées et régulières des animaux inférieurs, les circonvolutions de la cohue, les gestes convulsifs des victimes torturées représentent ce qui dans la vie toute nue ne peut jamais être entièrement dominé : le réflexe mimétique. Dans l'agonie de la créature, au pôle opposé de la liberté, cette dernière affleure irrésistiblement en tant que destinée contrariée de la matière. C'est contre tout cela que se dirige l'idiosyncrasie servant de prétexte à l'antisémitisme », *op. cit.*, p. 192.

* Devant le piétinement de l'instruction, on avança l'hypothèse que la profanation n'avait pas été commise dans un dessein antijuif mais était survenue dans le cadre d'un « jeu de rôles » de style plus ou moins satanique ou gothique, perpétré, soutenait-on, par les enfants de notables de la ville qu'une « loi du silence » aurait cherché à protéger. Les aveux du jeune skinhead Yannick Garnier à l'été 1996 et l'interpellation des responsables de la profanation, moins le chef du groupe, Jean-Claude Gos, mort dans un accident de voiture au début des années 90, balayèrent ces suppositions qui n'avaient d'autre but que de ne pas affronter ce qui avait été donné à voir dès le début : une violence antijuive poussée à son paroxysme.

rand lui-même y fit une apparition, à la hauteur du cirque d'Hiver, au milieu d'un grand concours de personnes de bonne volonté, simplement révoltées par la violence symbolique de l'acte*. Il faut rappeler cette démonstration de solidarité et souligner qu'elle sera la dernière du genre.

Copernic comme Carpentras entrent, il est vrai, dans un schéma réputé « classique » d'antisémitisme, c'est-à-dire un antisémitisme ayant pour origine, apparente dans le premier cas, réelle dans le second, l'extrême droite au sens large**. Quand les auteurs de la profanation finirent par être découverts, il fut établi que celle-ci avait bien pour origine un commando

---

* Dans *Le Monde* daté du 16 mai 1990, Philippe Boggio nota la confusion d'un cortège qui, plus fourni qu'on ne l'attendait, faisait en réalité du surplace et fut émaillé d'incidents. La tonalité globale tendait à en faire un cortège contre l'extrême droite. « Il y avait beaucoup de juifs originaires d'Afrique du Nord, écrivit encore Philippe Boggio, qui embrassaient des Arabes, peu nombreux, des Antillais mais peu d'Africains. »

** Dans une émission télévisée, l'une de celles à laquelle il était alors régulièrement invité, « L'Heure de vérité », Jean-Marie Le Pen avait ironisé de façon fort peu ambiguë sur la présence massive des Juifs dans la presse. Cette prestation contemporaine de la profanation fut considérée par certains comme instituant un « climat » favorable aux actes perpétrés par les profanateurs. Rappelons que le procès établira que celle-ci se situa dans la nuit du 8 au 9 mai, la date demeurant floue dans l'esprit des profanateurs. L'émission d'Antenne 2 fut diffusée le 9 mai au soir. Dans son récit de l'affaire de Carpentras, Nicole Leibowitz tente de montrer qu'un fil reliait tout de même le Parti des forces nouvelles, formation d'extrême droite dont certains des profanateurs étaient proches, et le Front national. Si elle a raison de bien mettre en évidence qu'une idéologie néonazie inspirait les jeunes criminels, et si, à l'évidence, il existe une circulation entre les groupuscules d'extrême droite et le parti de Jean-Marie Le Pen, elle ne parvient pas à établir de manière convaincante que cette porosité implique une responsabilité du FN dans la profanation.

néonazi — même si le Front national n'avait rien à voir dans l'histoire contrairement à ce qui avait été, çà et là, suggéré. Mais ce qui reste de Carpentras réside moins dans les aléas de son attribution que dans l'érosion de la perception de l'antisémitisme que mit en lumière la controverse intellectuelle qui accompagna l'événement.

Je pus en constater les effets durables plusieurs années après, quand, à l'automne 1997, à la veille de mon départ à Bordeaux pour le procès de Maurice Papon, et alors que la vérité sur Carpentras venait enfin d'être découverte et les auteurs jugés et condamnés, j'eus l'occasion de rencontrer l'un de ces intellectuels qui avaient cru et continuaient à croire, à propos de Carpentras, à la thèse de l'exagération journalistique ou de la sombre manigance politique. Certains avaient très vite soupçonné la gauche au pouvoir d'avoir joué avec le feu en agitant, mal à propos, l'hydre de l'antisémitisme.

Tourner et retourner à propos du parti de Jean-Marie Le Pen la crécelle de l'antisémitisme vichyste était contre-productif, répliquait-on, dans la mesure où la cause véritable de la montée en puissance de l'extrême droite dans la France de la fin du XXe siècle renvoyait moins à un quelconque héritage de Vichy qu'au désarroi de classes populaires, victimes des mutations de la dernière modernité, confrontées à l'immigration et abandonnées par les élites. Le thème de la « sécurité » commençait à poindre dans une gauche où la répudiation publique de l'esprit libertaire propre à l'après-Mai 68 se mettait à faire son chemin[12]. C'est cette revendication de sécurité sourdant des milieux ouvriers des banlieues, et vilipendée par la gauche de gouvernement, qui se serait traduite par un ralliement des anciens électeurs du Parti communiste, au début de sa déshérence, au Front national.

L'entretien allait bon train, sur le mode du désaccord courtois. Une question pourtant me brûlait les lèvres. Face aux aveux des coupables désormais confondus, son opinion sur Carpentras avait-elle changé ? Pensait-il toujours que la presse avait surinterprété l'événement pour agiter le fantôme de l'antisémitisme ? Le visage affable qui me faisait face se ferma instantanément : « Nous avons eu raison », me fut-il répliqué vertement. J'étais troublé. Certes, moi aussi j'étais tout prêt à reconnaître que les politiques et la presse avaient désigné sans beaucoup d'éléments le Front national comme responsable. Mais les auteurs — comme les juges le reconnaîtront — avaient bel et bien été motivés par un antisémitisme d'extrême droite, et seulement par lui.

Il est vrai que, dès les premiers commentaires, la thèse de la provocation avait été envisagée*. Les réactions laissaient transparaître une indignation sincère, mais qui allait souvent de pair avec une absence de curiosité quant aux aspects proprement antisémites de la profanation. Par glissements successifs, le spectacle

* Ainsi l'éditorial d'André Fontaine, alors directeur du *Monde*, le 12 mai 1990 : « Pareille horreur donne la nausée, et la classe politique a trouvé le ton juste pour la condamner. Pourquoi a-t-elle été commise ? S'agissait-il pour des nostalgiques du nazisme de se venger, en ce jour anniversaire de son écroulement ? Pour des gens qui s'estimeraient victimes d'un Juif, de s'en prendre aux Juifs en général ? On ne saurait non plus, évidemment, écarter l'hypothèse d'une provocation délibérée. Mais de qui et dans quel but ? » Il ajoutait : « Le drame de Carpentras, qui jette de l'acide sur les plaies d'une communauté trop longtemps persécutée pour ne pas redouter de l'être encore, devrait en inciter plus d'un, homme public comme citoyen privé, à faire en ce domaine son examen de conscience. »

de la haine antijuive finit par se recouvrir d'étranges raisonnements prêtant aux profanateurs un universel rejet « de toutes différences ». Tout se passait comme si, chez les mieux intentionnés, l'urgence de l'heure consistait à faire entrer au chausse-pied un événement motivé par le seul antisémitisme dans le cadre du racisme ou de la xénophobie*.

Le 31 octobre 1990, alors que l'instruction n'avait toujours pas permis d'identifier les coupables, le courrier des lecteurs du *Monde* publia une tribune de Jean-Marie Domenach. L'ancien directeur d'*Esprit* (jusqu'en 1976) s'indignait de ce que les véritables auteurs de la profanation n'aient toujours pas été identifiés, après six mois d'enquête. « Les seules réalités prouvées à ce jour sont, martelait-il : 1) il y a bien eu profanation du cimetière juif ; 2) il n'y a pas eu [...], empalement d'un cadavre. » Se fondant sur cette ébauche de résultat (qui sera d'ailleurs démentie par les aveux des coupables), Jean-Marie Domenach concluait au « montage » médiatique — la seule ques-

* L'effet pénible de concurrence des victimes — avant que cette expression ne fût popularisée par l'ouvrage de Jean-Michel Chaumont, *La Concurrence des victimes. Génocide, identité et reconnaissance* (La Découverte, Paris, 1997) — se faisait déjà sentir. La version radicalisée de cette attitude transparaît dans le refus de solidarité publique que firent entendre certaines voix « arabo-musulmanes ». Ainsi Hamadi Essid, ambassadeur de la Ligue arabe à Paris, signe une tribune au titre évocateur : « Pourquoi je n'étais pas à la République ». Sur la même page du *Monde* du 19 mai, on trouve une correspondance d'Azouz Begag de la même veine. Réactions propres à démentir la thèse — que l'on pourrait qualifier d'œcuménique — selon laquelle s'en prendre aux Juifs révèle que les intentions à l'égard des Arabes sont de même nature (même si les deux groupes peuvent effectivement avoir, ponctuellement, des ennemis communs).

tion demeurant en suspens étant « par qui et pourquoi ?* »

Nul ne peut ou n'ose dire la vérité sur Carpentras, s'emportait-il. Du moins faudrait-il la chercher. Au nom de la vérité elle-même, car les héritiers des dreyfusards ne peuvent tolérer qu'une cause, fût-elle la meilleure, s'appuie sur des mensonges. Ensuite au nom de la dignité nationale et de la paix civile, parce que la France a déjà suffisamment de choses à se reprocher en fait d'antisémitisme, dans les années 1940-1944, et de crimes de guerre en Algérie, pour ne pas se charger encore la conscience s'il n'y a pas lieu.

Ce texte faisait référence à un autre article consacré à Carpentras écrit par un sociologue, Paul Yonnet, que la revue *Le Débat*** avait publié quelques

* « Ce montage est une opération répugnante qui consiste à se servir de cadavres à des fin médiatiques comme cela fut fait en grand à Timisoara » (*Le Monde*, 12 mai 1990). Par Timisoara, on faisait allusion à l'exhumation, au cours de la révolution en Roumanie de décembre 1989, d'un pseudo-charnier de victimes de la répression — la même référence à cette manipulation qui avait frappé les esprits avait été utilisée par Jean-Marie Le Pen, dès le lendemain de la découverte de la profanation.

** *Le Débat* atteignait alors le sommet de son influence. La publication fondée en 1980 par Pierre Nora incarnait, en tout cas à mes yeux, le courant qui avait tordu le cou à l'interprétation jacobino-marxiste de la Révolution française. C'était aussi là où la chute du communisme avait été le mieux préfigurée grâce à une attention soutenue aussi bien que précoce à ce qui se passait à l'Est tout au long des années 80. La notoriété de la revue, le fait que la plupart de ses contributeurs touchaient au monde de la recherche et de l'université, contribuèrent au scandale que provoqua le texte du sociologue. Scandale qui, il faut bien le reconnaître, entraîna, deux numéros plus tard, la parution de deux contre-attaques assez vives de la part de signatures prestigieuses, elles aussi familières de la publication : celle de Denis Olivennes et du philosophe — futur ministre de l'Éducation et de la Jeunesse — Luc Ferry. Malgré ce pluralisme de bon ton, on pouvait

semaines auparavant et dont Domenach se faisait pour ainsi dire la grosse caisse. L'enjeu de la polémique portant sur le point de savoir si, oui ou non, il y avait eu empalement de la dépouille de M. Germon peut paraître dérisoire et macabre. Mais ici ce point revêtait une fonction décisive dans l'interprétation de l'événement. Sans ce geste, en effet, Carpentras pou-

---

penser que la charge de Paul Yonnet reflétait, en gros, l'opinion des rédacteurs de la revue. Ceux-ci annonçaient ainsi, en guise d'introduction au dossier, que l'« émotion » est « mauvaise conseillère quand elle s'amplifie en dérèglement médiatique ». Avec emphase, il était annoncé que « décidément » il était temps de substituer la « rigueur de l'analyse » aux « facilités contre-productives de l'anathème ». Entourée sportivement par les points de vue inverses du fondateur de l'association SOS Racisme, Harlem Désir, et du sociologue Michel Wieviorka, cette contribution de Paul Yonnet à une lutte bien tempérée contre le Front national n'en ouvrait pas moins la marche.

L'article de Paul Yonnet s'intitulait « La machine Carpentras. Histoire et sociologie d'un syndrome d'épuration » (*Le Débat*, nº 61). Les réponses de Denis Olivennes et de Luc Ferry ont paru dans le numéro 63 (« Le débat du *Débat*. Après la machine Carpentras »). Elles étaient suivies à leur tour d'une longue réponse de l'intéressé qui constitue une sorte de deuxième article sur le sujet. Le titre, « D'un opium l'autre », avait le mauvais goût de mêler le titre du fameux livre de Céline sur son séjour à Sigmaringen avec le dernier carré des collaborateurs français — *D'un château l'autre* — et l'ouvrage célèbre, de Raymond Aron, *L'Opium des intellectuels* (Calmann-Lévy, 1955). La thèse sous-jacente, dans ces milieux pénétrés du mythe de la lucidité intellectuelle d'Aron, semblait être que l'antiracisme (confondu ici avec la lutte contre l'antisémitisme) reproduisait par son aveuglement et sa démesure l'engagement des intellectuels de naguère en faveur du communisme. Le livre de Paul Yonnet publié en 1993, *Voyage au centre du malaise français* (*Le Débat*-Gallimard), attira cette réflexion de Jean-Marie Colombani : « le poujadisme démocratique a trouvé son théoricien » (*Le Monde*, 17 juillet 1993). Paul Yonnet fut défendu par le directeur de la revue, Pierre Nora, dans un article de *Libération* du 27 novembre 1990.

vait être ravalé au rang d'une profanation « ordinaire », de celle qu'en général on passe sous silence après les protestations locales d'usage...

La thèse défendue par Paul Yonnet était que l'antisémitisme ne constituait nullement un facteur déterminant dans l'explication de la progression de l'extrême droite, hormis pour une poignée de nostalgiques. Se focaliser sur les manifestations de haine antijuive empêchait une juste appréciation de la montée en puissance du lepénisme. Le sociologue soutenait en outre que la « machine politico-médiatique » qui s'était mise en branle avec Carpentras comportait un effet pervers : celui de geler ce qu'il appelait le processus de sécularisation de la question juive en entretenant l'impression, artificielle selon lui, que l'antisémitisme paroxystique avait survécu à 1945. L'antisémitisme était en fait résiduel, disait-il. Le diagnostic était suivi d'une prescription : la résolution de l'étrangeté par... l'humour ! À l'appui de sa thèse, Paul Yonnet invoquait le succès, dans la France des années 90, des comiques juifs les plus « ethniques » auprès du public non juif (impensable naguère) : Popeck, qui faisait rire avec son accent yiddisho-polonais, ou Michel Boujenah parodiant les Juifs tunisiens. On aurait pu lui opposer que dans la littérature des mystères, au Moyen Âge, la diabolisation des Juifs allait souvent de pair avec la dérision : deux faces d'une même entreprise de déshumanisation. Mais on peut douter qu'une telle objection ait suffi à ralentir le zèle de ce briseur de tabou, si pressé d'annoncer la bonne nouvelle de la baisse tendancielle du taux de haine antijuive. Il prétendait qu'elle n'était pas moins probable que la réconciliation franco-allemande. Les Juifs jouaient-ils pour Yonnet le rôle des Allemands ? Mystère... !

Une fois l'antisémitisme situé ainsi à son étiage, le sociologue pouvait s'en prendre à l'idéologie « racialiste » et à sa variante qu'il n'hésitait pas à qualifier de « sémitisme » (envers de l'antisémitisme, était-il expliqué), lesquelles, sous couvert de lutte contre le racisme, revendiquaient au sein de la société démocratique un privilège victimaire aux dépens des Français sans attaches communautaires. Cédant à un comportement « communautariste » considéré comme dangereux pour l'identité française (et comme un privilège injuste par rapport à ceux qui ne pouvaient se prévaloir d'aucune origine exogène, les nouveaux « petits Blancs »), la « communauté juive » se voyait reprocher de défendre une intégrité « ethno-biologico-religieuse » à tendance aristocratique. En prônant une stricte endogamie, par exemple, contraire à l'esprit de la République (parce que cela revenait à y installer, pour quelques-uns, une conception *ethnique* et non *civique* des règles d'appartenance). En somme, dans cette logique, la République était menacée en son principe d'égalité [13] par la revendication communautaire juive :

> Au reste, continuait Yonnet, la récurrence du raccourci historique qui amène quantité de Français à refaire en quelques mois le chemin qui mène de Pithiviers [l'un des camps de déportation des Juifs de France vers les centres d'extermination nazis sur lequel plusieurs articles du journaliste Éric Conan venaient de paraître dans *L'Express*] à Carpentras soulève un problème de fond, celui des obstacles qu'un incessant réarmement du souvenir dresse pour empêcher la transformation d'un rapport qui fut d'une intolérance haineuse et de l'éloignement conflictuel en une relation de proximité compréhensive et de relative interpénétration, bref pour empêcher la résolution d'un antisémitisme vrai en un antisémitisme faux ou récréatif [*sic*], ce

que j'appellerais volontiers — après bien des hésitations à risquer l'expression — une sécularisation de l'antisémitisme [re *sic*]. Il y a d'autant plus urgence à ne pas brouiller le processus que la prégnance musulmane, la persistance du problème israélo-arabe et l'apparition d'un fort courant de fermeture au sein de la communauté juive vont vraisemblablement remodeler la question juive dans les années qui viennent*.

Cet extrait illustre surtout la vivacité des réactions qu'a pu provoquer le raidissement orthodoxe de quelques Juifs, raidissement dont l'importance et surtout l'étendue sont ici délibérément grossies — quelques problèmes que puisse poser, par ailleurs, l'intégration du judaïsme le plus pratiquant à des structures communautaires juives en diaspora ou à un État d'Israël qui n'avaient pas été forcément taillés à la mesure de ces exigences. Au lieu de voir dans ce raidissement un échec de la société française, et d'en faire une possible *conséquence* de l'antisémitisme, comme je l'ai suggéré à propos de Copernic, chez Yonnet c'est le repli des Juifs qui en devient la cause. Certes, il y a bien eu un regain d'orthodoxie juive, observé depuis les années 70 dans certaines trajectoires. Mais le peu de poids démographique du phénomène en indiquait clairement les limites. En outre, vu la faible propension des autres traditions religieuses — en particulier musulmanes — à prendre pour modèle les faits et gestes des Juifs, et l'absence

---

* *Art. cit.*, p. 28. Paul Yonnet estimait, en conclusion, que l'antiracisme « racialiste » qui aboutissait à prôner l'imperméabilité des cultures reflétait le « repli » intérieur de « l'homme blanc » (l'abandon des valeurs occidentales ?) après son repli « extérieur » (la décolonisation). L'antiraciste ayant besoin du concept de race pour justifier ledit repli.

bien connue de prosélytisme de la part de ces derniers (en dehors du « monde juif »), tout effet de contagion était exclu. En réalité, l'hystérie suscitée auprès de certains esprits par le revivalisme religieux en France témoigne avant tout de la « crispation républicaine » en cours, révoltés parce qu'une minorité dans la minorité, par son comportement ou ses trajectoires, leur semblait remettre en cause les formes napoléoniennes de l'assimilation à la française. Ou plutôt, ce revivalisme semblait indiquer, à la grande fureur desdits républicains, que l'intégration ne menait pas *ipso facto* à la dilution dans une nation elle-même conçue comme un *milieu* homogène. À l'heure où beaucoup s'ingéniaient à vanter les mérites de l'intégration républicaine, et après le désenchantement du bicentenaire, c'en était décidément trop ! Souvent, du reste, ce genre de commentaire se doublait d'une ignorance assez flagrante de la réalité du monde orthodoxe, y compris dans ses aspects les moins propres à éveiller un sentiment d'empathie. Chez un autre sociologue en voie de républicanisation, Pierre-André Taguieff, cela suscita une analyse pour le moins maladroite[14]. Voici quelle était, à l'époque, sa version de la « rivalité mimétique » :

J'en reviens à l'effet de miroir : il est vrai qu'on ne peut nier une espèce de symétrie inquiétante ou de rivalité mimétique entre, d'un côté, une ultra-orthodoxie du judaïsme qui pense l'identité juive en termes de double transmission — par le sang et par la culture — et, de l'autre, le racisme radical tel qu'on le trouve chez les théoriciens les plus fanatiques, par exemple hitlériens. J'admets que ce n'est pas facile à dire, mais je ne vois pas pourquoi il faudrait éluder la question. Le postulat commun entre le judéocentrisme intégriste et la judéophobie raciale, c'est précisément la croyance dans une transmission indélébile, sans tache, d'une identité bioculturelle qui serait l'identité juive*.

On appréciera le processus de pensée qui, sans mise en perspective historique ni ethnologique, amène tout de go un spécialiste des sciences sociales à comparer dans un magazine grand public les Juifs orthodoxes aux nazis — fût-ce sous la forme interrogative ! Même pratique du gai renversement des « tabous » au nom de la science, chez un Yonnet qui, lui, s'embarrasse d'encore moins de réserves :

Au moment où *Le Monde* consacre un long éditorial à la réunion du Congrès juif mondial, alors qu'existent des structures d'aide et d'encouragement international à Israël, alors qu'à chaque hésitation de la politique américaine la presse des États-Unis met en cause le « lobby juif américain », est-il sérieux de vouloir délictualiser toute évocation d'une « internationale juive[15] » ?

---

* Cité par Luc Ferry, *Le Débat*, n° 63, p. 180. En évoquant ici Pierre-André Taguieff, Luc Ferry reproche à Paul Yonnet de ne pas tenir compte « des travaux les plus importants consacrés au sujet qu'il prétend traiter » — même, précise-t-il, quand ceux-ci pourraient aller dans son sens. Notons que Pierre-André Taguieff ne faisait que poser la question et ajouter que le repli néo-identitaire ne prenait pas la forme d'une idéologie exterminatrice — bémol bien insuffisant à mon sens pour montrer que comparaison n'est pas raison... Quoi qu'il en soit, la norme proscrivant les mariages exogamiques n'a guère été efficace pour maintenir « l'intégrité » ou la cohésion de la communauté juive — sauf à réduire arbitrairement l'histoire des Juifs à celle de sa composante orthodoxe — et sa puissance semble bien éloignée de la détestation qu'elle inspire puisque la plupart des statistiques montrent, au contraire, que le nombre des mariages dits « mixtes » est en constante augmentation depuis les années 70. Voir à ce sujet Bernard Wasserstein, *Les Juifs d'Europe depuis 1945. Une diaspora en voie de disparition*, traduit de l'anglais par Jacqueline Carnaud, Calmann-Lévy, Paris, 2000.

Ainsi se voyait réintroduit, à l'intérieur d'un espace public des plus consensuels, dans un organe réputé « aronien » et de « centre gauche », le vocabulaire traditionnel du complot juif (dans un article plus tardif, Paul Yonnet expliquera qu'il n'a jamais défendu à propos de Carpentras la thèse de la conspiration mais « celle d'un mécanisme social qui s'autoconstruit[16] »). Sans que compte ne fût jamais tenu des variations de sens de l'expression « lobbies » entre un contexte américain — où ceux-ci ont une existence quasi institutionnelle — et une Europe du XXe siècle où leur évocation renvoie aux *Protocoles des Sages de Sion*. La posture victimaire adoptée par l'auteur surprend. Yonnet n'hésite pas à se plaindre ainsi de l'« exclusion » que la « logique d'un communautarisme racialisant et désintégrateur » fait particulièrement peser sur des « Français saisis dans leur manque originel, comme des individus sans communauté, des Français pour cette raison sans statuts ou ayant une espèce de statut d'apatride » (celui-là même, rappelons-le, qui fut celui de tant de Juifs promis les premiers à la déportation et à la mort sous Vichy).

Le Juif des dernières décennies du XXe siècle était donc devenu, sous la plume de Yonnet, le Français privé d'appartenance identitaire. Aux yeux d'une frange extrême de républicanistes, l'équivalence Juif = communauté s'était insidieusement mise à fonctionner. Un communautarisme dans une version largement criminalisée du reste, et sans que le *corpus* de ses tenants américains modérés, comme Michael Walzer ou Charles Taylor, ait été ni traduit ni véritablement connu en France (il le sera, péniblement, à la fin de la décennie). C'est encore l'article — décidément fondateur, dans le plus mauvais sens du mot — de Paul Yonnet qu'il faut citer pour prendre la mesure de la démonisation systématique qui s'attachera, en France, à la théorie du pluralisme culturel : « Le système d'incrimination, expliquait ce dernier à propos de la Déclaration universelle des droits de l'homme de 1948, est organisé de telle façon qu'il garantit une protection à toutes les stratégies de fermeture groupale. Ne nous le cachons pas : la racialisation, l'ethnicisation des sociétés et du monde, c'est de la nitroglycérine pour demain. » Or, où prétendait-il découvrir la marque du caractère indéracinablement « ethnobiologico-religieux » de toute communauté ? Dans la proscription de l'exogamie propre au judaïsme. Bien sûr, aucun compte n'était tenu du fait que même les orthodoxes juifs reconnaissent, certes sans réel enthousiasme, qu'à côté de la transmission « biologique » du judaïsme, un accès par la conversion est toujours ménagé [17].

Unique élément de lucidité chez Yonnet : la prévision de la montée en puissance d'un antisémitisme arabo-musulman dont les prodromes étaient alors systématiquement niés au nom du mythe arabo-andalou de la cohabitation, mais aussi du fait que les pouvoirs publics entendaient transformer l'intégration juive en France en modèle pour celui de la communauté maghrébine, supposée proche. Ce qui, là encore, impliquait qu'on mît sous le boisseau l'épisode de Vichy et qu'on minimisât toute parcelle d'antisémitisme, a fortiori quand celui-ci se faisait sentir du côté des milieux de l'immigration. Pour autant l'expansion de l'antisémitisme musulman n'impliquait pas nécessairement l'épuisement (ou la dégénérescence en farce — version Paul Yonnet) de l'antisémitisme occidental. Dans la vague d'incidents de l'automne 2000, peut-être faut-il voir plutôt une forme d'ingestion par les jeunes dits des banlieues d'une bonne dose d'antisémitisme français traditionnel mêlé aux sources proprement arabo-islamiques de la haine antijuive.

Carpentras comme envers du crime rituel

J'en viens maintenant à ce que Carpentras *fut* vraiment : à savoir une manifestation d'antisémitisme pur. Qu'il soit nécessaire de rappeler une telle évidence permet de mesurer l'opacité qui a fini par recouvrir le phénomène. Une des raisons du malaise que cet événement a provoqué tenait à la forte persistance de sentiments médiévaux qu'il révélait. De ce point de vue, il avait de quoi troubler aussi ceux qui s'obstinent à établir entre la modernité et le passé lointain une coupure radicale, et à refuser l'idée dérangeante de la longue durée de l'antisémitisme. Pourtant, la structure de l'accusation de crime rituel est intimement liée à la profanation de Carpentras elle-même [18]. Elle renvoie, comme on va le voir, au fantasme selon lequel la véritable religion d'Israël serait une religion du sang et du sacrifice humains, dont le Juif serait le prêtre inquiétant [19].

Calomnie aussi ancienne que l'histoire de l'antisémitisme, l'accusation de crime rituel, qui prête aux Juifs la coutume de sacrifier des êtres à date fixe afin de consommer leur sang ou leur chair, condense toutes les images de haine à laquelle ceux-ci sont associés. Ne les dépeint-elle pas comme des êtres à la fois cruels et primitifs, aux coutumes en réalité païennes, chez qui le cannibalisme se combine à la profanation comme à la sorcellerie ? Tout ce que peut redouter un homme depuis son enfance, le Juif du crime rituel le cristallise, fabrication proprement monstrueuse qui finit par vivre de sa vie propre et pourtant fantastique.

Le crime rituel sous la forme la plus fréquente de l'assassinat du jeune garçon ne pouvait apparaître que dans le contexte d'une civilisation imprégnée par le christianisme. Pour l'historien Gavin Langmuir, l'irruption de ce mythe en Occident, au XIIe siècle, permet de faire remonter au Moyen Âge le point de passage entre l'antijudaïsme (purement religieux) et l'antisémitisme. À la confrontation religieuse avec une croyance, éventuellement concurrente, se substituerait la construction d'un Juif bientôt totalement « démonisé ». L'accusation de crime rituel s'accompagne au demeurant d'une formulation médiévale de la théorie du complot qui, du coup, ne saurait être considérée comme le signe distinctif de l'antisémitisme moderne. En effet, dès la première affaire, celle de Norwich, le soupçon se porte bien au-delà des Juifs d'Angleterre. Un converti du nom de Theobald prétend « révéler » au moine Thomas de Monmouth l'existence d'une assemblée annuelle des Juifs d'Espagne à Narbonne dont l'objet n'est autre que la désignation d'une victime chrétienne à sacrifier à titre de vengeance pour les souffrances et l'esclavage auxquels les aurait condamnés la mort du Christ. Ces « Sages » juifs de Narbonne, préfiguration de ceux de Sion, tireraient au sort la contrée où ce sacrifice annuel devait avoir lieu. Pour l'an 1144, celui-ci aurait échu à l'Angleterre*. Là encore on peut remonter au-

* Pierre Nora et Marcel Gauchet ont défendu l'idée selon laquelle la théorie du complot juif serait le signe de l'entrée dans la « société démocratique » parce qu'elle équivaudrait à une perception commune du fait que l'Histoire est faite « par les hommes ». Voir l'entretien de Marcel Gauchet par Éric Vigne, « Le démon du complot » dans la revue *L'Histoire* (n° 84), et la contribution de Pierre Nora à l'ouvrage collectif dirigé par Pierre-André Taguieff, *Les Protocoles des Sages de Sion. Études et docu-*

delà du Moyen Âge puisque, dans l'Antiquité, on reprochait parfois aux Juifs d'entretenir et d'engraisser à titre de victime d'un sacrifice humain annuel un Grec. Gavin Langmuir a cherché à vérifier s'il existait un lien entre cette fable, reproduite dans le *Contre Apion* de Flavius Josèphe à des fins de réfutation, les allégations de Theobald et la première accusation de crime rituel. Tout au plus a-t-on pu déterminer que quelques exemplaires (manuscrits) de ce livre circulaient à la même époque en Angleterre[20]...

De Trente à Carpentras

La liste — non exhaustive — des affaires de crime rituel répertoriées au Moyen Âge (une centaine) montre que le territoire de l'Allemagne a été pour celle-ci un terreau particulièrement fertile (on y recense près de la moitié des prétendus cas[21]). Ici on n'en développera qu'un exemple, celui de la ville de Trente. Cette cité, quoique majoritairement italienne, se trouvait à la fin du XVe siècle aux confins sud de l'Empire romain germanique sous la suzeraineté de l'archiduc Sigismond de Tyrol. La découverte dans la période de Pâques du corps d'un jeune garçon âgé de deux ans et demi — Simon Unverdorben (soit l'« immaculé » ou l'« inentamé » en allemand) — entraîna la mise en accusation de la petite « juiverie » de la

ments, tome II : « Le thème du complot et la définition de l'identité juive », coll. « Faits et représentations », Berg international, Paris, 1992, p. 457-475. La théorie de Langmuir permet de replacer un pan important de l'histoire du christianisme dans celle de l'*antisémitisme*, et ce bien avant la « modernité », fût-elle considérée comme « démocratique ».

ville, bien que ce fussent les Juifs eux-mêmes qui apportèrent le corps de l'enfant au podestat, dans le but de démontrer leur innocence. Le résultat déçut leurs espérances. Atrocement torturés, ils finirent par « avouer » aux juges et au prince-évêque de la ville, Johannes Hinderbach, qu'ils avaient été contraints d'utiliser le sang de l'enfant, après l'avoir monstrueusement tourmenté, pour la fabrication des pains azymes (l'aspersion du sang étant censée entrer dans la composition de l'onguent supposé recouvrir l'« odeur juive* »). Le résultat fut horrible : seize accusés furent condamnés à mort, onze furent brûlés, deux qui, entre-temps, avaient demandé le baptême furent décapités. Malgré la contre-enquête menée par le légat du pape, le dominicain Batiste de Guidici, évêque de Vintimille, le culte du petit martyr se propagea à travers la Vénétie et finit par s'imposer au Saint-Siège lui-même.

Dans la région de Brescia, l'enfant martyr était couramment représenté emprisonné dans un tonneau clouté dans lequel les Juifs l'avaient roulé afin de

---

* Le thème du *fœtor judaïcus* lié à la perception du Juif comme démon ou sorcier a fait son chemin jusqu'au XXe siècle. Le raciologue allemand Hans Günther le « sécularisa » en *odor judaeus* dont il prétendit même établir la formule chimique (Léon Poliakov, *Du Christ aux Juifs de cour, Histoire de l'antisémitisme*, Calmann-Lévy, Paris, 1955, p. 160). La nature « racialement mixte » du Juif s'exprimait au Moyen Âge via le caractère androgyne que les chrétiens prêtaient aux Juifs, dont ils croyaient que les mâles étaient affectés de menstrues : ce thème des pertes régulières de sang, on le retrouve dans l'idée que l'hémophilie est une « maladie juive ». Le cannibalisme dont on les accuse s'accompagne d'une « odeur juive » spécifique. Voir Claudine Fabre-Vassas, *La Bête singulière. Les Juifs, les chrétiens et le cochon* (Gallimard, Paris, 1994, p. 223-229), où la « puanteur du Juif » sert de contrepoint au parfum du baptême.

recueillir son sang[22]. Illustration supplémentaire du processus d'inversion victime/bourreau révélé par l'iconographie : jusqu'en 1312, on inaugurait le Carême à Rome en faisant dévaler les pentes du mont Testaccio à un *vieux* Juif emprisonné dans un tonneau hérissé de pointes[23].

Un poème de 1478, dû à la plume d'un certain Matthieu Kunig, décrivait avec moult détails la mise à mort du petit Simon de Trente, description dont certains rappellent des éléments de la profanation du cadavre de Félix Germon par les skinheads, comme si, spontanément, c'étaient les « bienheureux innocents » qu'ils étaient venus venger :

> Ils se moquaient [de l'enfant]
> Et cette scène pourrait encore maintenant apitoyer Dieu.
> Et ils le mirent sur une chaise.
> Cela plaisait bien aux Juifs indignes qui s'agenouillèrent par dérision,
> Plus d'un parmi eux était âgé et tout chenu.
> En vociférant ils lui jouaient des tours insensés, jeunes et vieux, partout.
> Puis ils prirent des tenailles et lui ont déchiré les joues
> [...]
> Ils l'ont étendu
> En forme de croix et ils l'ont tellement torturé !
> [...]
> Moïse a ouvert l'enfant par les organes génitaux, et
> Sans se modérer,
> Il l'a saigné.
> [...]
> Et ils voulaient envoyer ce pain [mêlé du sang du garçon] ce pain dans tous les pays, à Ratisbonne et en Flandre, à Neustadt et à Alexandrie[24].

Dans ce texte, la description minutieuse du martyre de l'enfant a peut-être pour but de lever les obstacles opposés par les autorités ecclésiastiques à la canonisation d'un garçonnet de deux ans et demi qu'il était difficile de faire entrer dans la catégorie des saints, volontairement morts pour la foi (« l'enfant eut beau se battre courageusement » assure le poète, en matière de compensation). Les miracles qui entourent la dépouille et le raffinement de cruauté de ses persécuteurs servent donc à grossir, autant que possible, le mince dossier de la béatification. De même permettent-ils à Johannes Hinderbach de démontrer que la procédure, un temps mise en doute par Rome, était parfaitement justifiée. Nous sommes surtout en présence, et tel est souvent le cas s'agissant des victimes de meurtre rituel allégué, d'un processus de « canonisation populaire » — pour reprendre l'expression de Marie-France Rouart — dont le Vatican sera bien forcé de s'accommoder, au moins pendant quelques siècles. C'est aussi pourquoi le poème de Matthieu Kunig imprimé à Venise s'ingénie à décrire la mise à mort du petit Simon comme une contre-crucifixion (la figure du Juif étant implicitement renvoyée à celle de l'Antéchrist[25]).

Ce que l'affaire de Trente montre encore, c'est la force de contagion de l'accusation de crime rituel. L'évêque de Ratisbonne, Heinrich von Absberg, lors de son séjour auprès de son ami Johannes Hinderbach, eut connaissance d'une copie de la confession, parmi les convertis de Trente, d'un certain Wolfgang. À force de tourments (et là encore la torture reste un des idiomes essentiels de cette terrible narration), l'homme avait fini par « révéler » que vingt Juifs de Ratisbonne auraient été impliqués dans un autre crime rituel[26].

Dans la profanation du cadavre de Félix Germon, tous les aspects évoqués se retrouvent sans difficulté de sorte que l'on est tenté d'interpréter Carpentras comme une contre-cérémonie de crime rituel[27]. La contre-crucifixion se lit à travers la tentative d'empaler le corps pour le dresser ; la contre-circoncision renvoie au geste ébauché de trancher les testicules du mort qui surgit dans le cerveau du meneur (cette circoncision que tant de récits d'infanticide rituel accusent les assassins de pratiquer) ; la décapitation projetée vient rappeler la gorge tranchée du futur bienheureux, abattu rituellement selon les règles prescrites pour rendre la viande casher[28] ; et la dérision (la bouteille de bière, la plaque signant l'acte) renvoie aux gravures montrant la *Judensau* (le Juif juché sur une truie qu'il monte à l'envers tandis qu'un autre Juif en dévore les excréments)[29].

Une profanation en 1990

À lire le récit que les profanateurs firent de leur forfait à la police six ans plus tard, ce qui frappe d'abord c'est, évidemment, la confusion de leur cerveau gorgé de *rock-skin*, d'admiration fascinée sur fond de virilité douteuse pour les breloques du IIIe Reich et, pour quelques-uns d'entre eux, d'une lecture assez approximative de *Mein Kampf*. Mais c'est justement parce que leur culture antijuive semble vague qu'on voit affleurer sous la surface de leurs mots un antisémitisme populaire spontané, transmis sur le mode du réflexe, où surnage de l'histoire sédimentée (même si, encore une fois, le circuit de transmission qui a porté une mythologie médiévale jusqu'à la dernière décennie du XXe siècle demeure à reconstituer dans le détail de son cheminement).

> Nous nous sommes rabattus sur la tombe la plus facile à faire [...], dit l'un des profanateurs reconstituant sa nuit [organisée pour célébrer l'anniversaire de la naissance d'Hitler]. La terre était fraîche, nous creusions par roulement avec la pelle, les autres enlevaient la terre avec les mains et prenaient la pelle de ceux qui fatiguaient. Nous avons dégagé la moitié haute du cercueil en un quart d'heure, je crois.

Un autre d'ajouter :

> Nous nous sommes mis à cinq pour le sortir [le corps de Félix Germon]. Nous l'avons posé à côté du trou et, avec l'un des outils que nous avions, nous avons ouvert le couvercle en le cassant. L'odeur de putréfaction était très forte, nous nous sommes reculés.

Le premier confessera que l'apparition du corps « nu et enroulé dans un drap blanc » l'avait comme hypnotisé. Il évoque aussi ses réticences à toucher la dépouille, même avec des gants. Le rite macabre n'en suit pas moins son cours. Un troisième raconte que le chef de la petite bande, apparemment plus résolu,

> a tenté de décapiter le cadavre, en donnant plusieurs coups de pioche à la hauteur du cou, sans y arriver. Je ne regardais pas trop parce que la scène était assez impressionnante mais je crois me souvenir qu'il n'y avait pas eu de traces, la peau semblait embaumée. Jean-Claude a aussi parlé de lui couper les testicules, mais il n'a même pas essayé. Personne d'autre n'a parlé.

Le chef de la bande entreprend alors, sans y parvenir, d'empaler le cadavre à l'aide d'un grand pied blanc de parasol. Il était question de « mettre le corps debout et de le faire tenir avec le pieu », diront les profanateurs. Une bouteille de bière vide est placée sur la dépouille ainsi qu'une petite plaque sur laquelle était gravé « de la part des voisins ». Après avoir saccagé plusieurs dizaines de sépultures, les skinheads quittent la place. Ils auront ainsi passé plusieurs heures dans le cimetière. Ultime fantasme, révélateur de leur univers mental : le meneur, pour imposer à ses ouailles la loi du silence sur le forfait accompli, fait à l'un de ses complices l'avertissement suivant : « Si nous étions découverts nous risquions notre vie, car les gens à qui nous avions fait cela étaient très puissants [30]. »

Ce récit morbide suscite d'abord l'étonnement devant la haine spontanée et l'acharnement qu'il révèle chez des jeunes gens nés bien longtemps après la guerre [31]. La logique et le processus mental qui ont conduit ces individus — certains n'ont pas vingt ans au moment des faits — s'expliquent par une volonté de défier la « puissance » supposée avoir triomphé de cet Hitler qu'on ne peut honorer qu'en violant un cimetière juif. Le corps mort du Juif est ainsi dépouillé de son statut de défunt dans le discours confus des profanateurs. Il devient un demi-mort, plus proche du revenant que du cadavre, accompagné d'une mystérieuse armée dont on pourrait bien avoir à craindre les représailles (ou celles des siens [32]).

Inscrire la persécution des Juifs comme une forme de révolte populaire, à moindres frais, contre l'autorité démontre l'enracinement de l'antisémitisme dans la profondeur du tissu social. Ainsi, la croisade des Pastoureaux vit-elle des milliers de jeunes gens se soulever contre des autorités réticentes à porter la croisade dans le royaume musulman de Grenade, en 1320 et 1321, en massacrant les Juifs. Cet accès d'antisémitisme meurtrier a été interprété comme une forme de rébellion contre la puissance royale. Aux yeux des

Pastoureaux, les Juifs auraient en effet incarné les « agents fiscaux de l'État ». À Carpentras en 1990, la révolte impuissante d'une bande de jeunes s'exerce sur le cadavre de Félix Germon qui, paradoxalement, continue à matérialiser pour eux la puissance tout autant que la vieillesse. La mise en scène par ses aspects dérisoires et puérils laisse percer la dimension de défi ou de révolte enfantine contre l'homme âgé oppresseur et spectral qui reste la figure clef du mythe du crime rituel et dont la cruauté est opposée à l'innocence enfantine. Cruauté que reproduisent dans la réalité les profanateurs de la nuit de Carpentras qui confondent leur victime avec un groupe dont on ne sait plus trop si l'ensemble de ses membres a un statut défini de mort ou de vivant (les Juifs, « éternels » ou « errants », étant un peu l'un et l'autre).

Orléans (1969), Carpentras (1990)

La controverse de Carpentras révéla pour la première fois les inflexions que l'idéologie républicaine naissante faisait subir à l'analyse d'un acte antisémite. Dans le chapitre suivant, on verra comment un autre survivant de l'effondrement du bloc de l'Est, un tiers-mondisme dévoyé, alimentera à sa manière le foyer. Carpentras apportait, en outre, la preuve de la persistance d'un antisémitisme archaïque qu'il convient de mettre en parallèle avec la « rumeur d'Orléans », analysée par Edgar Morin à la fin des années 60. Un certain nombre de commerçants juifs de la préfecture du Loiret s'étaient vu soupçonner de faire disparaître leurs jeunes clientes *via* des trappes aménagées dans leurs cabines d'essayage. Pour Morin, la source de cette rumeur, premier cas analysé d'antisémitisme dans la France d'après Mai 68, et qui faillit, un après-midi, dégénérer en pogrom, devait être cherchée là où les pulsions les plus anciennes reprennent vie dans le manteau de la modernité. Dans les collèges de jeunes filles de cette grande ville de province trop proche de Paris plutôt qu'auprès des étudiants arabes politisés de l'université de La Source (deux années seulement après la guerre de 1967), et dans le creuset de fantasmes érotiques, de répressions et de préjugés tenaces qui persistaient au côté des premiers signes d'émancipation sexuelle[33]. À cette époque, les remous amplifiés autour d'Israël affaiblissaient déjà les réflexes de rejet de l'antisémitisme à gauche. Sur ce dernier point, Edgar Morin se montre d'ailleurs plus qu'évasif (il refuse d'analyser, comme Léon Poliakov le lui suggère, le rôle des groupes d'étudiants arabes de l'université de La Source dans la diffusion de la rumeur). Il n'en reste pas moins qu'à Orléans comme à Carpentras on pouvait assister à la modernisation d'un mythe antijuif de très ancienne facture. Paradoxalement, montrait Morin, les conditions de l'émergence du fantasme antijuif le plus archaïque étaient créées par l'évolution de la vie dans les villes où les jeunes filles plus émancipées et donc plus exposées formaient le contexte de la renaissance d'une rumeur médiévale. L'expression de « Moyen Âge moderne » semblait plus que jamais appropriée. Je dirais seulement que l'identité de la victime supposée (les seules véritables victimes étant les victimes juives) fournit une excellente illustration du fait que ces métamorphoses s'opèrent à partir d'un même « fonds ». Au Moyen Âge, c'est un petit garçon qu'on assassine. Puis, au XXe siècle, la cible devient souvent une jeune fille. Le romantisme et la sécularisation de l'imaginaire chrétien ont contribué à modifier la représentation de la femme. Naguère considéré comme le lieu même du péché, le corps féminin s'est fait corps pur, marial. Il en reçoit toutes les qualités requises pour prendre la place du jeune garçon chrétien dans le martyrologe. Dans la propagande nazie, ce seront surtout les jeunes filles qui constitueront les cibles privilégiées du « péché contre la race » (*Rassenschande*), dont les accusés sont les Juifs, soupçonnés de chercher, à toute force, à inoculer et à répandre leur sang et leur venin. Dans cet univers de la pureté du sang, le Juif libidineux viole et torture avec un raffinement de cruauté ne le cédant en rien aux sévices que l'imaginaire médiéval avait réservés au jeune garçon prétendument tombé entre leurs mains, Simon de Trente[34].

En poussant le raisonnement, on pourrait suggérer, à la suite de certains auteurs, que l'idéal incestueux, celui d'une communauté où nous sommes tous frères et sœurs, constitue une sorte de terreau sexuel du nationalisme moderne lors de sa formation, au tournant des années 1880, *et* du renouveau de l'antisémitisme européen à la même époque. Au fond du ruisseau nationaliste gît l'utopie de la fusion du frère avec la jeune fille pure résorbée en soi comme un autre moi, à la fois sexualité parfaite et condition même de l'identité sociale. Par « inversion projective », le Juif incarne l'élément perturbateur par excellence d'une telle fusion, d'une totalité au sein de laquelle il introduit de l'infini[35]. Sans entrer ici dans le détail, je me limiterai à ce constat : au prix d'une inversion de sexe, la structure de la calomnie médiévale de crime rituel a bel et bien trouvé son chemin dans les canons ou le jargon de l'ère moderne.

L'antisémitisme, Edgar Morin le voyait naître dans le terreau d'une « sous-politisation nouvelle » où le croisement de deux réalités recomposées par le mythe (réseaux de prostitution et commerçants juifs) avait provoqué un accès d'antisémitisme. Certes, la force de propagation de la rumeur était presque plus importante à étudier que ses auteurs. Pourtant, l'identité desdits auteurs n'est nullement anecdotique. Car les mythes ont des auteurs bien identifiés. De même y avait-il des noms, noms d'intellectuels ou de clercs, au bas des innombrables auteurs de « récits », de poèmes et de complaintes prenant pour thème le crime rituel... L'accréditation passive des élites (les moines ou les convertis, aujourd'hui les intellectuels en proie au soupçon, obsédés par la théorie du complot) constitue l'un des moteurs décisifs de cette propagation. Ce sont eux qui contribuent également à ce qu'après l'effondrement d'un mythe la rumeur ne disparaisse pas mais éclate en « minimythes » et se conserve peut-être sous cette forme. Après Carpentras, l'un de ces minimythes légués aux années qui viennent pourrait bien être celui qui consiste d'emblée à frapper de méfiance toute alarme sur la renaissance d'incidents antijuifs.

Autre ressemblance entre Orléans et Carpentras : dans l'un et l'autre cas on constate, lors de la contre-offensive, une tendance à discréditer la campagne antimythe. On ne peut alors que retourner contre les victimes de la rumeur la responsabilité de l'agression. Ainsi en était-on venu à accuser les commerçants juifs d'avoir organisé eux-mêmes la rumeur qui les visait à Orléans à seule fin de se faire de la publicité. Après Carpentras, les « vigilants » se verront reprocher d'avoir utilisé la profanation dans une manœuvre mal fagotée contre l'extrême droite. L'indulgence dont l'abbé Pierre va bénéficier après son écart de 1996 renvoie au même réflexe. La tolérance d'une société à la haine antijuive n'est-elle pas déjà grande dès lors qu'on dénigre l'antidote comme si c'était le poison ?

3

L'abbé Pierre ou pitié pour les antisémites ! (1996)

La scène se passe à Paris, près des Grands Boulevards, le 24 avril 1996, dans un local aux murs défraîchis. L'endroit me rappelle, par son côté poussiéreux et vieillot, les ateliers de confection qui peuplaient jadis ce quartier où j'ai passé une partie de mon enfance. C'est là, rue de Paradis, que se trouve le siège de la LICRA (Ligue internationale contre le racisme et l'antisémitisme). Jusqu'aux années 70, ces rues appartenaient encore à la catégorie mobile des « quartiers juifs » se déplaçant au gré de la prospérité d'immigrants pour qui l'ancrage communautaire servait de sas de décompression avant la plongée dans la société d'accueil. Au mur du vieil appartement : une photo du fondateur de la Ligue (alors sans « R » quand elle fut lancée en 1927) : Bernard Lecache. Une affiche délavée convie les ligueurs à un gala de solidarité avec Israël. Chaque fois que je remets les pieds dans le local d'une institution juive, c'est la même émotion, mon cœur se serre. J'ai toujours l'impression d'aborder un univers en décomposition.

Au début des années 90, j'avais ainsi participé à

quelques réunions de l'association France-Israël, alors installée boulevard de Sébastopol, au-dessus de la boutique d'un grossiste en vêtements. Même photos noir et blanc datant des années 50 (cette fois, c'était le général Kœnig, l'un des dirigeants de l'Alliance, qui décorait les murs). Mêmes murs jaunes désolants et même environnement industrieux, bureaux archaïques, lettres de démission, piles de bulletins jamais lus, jamais vendus — tristement bourrés d'arguments destinés aux moulins à vent d'une opinion publique qui semblait de plus en plus détachée d'Israël[1]. J'éprouvais un cruel décalage entre ce monde juif institutionnel, attaché à l'image d'une France qui n'était plus mais où les Juifs se sentaient mieux parce qu'Israël y était mieux vu, et la société d'après-Mai 68, au diapason duquel le « judaïsme organisé » ne parviendrait jamais à vibrer.

Quand il m'arrivait de faire un pas en direction de cet univers, c'était toujours pétri d'un terrible sentiment de culpabilité, et j'en occultais alors tous les ridicules. C'était comme si, par un processus régressif, je retrouvais le monde de mon grand-père (que j'avais dévoré des yeux quand il trônait, en haut-de-forme de président de communauté, dans sa synagogue). La culpabilité gisait au fond de la relation d'un Juif de ma génération avec le judaïsme officiel.

« Communauté juive » ! Voilà une expression dont l'usage systématique ne remonte guère en deçà des années 80 ! Ce qu'elle évoquait pour moi, c'étaient surtout d'incessantes et dérisoires querelles de personnes mêlées à un conformisme accablant ! J'y humais un parfum suranné, avec des temples aux bancs désespérément vides alors que le changement des mœurs laissait déjà entrevoir que la chaîne de la transmission était en voie de s'interrompre (l'afflux temporaire de Juifs originaires d'Afrique du Nord ne faisant que retarder de quelques décennies cette évolution apparemment implacable). Quand je m'adonnais à ces « retours amont », je les retrouvais quand même encore, ces calmes institutions, dont je me demandais ce qui les avait fait tenir, sur un mode quasi virtuel, comme pour m'attendre ! Comme si tout un monde avait continué d'exister en cachette, avec ses lampes dont la lumière n'éblouissait jamais, ses planchers poussiéreux, refusant de passer dans le passé, fournissant un décor adéquat à mon complexe de dernier Juif.

Aujourd'hui, je vois dans ce complexe une sorte d'envers de la vocation messianique, réduite à la conscience tragique du fait que les Juifs, du moins les Juifs d'Europe, pourraient bien ne plus jamais goûter au bonheur (ou au culte narcissique, comme on voudra) d'une existence collective. Sinon à l'image de ces locaux déserts, ces associations faméliques à la représentation branlante, chargées de végéter sur un mode spectral, avec leurs « fonctionnaires juifs ». Cette impression d'abandon, j'ignore si elle fut partagée et je ne voudrais pas me hâter de lui assigner une origine. Par exemple, en en faisant le symptôme d'une névrose transgénérationnelle d'abandon qui elle-même remonterait à l'Occupation.

Peut-on penser que les angoisses non maîtrisées d'un jeune Juif né en 1957, son obsession de la mort du judaïsme, aient pu avoir pour sol certaines angoisses liées à la persécution des Juifs sous Vichy, voire aux persécutions médiévales ? J'admets qu'il y a bien quelque chose comme de la mémoire « culturelle » et que celle-ci finit toujours par se stratifier en institutions gardiennes de la transmission des expériences du passé. J'admets également que cette mémoire culturelle puisse, à l'insu de l'individu, « faire passer » non seulement des idées et des signes mais aussi des réflexes ou des émotions, selon un processus que je continue à trouver énigmatique. Sauf à recourir comme les psychanalystes à l'universalité des formations œdipiennes pour l'explication de la *psyché* humaine... Mémoire accablée, espérance messianique, voilà donc à quoi je pensais en pénétrant au siège de la LICRA, lieu de la puissance juive dans les fantasmes des antisémites, tandis que, sous mes yeux, se déroulait la scène pénible et grotesque que je vais m'efforcer de décrire.

Une soirée à la LICRA

Bien que le comité exécutif de la LICRA ait été convoqué à sa date ordinaire, on y trouvait la presse des grands jours. Les circonstances étaient certes inhabituelles puisqu'il s'agissait de débattre de l'exclusion d'un des membres du comité d'honneur : l'abbé Pierre en personne, dont l'engagement public au côté du philosophe ex-marxiste converti à l'islam, Roger Garaudy, béquille récente des négationnistes, défrayait la chronique. Ce développement semait le plus grand trouble au sein des associations antiracistes dont l'abbé Pierre constituait une sorte de figure tutélaire. L'abbé Pierre avait tenu à venir s'expliquer en personne. Une démarche qui plongeait dans l'inquiétude les membres du comité exécutif de la LICRA, pour l'essentiel des avocats visiblement gênés de se retrouver en porte-à-faux vis-à-vis de cet enfant chéri des cotes de popularité. La procédure d'exclusion avait d'ores et déjà été engagée, susurraient-ils aux oreilles des journalistes. Mais leur air contrit montrait bien qu'une rétractation du fondateur d'Emmaüs aurait bien fait leur affaire. Peut-être pressentaient-ils l'effet désastreux d'une sentence rendue par un tribunal perçu comme « juif », plaçant un homme en soutane en posture d'accusé. *Mutatis mutandis*, l'ancien président de la République François Mitterrand avait, l'année précédente, usé d'un procédé analogue. Sous prétexte de s'expliquer sur sa période vichyssoise, longtemps passée sous silence, le président s'était montré face à Jean-Pierre Elkabach, en posture de procureur. L'intervieweur se prêta à la manœuvre.

En attendant l'ouverture des débats, mille rumeurs parcouraient la salle bondée. Beaucoup, prêtant aux négationnistes une puissance démesurée, parlaient de « fusée à plusieurs étages[2] ». Les deux premiers (Roger Garaudy et l'abbé Pierre) désormais largement en orbite, on spéculait déjà sur le nom du troisième. Ceux qui se livraient à ce petit jeu plaçaient tout de même assez bas la capacité de résistance des élites françaises au crétinisme intellectuel que représente, dans son fond, le négationnisme.

Me Pierre Aidenbaum, président de la LICRA, ouvrit enfin la séance. Assis à la tribune, il se mit à conjurer, sans trop y croire, l'abbé Pierre de retirer « publiquement » sa « caution morale au livre de Roger Garaudy » en lisant un de ces communiqués dont les associations de ce genre sont friandes et dont elles inondent les salles de rédaction. Voici, d'après mes notes, comment l'abbé Pierre répondit, d'une voix chevrotante, dans un style à la fois puéril et contrôlé dont la déstructuration n'était qu'apparente :

Merci de m'avoir fait cette confiance à la loyale. On ne peut penser qu'à partir de documents. Dans mes premières paroles, ai-je apporté un soutien au livre [il s'agit des *Mythes fondateurs de la politique israélienne*, titre de l'ouvrage de Roger Garaudy] ? Je n'entre pas dans ce que le livre contient. Honnêtement, je ne l'ai pas lu. Ce que je dis, c'est que cet homme [Roger Garaudy] est honnête mais il peut se tromper. Si on lui apporte un argument montrant qu'il s'est trompé — j'ai confiance en l'homme.

Ici, sous l'écorce homilétique, l'abbé Pierre s'efforçait d'inverser la charge de la preuve : à la LICRA d'avancer des arguments propres à convaincre et Roger Garaudy et lui-même que... la Shoah avait bel et bien eu lieu ! Si Roger Garaudy s'entêtait, l'abbé Pierre jurait son grand Dieu qu'il lui retirerait « son estime » (ce que d'ailleurs il ne fit jamais à ma connaissance, même après sa rétractation). Puis, du haut de son ignorance affichée, l'abbé Pierre se mit à balayer d'un revers de la main des décennies d'historiographie et de témoignages en lançant une proposition absurde : réunir un congrès d'historiens afin de faire la lumière sur cette ténébreuse affaire de chambres à gaz et de génocide ! Il se disait en effet troublé par une longue lettre critique, à lui envoyée par l'un de ses proches, compagnon de tous les combats en faveur des sans-abri et sans-papiers : le professeur Léon Schwartzenberg (« un ami avec qui je travaille »). « J'envoie ce texte à Roger Garaudy ; que les deux hommes se rencontrent », précisa l'abbé Pierre. Puis, celui qui avait tant profité de la bienveillance des journalistes tout au long d'une carrière de part en part médiatique* gémit qu'« à l'unanimité, la

---

* Le mythe de l'abbé Pierre dans la presse a été étudié, peu de temps après l'affaire, par Keren Lentschner, dans un mémoire de maîtrise d'information et de communication, soutenu au Celsa (université de Paris-IV), intitulé : *De l'hiver 54 à l'affaire Garaudy. L'évolution du mythe de l'abbé Pierre dans la presse.*

presse m'a traité de salaud ». Ébauche de marche arrière ? Allusion à une main invisible rassemblant les rênes des journaux ? Fallait-il refaire, pour éclairer sa lanterne, le procès de Nuremberg et apporter « enfin » les preuves du Génocide ? « Je n'ai aucun doute sur le Génocide, répliqua l'abbé Pierre à la salle qui commençait à s'agiter, et je suis d'accord sur l'énormité du crime, qu'il y ait eu cinq ou six millions de victimes. » Mais, ce faisant, il continuait à flirter avec la limite, effectuant quelques galops du mauvais côté, pour se rabattre aussitôt, selon la tactique éprouvée du Parthe et de ses flèches. Dans le brouhaha, on l'entendit maintenir que certains chiffres avaient été exagérés et que, en parcourant l'ouvrage de Roger Garaudy, il avait été frappé par un passage dans lequel l'auteur mettait en doute le sens de l'expression « solution finale ». « Je souhaite que vous restiez des nôtres, dit Pierre Aidenbaum apparemment pressé de clore la séance, et que ce moment difficile ne soit qu'un moment. » La réunion s'acheva dans la confusion, dans le ridicule et finalement par le refus d'un abbé Pierre, qui s'était quelque peu joué de son auditoire, de céder le moindre pouce de terrain. La soirée de la LICRA avait tourné à son avantage, produisant son effet, sans doute recherché, de lynchage médiatique. Le scandale allait se poursuivre tandis que les appels à la pitié allaient peu à peu succéder à l'indignation.

Retour sur un scandale

Ce scandale-là, je puis affirmer avoir été l'un des premiers à l'avoir soulevé, il est vrai un peu par hasard, un jour que je passais dans les locaux en cours d'aménagement du *Monde*, rue Claude-Bernard. Je m'étais saisi d'une feuille traînant sur un fax esseulé. Il s'agissait d'une invitation à une conférence de presse. Adressée au directeur du journal, Jean-Marie Colombani. Roger Garaudy y conviait les destinataires à discuter de la question suivante : « La liberté d'expression existe-t-elle encore en France ? », jeudi 18 avril 1996, au Grand Hôtel, à l'occasion de la publication de ses *Mythes fondateurs de la politique israélienne* qu'il estimait boycottés par la presse. On s'étonnera un jour qu'un texte aussi misérable ait pu déclencher pareil débat. Roger Garaudy se vantait de façon comique d'avoir écrit plus de cinquante livres. Celui-là, en tout cas, bourré de majuscules, de collages de citations, avait tout de la profession de foi d'un autodidacte pressé d'annoncer sa bonne nouvelle au monde. Ce n'était qu'un tract amélioré. Mais l'homme pouvait toucher parce qu'en dépit de ses revirements successifs, du protestantisme au stalinisme, et du marxisme à l'islam en passant par le catholicisme, Garaudy restait un « philosophe » populaire auprès d'une génération qui n'arrivait décidément pas à remiser ses vieilles idoles.

Beaucoup avaient encore dans les yeux le spectacle de sa rupture avec le Parti communiste sous les caméras, et cela l'avait rendu durablement sympathique. Au-delà de ses conversions, je fus surpris de constater le capital de popularité que le personnage conservait, à quatre-vingts ans passés. Il était devenu, entre-temps, une sorte d'intellectuel médiatique d'avant l'ère des médias, signant d'interminables préfaces à des livres d'art. La peur d'être oublié, la jobardise intellectuelle mêlée à un islamisme militant (islamisme qui l'avait conduit à soutenir l'Iran de Khomeyni) expliquent sans doute sa dernière dérive en direction du négationnisme. Elle ne faisait du reste que s'ajouter à d'autres, moins médiatisées.

En somme, seule la nullité d'un morceau qui relevait de la propagande antisioniste de la pire espèce et quelques souvenirs positifs entourant le personnage rendaient raison du silence médiatique, charitable, sur cette prétendue « bombe ». Mais Garaudy ne l'entendait pas de cette oreille. Sûr de lui, il ne pouvait attribuer le soupir discret qui avait accueilli son pamphlet qu'à une conspiration. Il était bien décidé à produire son vacarme, lui qui semblait n'avoir retenu de sa période marxiste que l'antisémitisme à bonne conscience !

L'antisémitisme en milieu communiste s'est le plus clairement exposé à la veille de la mort de Staline, en 1953, au moment du complot dit des « blouses blanches » (des médecins en majorité juifs que seule la mort du dictateur sauva de l'exécution ou de la déportation). L'orientaliste Maxime Rodinson [3], de la même génération que Garaudy, a commenté avec beaucoup de verve dans une « Autocritique » sa propre trajectoire au PCF, parti dont il ne resta membre que jusqu'en 1958. Il y évoque, entre autres, l'évolution du Parti communiste des années 50 dans sa relation avec les Juifs, le sionisme et Israël. Il décrit avec finesse le processus mental qui lui fit, à l'époque, justifier la vague ignoble de terreur et occulter l'antisémitisme — déjà il est vrai masqué sous les traits de l'« antisionisme » soviétique — qui était le ressort des procès de dirigeants dans les nouvelles « démocraties populaires ». En historien, Rodinson s'efforçait de confronter ce qu'il avait sous les yeux aux souvenirs des tribunaux révolutionnaires de la Terreur. On ne pouvait prétendre, loin de là, que les opposants qui étaient passés par leurs griffes aient toujours été innocents des crimes et des trahisons dont on les avait accusés, s'obligeait-il à penser. L'exemple le plus significatif étant celui de Danton, guillotiné comme opposant, mais effectivement corrompu. Puis, faisant un pas de plus, pas motivé par les années passées sur son terrain moyen-oriental, sa propre hostilité au sionisme et sa fréquentation des partis communistes arabes, Maxime Rodinson explique pourquoi il a été amené à penser qu'un accusé juif n'était pas forcément innocent et qu'il n'y avait rien d'« invraisemblable » à ce que des « sionistes » se montrent « capables de tramer ou d'inspirer des complots anticommunistes ». On retrouve ici, de façon frappante, une articulation entre une réflexion sur la Révolution française (considérée comme une préfiguration inaccomplie de la révolution bolchevique) et une prise de position sur la « question juive », comme si l'une avait partie liée avec l'autre. Cela n'a en réalité rien d'étonnant tant celle-ci est travaillée en son centre, aussi bien en France qu'en Allemagne, depuis le XIXe siècle, par la question de l'émancipation[4].

Cette analyse de Maxime Rodinson aide à pénétrer un peu plus avant dans les circonvolutions mentales de son contemporain, Roger Garaudy. La conclusion — fort peu convaincante — que tire Rodinson de ce développement le conduit à établir une équivalence entre comportement stalinien et sioniste. Et ce, en se fondant sur certains exemples, notamment celui d'Annie Kriegel, elle aussi engagée alors en tant que militante du parti dans la lutte contre les « médecins criminels » avant de devenir une anticommuniste de choc. L'idée, assez réaliste, qu'il n'est pas d'innocence absolue, y compris chez les Juifs, y compris après la Shoah, a eu malheureusement tendance à se radicaliser. De l'invraisemblance de l'innocence totale, certains sont passés, sans transition, à une présomption de culpabilité systématique sinon des Juifs, du moins de leur État (Israël). Le Roger Garaudy des années 90 était assurément de ceux-là. En ce sens il popularisait une forme très particulière d'antisémitisme de la fin du XXe siècle qui, tout en se défendant de s'en prendre aux individus juifs, pratique la critique systématique de leur État. Il s'agit d'une haine qui porte sur toutes les expressions collectives de la vie juive (communauté, nation, État) et certains, parodiant le terme allemand de *Judenfeindlichkeit* (haine des Juifs), en sont venus à estimer que l'antisémitisme d'aujourd'hui se caractériserait plutôt par la *Judenstaatsfeindlichkeit* (détestation de l'État juif[5]).

Quelques semaines avant l'intervention fracassante de l'abbé Pierre dans ce débat, j'avais reçu au *Monde* quelques « bonnes feuilles » du pamphlet garaudien, expédiées par l'éditeur de textes négationnistes, la Vieille Taupe, dans le but d'allécher les journalistes. On y appelait à prendre en compte les thèses des négationnistes rebaptisés pour l'occasion « historiens critiques ». Roger Garaudy convoquait comme témoin à charge ce qu'il connaissait de la nouvelle historiographie israélienne pour mieux cogner sur cet État juif détesté et diabolisé. Une telle prose ne méritait pas même un haussement d'épaules, pensai-je. En revanche, quand je vis sur le fax parvenu au *Monde* que plusieurs personnalités viendraient apporter leurs témoignages de soutien à Roger Garaudy : l'abbé Pierre, mais aussi le père Michel Lelong et le sociologue suisse Jean Ziegler, je commençai à prendre l'affaire plus au sérieux. Le négationnisme était-il en phase de déborder de son milieu naturel ? J'arrivai donc, assez mal à l'aise, dans le petit salon du Grand

Hôtel, loué pour l'occasion. Une faune hétéroclite y était déjà rassemblée : on y voyait quelques femmes voilées, des jeunes (je devais apprendre qu'il s'agissait d'un groupe de l'Union des étudiants juifs de France venus porter la contradiction) et quelques têtes d'originaux sur lesquelles je m'efforçais de mettre des noms. Fort peu de journalistes avaient fait le déplacement. Roger Garaudy pérorait déjà, ainsi que Jacques Vergès, l'ancien défenseur de Klaus Barbie. Le seul à incarner quelque chose comme de la dignité dans cette ambiance délétère était un jeune « beur » qui, s'adressant vertement à l'orateur, fit savoir qu'il refusait qu'un Garaudy parle en son nom — ce qui laissa l'interpellé sans voix. Les copies des trois lettres de soutien circulaient et, parmi elles, les trois feuillets maladroitement dactylographiés, écrits recto verso, adressés par l'abbé Pierre, le 16 avril, à son « très cher Roger* ». S'y ajoutait une lettre de Jean Ziegler datée du 1er avril (dont le contenu, assez vague, déplorait qu'on n'ait pas daigné affronter le destinataire « sur le plan scientifique, discursif, analytique ») et enfin une lettre manuscrite (en date du 16 avril) du père Lelong, spécialiste du dialogue avec l'islam (que l'on retrou-

---

* Thierry Meyssan, le président du réseau Voltaire, m'a affirmé dans un entretien que c'était lui qui, s'étant procuré une copie de la lettre de l'abbé Pierre, l'avait alors remise aux quelques journalistes présents, au grand dam des organisateurs qui, eux, ne souhaitaient pas la diffuser. J'avoue ne plus guère me souvenir comment cette lettre est parvenue entre mes mains, sur le moment. Si cela est exact, je ne puis le noter qu'avec tristesse : M. Meyssan a alors mieux servi la vérité et la démocratie que lorsqu'il se laissera aller en 2002 à voir dans les attentats du 11 septembre une sourde machination ourdie par un groupe militaire complotant au sein même de l'administration américaine.

vera, quelques mois plus tard, témoignant en faveur de Maurice Papon). Le père Lelong y regrettait, vu la situation prévalant à Gaza ou au Liban, que les « intellectuels » et les « médias » se dérobent au « débat » auquel les invitait Roger Garaudy*. Mais à l'évidence, la lettre de l'abbé Pierre représentait le morceau de choix**. On reconnaissait sans peine le style retors et enfantin de l'abbé Pierre. Il manquait toutefois une trace manuscrite pour l'authentifier.

Ma première réaction fut la stupéfaction. Je savais par diverses prises de position publiques que l'abbé Pierre, par ailleurs objet d'une cour effrénée de la part de certaines institutions juives, ne comptait pas précisément parmi les amis d'Israël. Pour autant, je ne m'attendais pas à retrouver un tel déballage de catéchèse judéophobe[6]. Je regagnai la rédaction du *Monde*, le précieux document à la main. Une vérification s'imposait, difficile à obtenir, celle de l'intéressé lui-même, reclus et, disait-on, malade, à l'abbaye de Saint-Wandrille. À grand-peine, je parvins à le joindre par téléphone. Dans la courte conversation qui s'ensuivit, je me souviens avoir été frappé par sa maîtrise affichée des conséquences de sa position. Je n'avais pas au bout du fil un ermite ignorant les choses de ce monde, épuisé à en mourir, mais un personnage parfaitement au fait du fonctionnement des médias. Il me dit sur un ton condescendant que la tempête durerait quelques jours, puis s'apaiserait. « Il est tout à fait

---

* Dans une mise au point envoyée au *Monde* après mon article, Michel Lelong rappela son « profond désaccord » avec Roger Garaudy mais estimait « injuste de l'accuser d'antisémitisme ».

** Les deux autres « témoins de moralité » s'empressant de prendre leurs distances une fois le scandale déclenché.

normal que nous ayons été portés à des exagérations après la guerre, ajouta-t-il au téléphone. J'étais encore à Auschwitz il y a six mois, là où l'on avait inscrit sur une plaque qu'il y avait eu quatre millions de morts. Puisqu'on est revenu aujourd'hui au chiffre d'un million, c'est que le chiffre de quatre millions était exagéré. Il faut tenir compte du bouleversement qui était le nôtre après la guerre. Et d'ailleurs, bien que je ne conteste pas le chiffre de six millions de victimes juives en tout, mon abomination serait la même face à un million. À ce degré d'horreur, on n'est plus dans les mathématiques ! » J'avais la primeur du discours qu'il allait répéter à la LICRA quelques jours plus tard. Il ajouta qu'il regrettait, comme Roger Garaudy, le « repli » du peuple juif depuis... Constantin (IVe siècle) et déplora l'absence d'action missionnaire « des milieux juifs que j'aime, qui ont une fidélité farouche à la Bible et au Talmud ». Je lui objectai que tous les Juifs ne se sentaient pas, du fait même qu'ils étaient juifs, engagés dans une « mission religieuse », mais que beaucoup acceptaient passivement cette identité léguée par l'Histoire. Il concéda alors qu'il se pouvait bien qu'il existât « des indifférents qui sont ethniquement juifs », tout en ajoutant : « La Terre promise signifiait pour moi la terre entière et les Juifs auraient dû se faire les prosélytes du monothéisme, et je suis peiné de ne pas le voir. On conçoit que les Juifs aient besoin d'une sorte de Vatican. Mais de là jusqu'à cette accumulation de souffrances infligées aux Palestiniens ! » Bref, j'étais édifié.

La « conversion » publique de l'abbé Pierre au « philonégationnisme » fut donc une surprise. Pourtant le terrain était préparé. Le principal intéressé travaillait lui-même à abattre le mur de protection qui s'était formé autour de lui dans le but de contenir une initiative à laquelle lui ne semblait pas vouloir renoncer. Je reçus de Pierre-André Taguieff le texte d'une interview que l'abbé Pierre avait accordée plusieurs années auparavant (le 11 mars 1991, pendant la guerre du Golfe) à *La Vie.* Ses propos étaient déjà sans équivoque sur le sujet puisqu'il déclarait : « Je constate qu'après la constitution de leur État, les Juifs, de victimes, sont devenus bourreaux[7]. » C'est ce qu'on constate en consultant les « rushes » d'un livre d'entretien avec Bernard Kouchner (*Dieu et les hommes*, paru chez Robert Laffont) qui furent publiés dans un court écrit de Michel-Antoine Burnier et Cécile Romane au moment du scandale. Ils révèlent aussi bien les précoces dérapages de l'abbé que la tentative désespérée de ses proches pour injecter des anti-corps afin d'empêcher le « décrochage » ou de le camoufler aux yeux du public. Dès 1993, l'abbé Pierre se livrait aux mêmes consternantes diatribes qu'on devait retrouver dans sa missive à Roger Garaudy.

Alors là, disait-il trois ans avant le scandale, je toucherai le fond du problème de la sensibilité d'un Juif, en lui disant : toutes vos énergies se trouvent mobilisées par la réinstallation du grand Temple de Salomon à Jérusalem, bref, de l'ancienne cité du roi David et du roi Salomon. Or vous vous basez pour cela sur tout ce qui dans la Bible parle de Terre promise. Or [...] que reste-t-il d'une promesse lorsque ce qui a été promis, on vient le prendre en tuant par de véritables génocides des peuples qui y habitaient paisiblement avant qu'ils y entrent ? [...] Quand on relit le Livre de Josué, c'est épouvantable ! C'est une série de génocides, groupe par groupe, pour en prendre possession ! Alors foutez-nous la paix avec votre Terre promise ! Je crois — c'est ça que j'ai au fond de mon cœur — que votre mission a été — ce qui en fait s'est accompli partiellement avec la diaspora — la dispersion à travers le monde entier pour aller porter la connaissance que vous étiez alors les seuls à porter en dépit de toutes les idolâtries qui vous entouraient, etc.[8].

Ces propos véhiculaient une conception de l'histoire aussi bien sainte que contemporaine qui, prenant appui sur les récits bibliques de massacres, aboutissait à la conclusion que les Juifs étaient les véritables inventeurs du génocide dont les victimes ne pouvaient être que les peuples autochtones, préfiguration des Palestiniens, des Arabes ou des musulmans. À la réalité de l'affrontement israélo-palestinien sur le terrain, se substituait la lutte contre le sionisme devenu symbole universel et négatif du ressentiment des pauvres et des exploités de la mondialisation. Cette théologie permettait de combler, peut-être, le vide laissé dans certaines consciences chrétiennes par l'abandon de l'accusation de « peuple déicide », et de retenir un peu de l'image du Juif perfide et meurtrier mise sous le boisseau par l'Église officielle. Au dire des deux journalistes, eux-mêmes scandalisés, ce fut Bernard Kouchner qui interrompit le dialogue. Quant à leur refus d'informer en temps réel l'opinion des divagations de « l'homme le plus populaire de France », ils s'en expliquèrent par l'admiration qu'ils portaient, malgré tout, à l'homme de l'appel de 1954 en faveur des mal logés, et par le fait que la discussion que l'abbé Pierre voulait engager sur le Livre de Josué était « hors sujet ». Enfin, ils invoquèrent la crainte, respectable, de voir imprimer en toutes lettres et donc réintroduits dans la sphère publique des propos antisémites (sous forme d'« antijudaïsme religieux ranci », disaient-ils). Dans un méli-mélo parfois risible où époques et notions se confondent allégrement, le personnage de Josué avait donc fait, dès 1993, sa lugubre apparition :

Ce n'est pas sans quelque douloureux tremblement et grande humilité, écrira à nouveau l'abbé Pierre à Roger Garaudy dans sa lettre d'avril 1996, que j'évoquerai l'autre de mes convictions relative à la portion juive de l'univers humain. Tout a commencé pour moi dans le choc horrible qui m'a saisi lorsque après des années d'études théologiques, reprenant pour mon compte un peu d'études bibliques, j'ai découvert le Livre de Josué. Déjà un trouble très grave m'avait saisi en voyant, peu avant, Moïse apportant des « tables de la loi » qui enfin disaient « tu ne tueras pas », voyant le Veau d'or, ordonner le massacre de 3 000 gens de son peuple. Mais avec Josué je découvrais (certes conté des siècles après l'événement) comment se réalisa une véritable « Shoah » sur toute vie existant sur la « Terre promise ». [...] La violence ne détruit-elle pas tout fondement de la « Promesse » ?

Aussi indigent fût-il, ce texte mérite un petit commentaire. On voit s'y former par inversion et glissements successifs une nouvelle figure repoussoir dans une démonologie déjà fournie : celle de Josué, habillage typologique du Juif-Israélien moderne et conquérant et, par extension, signe de la sauvagerie primitive de l'Hébreu puis du Juif. Elle se nourrit également de la tendance à amalgamer, par un maniement pervers de symboles, les Palestiniens (ici englobés dans la notion de peuples autochtones et confondus avec les Cananéens) avec les Juifs victimes de la Shoah, tandis que les Israéliens eux-mêmes sont assimilés aux nazis. La vision sombre et bizarre de l'Ancien Testament qui en ressort pourrait être qualifiée de « néomarcionisme », en référence aux thèses du gnostique Marcion, théologien du IIe siècle (considéré comme hérétique par l'Église). Marcion recommandait d'exclure l'Ancien Testament du canon biblique sous prétexte que l'ordre de l'ancienne alliance incarnerait le dieu des ténèbres responsable de la mort du Christ. Certes, le propos de l'abbé Pierre relaye plutôt l'accusation de déicide[9]. Mais il vient aussi étayer un double transfert de culpabilité qui n'est pas sans rapport avec une sorte de credo néognostique : certains chrétiens — sans que ce soit le moins du monde l'idéologie de l'Église — donnent l'impression de chercher là un soulagement au poids que fait peser l'attitude passive de beaucoup de leurs coreligionnaires face à l'extermination des Juifs (dès lors que les rescapés du nazisme et leurs descendants reproduisent les comportements de leurs persécuteurs à l'identique, voire même les ont *inventés* dans tous les sens du terme). Les Palestiniens/Cananéens, eux, se retrouvent figés dans un statut de victimes éternelles et exemplaires des Juifs[10].

Josué au XXe siècle

La figure de Josué renvoie à des couches tectoniques plus anciennes que celle de l'antisionisme religieux. Il n'était pas difficile de s'apercevoir que les propos que l'abbé Pierre souhaitait tant jeter en pâture à l'opinion publique relevaient de l'antisémitisme. J'ai toutefois constaté que la tendance générale dans les commentaires de ce genre d'incident est de se préoccuper moins du contenu des propos effectivement prononcés que des sentiments du locuteur. La question se déplace sur le point de savoir si oui ou non l'abbé Pierre est antisémite ! Comme si le problème était d'ordre psychologique et résidait dans les tréfonds de son âme ! Or de l'avis de plusieurs de ceux qui l'avaient approché, l'abbé Pierre avait depuis longtemps une propension à parler des Juifs non comme des individus mais comme autant de reflets d'une condition juive indistincte. Ce que traduit dans le dialogue le passage de la deuxième personne du singulier au pluriel : « vous », c'est-à-dire « vous les Juifs », sans se soucier de savoir si cette personne — en l'occurrence Bernard Kouchner — assume le regard globalisant ainsi porté sur elle. L'individu se retrouve socialisé malgré lui, et l'émergence de ce type de raisonnement dans l'espace public a de quoi alarmer. Car il est rare que cette rhétorique procède du souci de restituer aux Juifs leur dignité de peuple ! Elle témoigne, au contraire, d'une volonté de les emprisonner dans une essence immuable[11].

On a vu qu'un Garaudy, approuvé en cela par l'abbé Pierre, utilise l'affichage de l'antisionisme radical pour contester une politique (celle que mènent Israël et les Juifs qui l'habitent). Serait-on, enfin, en présence d'une détestation motivée par les actes réels de Juifs réels ? Le bréviaire de la haine aurait-il enfin découvert son *fundamentum in re* ? Ce qui sous-tend en tout cas la rhétorique de l'abbé Pierre, c'est avant tout l'épaisseur d'un *milieu* pratiquant une forme d'antisionisme théologique qui semblait appelée à un grand avenir, sous la forme que Pierre-André Taguieff nomme l'« antisionisme absolu ». Il y avait donc dans cette affaire plus que les divagations de deux vieillards en mal de publicité à quoi on a voulu parfois la réduire. Des années plus tôt, un encart d'une pleine page paru dans *Le Monde* du 17 juin 1982, au plus fort de la guerre du Liban, avait révélé l'existence d'une tendance de cette nature. Roger Garaudy — déjà — y cosignait avec le père Michel Lelong (encore lui) et le pasteur Étienne Mathiot, une longue homélie dénonçant l'exploitation qu'Israël était censé faire de la mémoire de la Shoah afin de justifier sa propre politique : « L'on exploite ainsi sans vergogne, était-il écrit, la mauvaise conscience des Européens à qui l'on fait croire, selon la plus pure tradition colonialiste, que l'on doit expier indéfiniment les crimes d'Hitler aux dépens des Arabes ». Les signataires du texte ajoutaient le petit morceau de bravoure suivant, bel exemple de reformulation de l'antijudaïsme chrétien après Vatican II :

> Le deuxième argument [d'Israël ou du sionisme] consiste à revendiquer, au mépris des droits de l'homme, un « droit divin » de propriété sur la Palestine au nom des thèmes bibliques de l'Alliance, de la Terre promise et du Peuple Élu. [...] Dans cette perspective s'inscrivent aujourd'hui les agressions et les annexions successives de Menahem Begin. [...] Il est significatif que les sionistes ne se réfèrent pas au grandiose prophétisme d'Amos, d'Ézéchiel, ou d'Isaïe, ouvrant la voie à l'universalisme, mais aux seuls textes prônant la conquête de Canaan et l'extermination sacrée [12].

Les signataires de l'appel ajoutaient que, selon leurs informations, les adolescents israéliens étaient massivement d'avis que « Josué avait bien fait d'exterminer tous les habitants, précisant qu'il était bon d'agir avec les Arabes comme Josué avec les Cananéens ». Par un retournement assez saisissant, ils concluaient par l'argument selon lequel la lutte contre l'antisémitisme... passe par le combat contre le sionisme, urgence de l'heure selon eux ! Une lutte qui devait, bien évidemment, se porter d'abord contre les « lobbies » (habillage modernisé de la théorie du complot) au service d'Israël : « Nous ne pouvons donc céder au chantage et au terrorisme intellectuel d'un groupe de pression tout-puissant en Occident, traitant d'antisémite et d'héritier des nazis quiconque n'accepte pas la politique d'Israël [13]. »

Derrière ce fatras de références bibliques manipulées sans vergogne, on retrouve quelques passerelles avec le « gauchisme mystique » évoqué au précédent chapitre, à savoir une posture radicale, nourrie de mysticisme révolutionnaire, de messianisme mêlé de radicalité vécue sur le mode du réflexe, gauchisme d'adhésion et non de raison, plus proche de l'ésotérisme que du matérialisme marxiste[14]. L'histoire contemporaine se substituait au contexte historique de la Bible. Ce déplacement permet de dater un nouveau brouillage de limites déjà ténues entre la critique d'Israël et la « réprobation d'Israël », expression qu'Alain Finkielkraut avait utilisée comme titre de son essai écrit dans la foulée de la guerre du Liban.

La référence à Josué comporte enfin chez ces chrétiens une certaine dose de « haine de soi ». Car il existe une exégèse fort ancienne de *Josué* qui, loin d'en faire l'archétype de la cruauté et de l'impérialisme du Juif charnel, considère au contraire son histoire comme une préfiguration du Nouveau Testament — lecture que renforce l'homonymie entre Josué et Jésus. Ainsi un des Pères de l'Église, Origène, dit-il à propos de *Josué* : « À quoi donc nous mène tout cela ? c'est beaucoup moins que de nous décrire les actes de Jésus fils de Navè que de nous décrire les mystères de Jésus, mon Seigneur. » Il est piquant de rappeler que le *Dialogue avec Tryphon*, le plus ancien texte de polémique chrétienne contre les Juifs, en appelle précisément à Josué pour reprocher aux Juifs l'interprétation sélective qu'ils font de leur propre canon. Alors que ceux-ci gloseraient sans fin sur la lettre de l'alphabet hébraïque « Hé » ajoutée au nom d'Abram comme preuve de l'élection du patriarche par Dieu, ils s'entêtent à ne pas reconnaître dans le balancement Josué/Jésus l'annonce du Christ !

La filiation entre le Livre de Josué et Jésus apparaît enfin sous un jour généalogique. Raab, la femme qui protège les espions de Josué à Jéricho et qui survivra seule à la chute de la ville, fait en effet partie de la généalogie du Christ*.

Quant à la lecture rabbinique de *Josué*, elle met en avant le thème du disciple fidèle de Moïse envoyé en exploration dans le pays de Canaan tandis que les Hébreux errent encore dans le désert, et qui deviendra, à son tour, le porte-parole de Dieu. Le Talmud fait en outre remonter à Josué la première injonction d'étudier la Torah (*Josué*, I, 8). La critique biblique

---

* Évangile selon Matthieu, I, 5. Le christianisme primitif interprète en outre le remplacement de Moïse par Josué comme une répétition de la substitution d'Ésaü par Jacob, d'Ismaël par Isaac, cette série de remplacements illustrant en général la caducité de l'ancienne Loi. Chez Grégoire de Nysse, le Livre de Josué est présenté comme une succession d'événements que les baptisés s'apprêtent à suivre spirituellement et allégoriquement. Ici je renvoie à la brève étude qui sert d'introduction à la récente traduction du livre *Jésus (Josué)* de la version alexandrine (la Septante) par Jacqueline Moatti-Fine, *La Bible d'Alexandrie (6)*, Cerf, Paris, 1996. Voir Irénée de Lyon, *Contre les hérésies et contre la Gnose au nom menteur*, IV-20, 12, traduit par Adelin Rousseau, Cerf, Paris, 1984. Voir également de Thomas Römer, *Dieu obscur. Le sexe, la cruauté et la violence dans l'Ancien Testament*, Labor et Fides, Genève, 1996, p. 82 *sq* : l'idée d'un Dieu guerrier — divinité nationale de conquête — y est considérée comme un emprunt tardif à la théologie assyrienne contemporaine de la première collection de textes qui devait aboutir au Livre de Josué par un roi au nom également proche de celui de Josué : Josias (aux alentours de 620 avant notre ère). On cherchait à légitimer ainsi une politique d'expansion profitant d'un moment de faiblesse de l'Empire assyrien, en montrant que le Dieu des Hébreux est plus puissant que les divinités assyriennes (dont les fidèles occupent Canaan). Voir également *Sefer Haggadah*, compilé par Haïm Nahman Bialik et Y. Ravnitzky, Dvir, Tel-Aviv, édition de 1987, p. 80 *sq*.

date l'édition du texte d'une période relativement tardive (la veille de la destruction du premier Temple, en l'an 586 avant notre ère, voire plus tard), de toute façon lointaine par rapport aux événements relatés — ce qui confère à l'évidence un tout autre contexte historique aux récits de destruction et de massacres qui y sont contenus, lesquels peuvent être lus comme une compensation aux angoisses nées de la menace assyrienne prête à s'abattre sur le royaume de Juda à l'époque de la rédaction supposée.

Certains souvenirs personnels s'attachent au personnage de Josué. Je me souviens d'avoir possédé un petit disque en cire noire sur lequel était gravée une anthologie sonore du poète sioniste de la renaissance hébraïque, Haïm Nahman Bialik. La traduction laissait à désirer et les passages les plus dramatiques, transposés dans le plus pur style hugolien, étaient parfois bien grandiloquents. À force de passer sur mon tourne-disque la voix féminine et énergique de la récitante, je finis par savoir ces poèmes par cœur, et je les connais encore presque tous. Parmi eux, certains avaient pour thème la mort de Moïse. Voici quelques bribes que je cite de mémoire :

Or sur le mont Nébo, face au soleil couchant,
Immobile, pareil à l'ange des combats est debout Josué, fils de Noun.
Il parle à son armée innombrable et puissante et sa parole ardente brille comme une torche : « Israël va ! Hérite ! »
Au bas de la montagne un peuple libre et jeune et plus nombreux encore que le sable des plages écoute la voix sainte qui se heurte et se brise contre la multitude.

Déjà les trompettes ont sonné le départ et le chef, Josué, a quitté le Nebo, etc.

La traduction de ces versets n'est pas sans rappeler *La Mort de Moïse* d'Alfred de Vigny. Le pieux peuple d'Israël s'attarde sur place pour pleurer son prophète disparu, trace d'une nostalgie d'exil au milieu de ce nationalisme biblique aux accents roboratifs. Malgré ses côtés désuets, cette littérature épique ne laissait pas de m'impressionner, adolescent. D'abord par son caractère exotique : la culture juive sioniste dans laquelle j'avais été élevé apparaissait plutôt vermoulue dans les années 60 (avant la guerre des Six-Jours qui marque une remobilisation des Juifs de France autour d'Israël). Du coup, les reflets qui nous parvenaient de cet astre que nous croyions mort ou moribond avaient déjà la saveur d'un temps perdu, d'un temps d'avant la Shoah où l'idée d'une identité politique juive en Europe était encore revêtue de chair. Après la Shoah, ces fracas de cymbales marquaient au contraire la volonté de réappropriation de la violence par les Juifs, qu'un Claude Lanzmann voit à l'origine de la solidarité des Juifs avec le sionisme. Leur volonté de dépasser, à l'avenir, leur sinistre statut de victimes ou de descendants de victimes. Une tendance qui explique la survie étonnante de la mentalité sioniste en diaspora plusieurs décennies après la fondation de l'État d'Israël et qu'on ne peut que lier à l'ombre portée du Génocide. Je ne me délectais certes pas des récits de vengeance. Pas plus que ces lectures ne m'ont dirigé vers un terrorisme exterminateur. Ce que je captais plutôt dans ce message du vieux sionisme, c'était la volonté de normalisation de la vie juive dont il a toujours été porteur, et qui se réactualisait pour contrer l'angoisse de la mémoire des années noires[15].

Les réactions à l'offensive du « néomarcionisme »

L'invocation du Dieu vengeur ou du Dieu de conquête prétend exhumer du texte biblique une couche anthropologique où ne s'exprimeraient plus que la violence, la cruauté et la sauvagerie de la peuplade juive. On sait l'importance qu'avait, pour Freud, l'assimilation des comportements pathologiques avec la « mentalité primitive ». Pour le nouvel antisémitisme théologique, le Juif sans histoire serait resté « fixé » aux âges premiers de l'humanité : voilà ce qui se profile dans cette détestation de l'Ancien Testament, qui met en relation les comportements des « sionistes » modernes avec la violence primordiale des temps obscurs. La tentative de Roger Garaudy et de l'abbé Pierre de mettre ce genre de vision sur la place publique aurait laissé peu de traces si la réponse de la société comme de ses médias avait été sans ambiguïté. Mais, loin de montrer que le bannissement inconditionnel de la sphère publique et du débat légitime constituait le prix à payer pour des prises de position flirtant avec l'antisémitisme, les médias se contentèrent d'imposer à l'abbé trop bavard une brève retraite. Quant à Roger Garaudy, certes condamné et globalement discrédité en France, il parvenait, sans grande résistance, à installer le négationnisme au cœur des préoccupations des élites arabo-musulmanes. Après un court purgatoire, l'abbé Pierre retrouva sans peine le chemin des journaux.

Je dois confesser, à ma grande honte, que j'ai participé à cette organisation de l'indulgence. Tous les journalistes qui entraient en contact avec le vieillard par qui le scandale était arrivé lui tendaient des perches. Lui paraissait s'en amuser et jouait au chat et à la souris avec la presse, faisant mine de se rétracter un jour pour dénoncer le lendemain — comme il le fera au *Corriere della Sera* — la prétendue déformation de ses propos par un « lobby sioniste international ». On suppliait l'abbé Pierre de prononcer les mots magiques et de proclamer *urbi et orbi* qu'il se désolidarisait de Roger Garaudy. L'objectif : conserver intact le saint « cathodique » de gauche (pour reprendre l'expression amusante de Claude Imbert[16]) !

Diverses stratégies médiatiques furent employées pour minimiser les choses. D'abord, on tenta d'expliquer le dérapage par le grand âge du fautif, sa faiblesse intellectuelle, sa vanité et son goût immodéré de l'exposition : comme si c'était cela qu'il convenait de condamner et non des propos inacceptables[17] ! Puis on écrivit qu'un entourage formé d'anciens sympathisants des Brigades rouges avait inspiré à l'abbé Pierre son palestinisme radical[18]. Il fut rappelé que l'abbé Pierre était intervenu, dix ans plus tôt, par une grève de la faim dans la cathédrale de Turin (en 1984) en faveur de Giovanni Mulinaris, incarcéré en Italie pour une affaire de trafic d'armes avec des terroristes palestiniens. Cette clique mystérieuse n'avait-elle pas fini par prendre le contrôle du trop influençable abbé ? Il n'est nullement exclu que tel ait été le cas. Pour autant, l'effet cumulatif de ces explications aboutissait encore à déresponsabiliser un fauteur d'incident antisémite.

La Croix, tout en désapprouvant l'abbé Pierre, fit tout son possible pour s'arroger la primeur de son repentir, et le quotidien catholique obtint effectivement les honneurs de la volte-face. Celle-ci eut lieu en juillet 1996, et trois pleines pages lui furent consacrées*. On s'y efforçait assez maladroitement de retourner le scandale (sans trop s'attarder sur ses effets désastreux) en leçon d'humanité. Il est si rare, s'émouvait le quotidien, de voir un homme public reconnaître ses erreurs ! Un tel mouvement ne valait-il pas absolution ? Du coup, les organisations juives comme le CRIF ou la LICRA, qui renâclaient à tourner la page si facilement, se voyaient à nouveau replacées en posture d'accusées. Voici notre abbé Pierre confit en repentance mais conservant ostensiblement sa « confiance » et sa croyance en la « sincérité » de Roger Garaudy** ! Bref, le temps était venu pour tout le monde de replacer sur son socle l'idole des Français un moment ébranlée, en limitant la casse.

Les enquêtes montrent la rapidité avec laquelle la popularité de l'abbé Pierre s'est rétablie. Dès 1997, il redevenait le Français le plus aimé des sondages. À peine pouvait-on sentir — et au tout début —

---

* Keren Lentschner, *De l'hiver 54...*, *op. cit.*, p. 116-117. Bruno Frappat affirme dans son éditorial : « Par là [l'abbé Pierre] se distingue encore une fois de ce siècle qu'il aura tant marqué et de ce temps qu'il aura tant aimé. Où se tournerait-on pour trouver aujourd'hui d'autres personnalités pour reconnaître une erreur et implorer l'indulgence ? [...] Il nous offre aujourd'hui une nouvelle leçon d'humanité, celle d'un messager de l'humilité. »

** Roger Garaudy dans une déclaration du 13 octobre 1998, contemporaine de son procès devant la 11e chambre de la cour d'appel à partir du 14 octobre 1998, dira : « Lorsque j'ai écrit ce livre [*Les Mythes fondateurs de la politique israélienne*] mon unique souci était celui de l'avenir, et c'est de ses évidences que mes adversaires ont voulu détourner l'attention, en essayant de faire croire qu'il n'était question que du passé, et comme ils disent d'une "*mémoire*", qui pour eux se résume en *un bréviaire de la haine éternelle* » (souligné par Roger Garaudy).

quelques réserves vite balayées. L'envoyée spéciale du *Monde* à Valenciennes, où s'arrêtait un « Tour de France » du logement, organisé quelques mois après l'affaire, constatait bien que le discours de l'abbé était « un peu décalé ». Mais elle remarque aussi qu'on continue à boire ses paroles et qu'on « le promène comme une icône [19] ». Moins d'une année de silence : telle aura été la sanction bénigne de ce grave incident qui a indiqué à quel point le seuil de tolérance à l'expression de l'antisémitisme était élevé dans la société française de la fin des années 90. Si les débordements n'étaient pas passés sous silence, et encore moins approuvés, on constatait une propension à les mettre, le plus vite possible, sous le boisseau, comme des secrets de famille gênants qu'il valait mieux ne pas trop laisser traîner, faute de pouvoir les taire complètement.

Les interventions de l'abbé Pierre en faveur de Roger Garaudy, le combustible qu'il représentait pour un antisémitisme en pleine expansion dans le monde arabo-musulman, l'enracinement de cette mythologie dans les stéréotypes antijuifs les plus classiques et l'impunité relative : tout cela doit être mis en regard avec le refus des intellectuels de se mettre en état d'alerte. La plupart demeurèrent silencieux, refusant de dialoguer ou de commenter les propos de personnages si peu recommandables. Sauf pour contester à Roger Garaudy, à juste titre, le titre de « philosophe [20] ».

L'effet Garaudy dans le monde musulman

La réception de l'ouvrage de Roger Garaudy dans le monde arabo-musulman constitue, à n'en pas douter, un jalon dans l'histoire de l'antisémitisme. Avec elle s'achève le lent processus d'universalisation de l'antisionisme. On ne s'en rendit guère compte à l'époque, parce que les rares articles consacrés à cette réception s'ingéniaient à mettre en avant les quelques voix d'intellectuels arabes, généralement résidant en Europe ou aux États-Unis, qui protestaient contre la métamorphose de Garaudy en « héros culturel » du monde islamique. Là encore, face à une vague puissante de haine antijuive, on se rassura à peu de frais. L'antisémitisme dans les pays arabes a longtemps bénéficié d'une incroyable indulgence diplomatique et médiatique. Au lieu de s'émouvoir des infectes caricatures paraissant dans les journaux syriens, égyptiens ou saoudiens, diplomates et orientalistes cherchent à minimiser le phénomène en le comparant, par exemple, à l'antigermanisme forcené de la Première Guerre mondiale. Ces manifestations incessantes de haine antijuive sont considérées comme un « racisme de guerre » appelé à s'effacer avec le temps une fois la paix revenue[21]. L'hostilité d'un Edward Saïd à Garaudy ne suffit nullement à inverser la tendance représentée par l'ingestion massive de culture négationniste au sein du monde arabo-musulman*.

* À titre d'exemple, voici un texte effrayant de haine signé Fatma Abdallah Mahmoud et paru dans un quotidien gouvernemental égyptien, *Al-Akhbar* (29 avril 2002) : « Accursed Forever and Ever » (Maudits pour l'éternité) donne un indice du progrès à la fois de l'exterminationnisme et du négationnisme dans l'antisémitisme tel qu'il a actuellement cours dans certains pays arabo-musulmans. « Ces maudits [les Juifs], écrit l'auteur, sont une catastrophe pour le genre humain. Ils sont le virus de la génération, condamnés à une vie d'humiliation et détestés jusqu'au Jugement dernier. Ils sont aussi détestés parce qu'ils ont tenté d'assassiner le prophète Mahomet. [...] En ce qui concerne l'imposture de l'Holocauste, de nombreuses études françaises ont prouvé qu'il

Un orientaliste allemand, Goetz Nordbruch, a étudié la réception des *Mythes fondateurs de la politique israélienne* sur un corpus de cent cinquante articles et deux monographies. À partir de ce matériel, il a pu mesurer l'ampleur de l'effet Garaudy[22]. Son étude tord notamment le cou à l'idée selon laquelle l'antisémitisme se réduirait, dans le monde arabo-musulman, à un dégât collatéral du conflit israélo-arabe. Le succès de Roger Garaudy dans le monde arabe révèle une source irréductible à un simple outil de propagande *ad hoc.* Pourquoi, s'interroge à ce sujet Nordbruch, l'Égypte, en paix depuis plus de vingt ans avec son voisin, aurait-elle besoin d'alimenter le fanatisme des masses pour les préparer à une confrontation militaire avec l'ennemi israélien (confrontation dont le régime en place au Caire pourrait sortir fortement déstabilisé) ? L'antisémitisme ne s'en étale pas moins dans la presse égyptienne, sans que cela préoccupe outre mesure les correspondants des grands journaux ni les officiels français sur place. Il a bien, en outre, quelque chose de *sui generis*, sans relation

---

ne s'agit que d'une fiction, un mensonge, une fabrication de toutes pièces ! Il s'agit d'un "scénario" dont l'intrigue a été minutieusement concoctée, à partir de plusieurs clichés falsifiés sans aucune relation à la réalité. C'est un film et rien d'autre. [...] Toute l'affaire, comme l'ont prouvé de nombreux chercheurs et scientifiques britanniques et français, se réduit à un immense complot dont l'objectif est d'extorquer de l'argent au gouvernement allemand en particulier, et aux pays européens en général. Mais personnellement, au vu de cette fable imaginaire, je me plains à Hitler, et même je lui dis du fond de mon cœur : "Si seulement tu l'avais fait, mon frère, si seulement c'était vraiment arrivé, alors le monde aurait pu respirer en paix [délivré de] leur méchanceté et de leur péché" » (la traduction est de moi). Je remercie Marc Knobel du Centre Simon-Wiesenthal à Paris de m'avoir signalé l'existence de cet article.

nécessaire au conflit ni au « contexte ». L'antisémitisme arabo-musulman relève de la conviction et non simplement des circonstances. Un antisémitisme qui peut aller jusqu'à une ratiocination dont l'objectif est de retourner contre les Juifs jusqu'à la mémoire du Génocide.

Par glissements successifs, les Juifs sont dépeints comme les inventeurs du massacre de masse (où l'on retrouve quelques aspects du mythe négatif de Josué évoqué plus haut) — les véritables victimes en étant les Arabes ou les Palestiniens. Dans cette folle construction, le négationnisme trouve sa place. Certes le nazisme et le sionisme sont des puissances équivalentes, voire complices, et nier les crimes de l'un (le nazisme) risquerait d'endormir la nécessaire vigilance qu'appelle la menace de l'autre (le sionisme[23]). Mais on peut tout aussi bien concilier les deux. En disant par exemple, comme le chroniqueur du quotidien gouvernemental égyptien *Al-Akhbar*, que même si des « historiens » français (les négationnistes) ont établi la fausseté de l'« Holocauste », les Juifs auraient de toute façon mérité un tel châtiment par leur vilenie. Par là, perce une radicalisation inquiétante qu'on pourrait qualifier de post-négationnisme sous la plume de certains éditorialistes du monde arabe. Elle en rejoint une autre, qu'on peut observer en Europe autour du thème du « judéo-bolchevisme » que j'aborderai au chapitre 5. Oui, décidément, la Shoah a bel et bien eu lieu, et les négationnistes ont tort. Mais le Génocide était suffisamment justifié par les crimes du communisme juif pour qu'il soit inutile d'en limiter l'étendue.

Un intérêt purement négatif pour l'histoire juive et surtout pour l'histoire de la Shoah constitue le signe le plus évident d'une telle mutation. Ainsi, interprètet-on couramment la législation antisémite des nazis comme autant de « mesures défensives ». On va chercher la « preuve » de ladite menace dans une prétendue déclaration de guerre à l'Allemagne qu'aurait publiée le président de l'exécutif sioniste Chaïm Weizmann en 1939 par l'intermédiaire de la presse britannique (qui justifierait l'internement préventif des Juifs européens, pas plus choquant, au fond, que celui des Japonais par les Américains*). À l'évidence, et au-delà de l'hyperinterprétation intéressée de ce document de circonstance et de la fausse équivalence (Juifs = Japonais américains) qu'aucun historien sérieux n'a reprise à son compte, un tel schéma, commun à certains tenants de l'école néoconservatrice allemande et aux antisionistes fanatiques du monde islamique, repose sur trois présupposés. Le premier veut que les Allemands aient eu à mener contre les Juifs une guerre « classique » quasiment de puissance à puissance, ce qui implique que l'on prête aux Juifs une puissance cyclopéenne, hypothèse plus nourrie de la mythologie des *Protocoles des Sages de Sion* que d'une quelconque réalité historique. Le deuxième : que l'exécutif sioniste ait effectivement dirigé l'ensemble du monde juif en 1939 (ce qui, dans un cerveau antisémite, cadre avec la fantasmagorie du gouvernement juif mondial). En troisième lieu, une telle démarche suppose ce que l'historiographie sérieuse du nazisme s'interdit en général : récrire l'his-

* L'historien Ernst Nolte, en guise d'« explication » de la paranoïa antisémite d'Hitler, invoque lui aussi cette déclaration du président de l'exécutif sioniste, appelant les Juifs du monde entier à se ranger du côté de l'Angleterre contre l'Allemagne (cité in *Devant l'histoire. Les Documents de la controverse sur la singularité de l'extermination des Juifs par le régime nazi*, Cerf, Paris, 1988 [1987] p. 15).

toire de la Shoah *du point de vue des exécuteurs*, en évacuant les problèmes de morale mais aussi de sérieux scientifique qui découlent d'un tel procédé[24].

Un autre trait de cette évolution se retrouve dans la propension croissante à mettre sur le même plan nazisme et sionisme en les accusant de connivence. Là, les « preuves » sont recherchées dans un commentaire biaisé des accords de 1933 entre le gouvernement allemand et les représentants sionistes sur la *'Avara* (transfert) qui permirent, un temps, aux Juifs allemands d'émigrer en Palestine sans perdre la totalité de leurs biens[25]. Un pas encore plus décisif est franchi dès lors qu'on se met à considérer le « judaïsme » comme « l'origine, la mère et le patron de tous les types de racisme qui ont été vus dans le monde[26] ». Tous les symboles associés à l'histoire de la Shoah sont alors plaqués sur les Palestiniens et leur histoire : Auschwitz et les camps de prisonniers palestiniens sont mis en équivalence avec le ghetto de Varsovie et Jénine, quand les seconds n'annulent pas les premiers ; et quand l'histoire européenne tout entière est repensée comme civilisation de l'extermination, la véritable victime n'en est plus le Juif, mais le musulman (par exemple chez l'universitaire égyptien 'Abd al-Wahab Al-Missiri[27]). On prétend découvrir alors la confirmation définitive que l'islam représentait la vraie cible de l'entreprise totalitaire, dans le sobriquet célèbre de « Musulman », terme à la signification incertaine utilisé dans les camps de concentration nazis pour désigner la victime passive résignée à la mort[28]. Si ceux qui sombraient dans cet état n'étaient pas tous des « déportés raciaux », cette figure de déchéance extrême est actuellement mise à contribution pour déposséder les Juifs de leur propre malheur.

Dans ce contexte, on ne saurait trop rendre hommage aux voix arabes qui ont, un moment, essayé de produire un autre discours sur la Shoah, y compris en appelant les Palestiniens à effectuer un retour de mémoire sur l'engagement pronazi d'un de leurs dirigeants historiques, le muphti de Jérusalem Hadj Amin Husseini. Parmi celles-ci, on compte le philosophe Azmi Bishara qui, par la suite, a adopté des positions plus radicales sur le plan politique[29]. Le réchauffement de l'Intifada n'a malheureusement guère créé les conditions d'une autocritique historique du mouvement national palestinien à laquelle il appelait dans cette contribution.

À quoi s'ajoute la floraison de motifs brodant sur le thème du complot. Ainsi prête-t-on aux Juifs et aux sionistes la formation d'une vaste conspiration visant à saper systématiquement l'influence arabe dans le monde. La référence ultime de ce genre de raisonnement n'est pas seulement les *Protocoles des Sages de Sion* — par ailleurs largement diffusés — mais l'interprétation du moindre aléa de l'histoire récente en terme de manipulation. Monica Lewinsky aura par exemple été poussée par le Premier ministre israélien de l'époque, Benyamin Netanyahou, dans le lit du président Bill Clinton, afin d'alléger les pressions américaines sur l'État juif ! Le fait qu'« à la tête de l'Église de France il y ait un Juif nommé Lustiger » alimente lui aussi pas mal de fantasmes[30]...

Deux ans après que les répercussions de son livre eurent atteint leur point culminant, conclut Goetz Nordbruch, Garaudy et son travail demeurent présents dans les médias arabes. Loin d'être un argument utilisé provisoirement dans le cadre du conflit israélo-arabe, les formes les plus variées de négationnisme restent répandues. En dépit des appels de personnalités pour que l'opinion publique reconnaisse l'Holocauste comme un fait historique, d'autres s'obstinent à défendre les thèses de Garaudy. Avec la couverture médiatique obtenue par le pamphlet du Britannique David Irving au printemps 2000, et la publication de l'ouvrage de Norman Finkelstein, *The Holocaust Industry*, par l'éditeur libanais Dar al-Abad, cette thématique reste omniprésente dans les médias arabes.

De nombreux indices confirment cette mutation de l'antisémitisme arabo-musulman dont l'origine ne doit pas être recherchée seulement dans les sources islamiques, mais qu'il serait trop simple de ramener à une pure et simple duplication de l'antisémitisme occidental. Le réductionnisme qui consiste à confiner l'interprétation de l'antisémitisme dans les limites de la sphère géopolitique d'origine rend de moins en moins compte de l'universalisation en cours du symbole du « Juif/sioniste », phénomène qui atteint des proportions inconnues jusqu'à présent. Certes, l'irruption dans le monde arabo-musulman au XIXe siècle, de l'accusation de crime rituel, a de quoi surprendre. Ayant partie liée avec le dogme de la présence réelle du Christ dans l'hostie, on peut s'étonner de la retrouver aussi populaire en islam. Empoisonneur des âmes (par sa mainmise sur la presse), le Juif est censé aussi régir les corps (par sa maîtrise de la médecine). Comment analyser la virulence de l'antisémitisme dans la presse des pays arabes ou dans les cercles intellectuels[31], et comment ne pas penser que cette vague n'a pas fini par intoxiquer l'immigration des banlieues dans les métropoles occidentales ?

Désormais, une posture négative à l'encontre des Juifs semble avoir pris le statut de « code culturel » dans une grande partie de l'opinion publique arabo-musulmane. La sphère islamique est aujourd'hui, avec l'Europe de l'Est, le foyer le plus actif de l'antisémitisme sans Juif. Je dois confesser ici avoir toujours été frappé par l'inanité de l'argument qui parfois tolère, parfois excuse cette situation, au nom de la « complexité » ou du « contexte ». On invoque sans cesse la bonne excuse sociologique de la « frustration » de la « rue » arabe dont on fait remonter l'origine aux victoires et à la présence militaire israéliennes dans des zones à population majoritairement palestinienne et, plus généralement, à l'« arrogance » de l'Occident. Passons sur le mépris refoulé que véhicule la représentation des Arabes en foule compacte, tous censés éprouver le même sentiment (dans des pays où la possibilité même de l'expression du *dissensus* est, pour le moins, exceptionnelle, ce dont on tient rarement compte). Cette psychologie collective sommaire, bien que très répandue parmi les journalistes mais pas seulement parmi eux, barre tout accès à l'« éthique reconstructive[32] ». Le Juif serait-il coupable d'avoir rejeté son statut de *dhimmi* et donc d'avoir privé l'islam d'une preuve symbolique de son éminence, comme le pense Ruth Bat Ye'or ? Est-ce pour cette raison qu'il a revêtu le suaire de l'« autre démoniaque » dans l'imaginaire d'une partie du monde musulman, sans guère de protestations des élites occidentales, lesquelles assistent passives à ce renouveau d'une histoire dont les étapes sont pourtant connues ? Pétries de culpabilité du fait de la colonisation, secrètement soulagées du poids de l'attention spéciale due aux descendants des persécutions antijuives, elles assistent, sans broncher outre mesure, soixante ans après la Shoah, à la naissance d'un antisémitisme dont rien ne prouve que la paix au Moyen-Orient serait en mesure d'en faire baisser l'intensité.

Quel chemin parcouru en effet entre le mythe politique d'Israël/État croisé[33] cher au nationalisme arabe d'antan et ce *Hadith*, populaire au début des années 90, prédisant que « l'heure [du Jugement] n'arrivera pas tant que les musulmans ne combattront pas les Juifs et ne les tueront pas... Les Juifs chercheront à s'abriter derrière les pierres et les arbres et les pierres et les arbres s'écrieront : "Ô musulman, ô serviteur d'Allah, il y a un Juif derrière moi. Viens et tue-le[34] !" » Le mépris d'autrefois se serait-il transformé en haine, laquelle recouvre à son tour une angoisse de déchéance. C'est aux intellectuels des anciennes puissances coloniales, aux progressistes préoccupés du bien-être matériel et moral du « Sud » de démêler ce nœud de complexes qui est en train de tourner au délire régressif. Mais ceux-ci préfèrent souvent se taire ou hurler avec les loups, et laisser tranquillement s'opérer l'universalisation et la sacralisation de l'antisionisme.

Roger Garaudy et la justice

La faible sensibilité des élites à ces développements inquiétants se lit à l'impunité relative dont jouissent les compagnons de route du négationnisme. Je parle ici moins de sanctions légales que de désaveu public. Loin d'être l'objet d'un mépris mérité, on constate que ceux-ci trouvent de nombreux milieux d'accueil pour attendre le passage du grain. Des milieux prompts à défendre les nouveaux martyrs, victimes de la vigilance ou de la « police de la pensée ». Il leur suffit d'agiter devant ceux qui sont pressés de les réintégrer dans le débat public le drapeau de la défense de la liberté d'expression. Révélateur de cette tendance à l'indulgence est cet extrait d'un article paru dans la revue *Le Débat*, en une période au cours de laquelle l'abbé Pierre était encore banni des médias et sous le coup de l'« affaire ». Sous le pseudonyme d'Emma Shnur, une spécialiste de pédagogie émettait des doutes sur l'opportunité d'enseigner la Shoah aux lycéens. Elle crut nécessaire d'ajouter à ce propos, et à mon grand regret, la remarque suivante : « L'abbé Pierre avait fini par incarner quelque chose comme la rédemption d'une société inégalitaire, incapable de se mobiliser sur un projet politique ; le très vieil homme tendre, fragile et énergique était toujours là où on l'attendait, simplement, au côté des plus démunis. Mais voilà que notre conscience morale se met à dire des horreurs. Habilement manipulé par les négationnistes qui ont su admirablement monter le piège, il est soudain apparu comme associé aux complices des nazis — les médias s'en sont évidemment donné à cœur joie, accentuant les contrastes et poussant le vieil entêté dans ses retranchements les plus douteux. Quoi qu'il en soit des fautes et des responsabilités, il s'est passé au plan collectif quelque chose comme un phénomène confusionnel — une perte des repères fondamentaux. On n'a réussi à se réorienter qu'au prix d'une inversion [*sic*] : l'abbé Pierre était révéré comme un prophète, il est désormais méprisé et écarté comme l'ange déchu. La morale est sauve. Le climat politique un peu moins. » Cette thèse qui présente le soutien de l'abbé Pierre à Roger Garaudy comme un moment d'égarement dû au grand âge et reporte sur la presse la responsabilité de l'affaire fait bon marché de l'habileté dont ledit abbé a fait montre pour la manœuvrer[35].

Les plaidoyers des briseurs de tabous autoproclamés sont d'autant plus aisément acceptés que les traces de ces soutiens restent enfouies dans des archives judiciaires inaccessibles, dans des opuscules interdits à la vente ou dans les coupures anciennes des journaux*. Bref, au tribunal de l'opinion publique, et avec le passage du temps, le soutien au négationnisme demeure confiné dans la catégorie du « péché véniel** ».

---

* Ici on se reportera à l'étude de Philippe Corcuff consacrée à l'un de ces itinéraires dans « Négationnisme d'ultra-gauche et pathologies intellectuelles de la gauche, à propos d'un texte de Jean-Gabriel Cohn-Bendit de 1981 » *in Consciences de la Shoah*, dirigé par Philippe Mesnard, Kimé, Paris, 2000, p. 260-273. C'est seulement en juin 2000 que le CNRS, à l'initiative de Catherine Bréchignac, directrice générale, se décidera à lancer une « enquête interne » sur Serge Thion à quelques années de sa retraite, lequel aura, en somme, bénéficié d'un salaire de l'État pour financer des années passées au service du négationnisme et de l'antisémitisme (*Libération*, 2 juin 2000).

** Le cas le plus célèbre est celui du linguiste Noam Chomsky dont un « avis » ouvre le *Mémoire en défense contre ceux qui m'accusent de falsifier l'Histoire* de Robert Faurisson, publié par la Vieille Taupe en 1980. Intitulé « Quelques commentaires élémentaires sur le droit à la liberté d'expression », ce texte de Noam Chomsky s'achève par des remarques qui vont bien au-delà de l'intention première. Ainsi Chomsky prétend-il exonérer Robert Faurisson de tout antisémitisme faute de « preuves crédibles » et en fait « une sorte de libéral apolitique ». Voir Valérie Igounet, *Histoire du négationnisme*, *op. cit.*, p. 260 *sq*. Sur les débuts du négationnisme en France : Nadine Fresco, *Fabrication d'un antisémite*, Le Seuil, Paris, 1999 ; Pierre Vidal-Naquet, *Les Assassins de la mémoire*, La Découverte, Paris, 1987 ; Florent Brayard, *Comment l'idée vint à M. Rassinier. Naissance du révisionnisme*, Fayard, Paris, 1996 ; Deborah Lipstadt, *Denying the Holocaust. The Growing Assault on Truth and Memory*, Penguin Books, Harmondsworth, 1993. Entre-temps, Chomsky est devenu une sorte de monstre sacré pour les groupes hostiles à la mondialisation financière en quête de saints laïcs, qui appréciaient sa critique sempiternelle autant que radicale de la politique américaine.

Pour ce qui est de Garaudy, son pamphlet eut des suites judiciaires. Il fut condamné par la 17e chambre correctionnelle, le 27 février 1998, pour « contestation de crime contre l'humanité » et la peine fut alourdie en appel, par un arrêt du 16 décembre, de six mois de prison avec sursis. La lecture minutieuse des *Mythes fondateurs de la politique israélienne* par deux juges ne leur avait apparemment laissé aucun doute. Mais le public retint surtout les incidents qui avaient entouré les débats du premier procès, et le jugement en appel passa, pour ainsi dire, inaperçu.

Codicille : de Roger Garaudy à Pascal Boniface

Pascal Boniface, fondateur d'un Institut de recherche et d'études stratégiques, géopolitologue, membre du PS, crut bon, le moment venu, de publier dans *Le Monde* une longue « Lettre à un ami israélien [36] ». L'auteur affirmait ne vouloir que du bien à ses destinataires (selon le principe de ceux qui, comme on l'a vu, prétendent que la meilleure façon de lutter contre l'antisémitisme c'est de lutter contre le sionisme). Mais une fois écartés les tributs de langue qu'il convenait d'acquitter pour ne pas être rangé dans le camp des extrémistes, qu'y lisait-on ? Une critique radicale d'Israël, une injonction menaçante adressée aux communautés juives de France de se désolidariser de l'État juif faute de quoi celles-ci risquaient d'être submergées par un flot montant d'antisémitisme dont elles seraient, en définitive, responsables. Soit des insinuations assez voisines de la rhétorique garaudienne — l'intérêt pour le négationnisme en moins.

Pascal Boniface écrivait que la politique menée par le Premier ministre israélien, Ariel Sharon, « conduit, à terme, pour les communautés juives à l'étranger [...] à un danger d'isolement par rapport aux autres citoyens ». Plus habile que Garaudy dans l'instrumentation de la Shoah, il concédait que l'extermination des Juifs par les nazis avait un caractère unique tout en s'empressant d'ajouter que la cause ultime en est non l'antisémitisme mais le « racisme ». Puis vient la tactique éprouvée du retournement qui, dans l'esprit du lecteur, par un jeu de proximité argumentative, fait du Palestinien la victime *actuelle* du Génocide :

> Ces faits peuvent-ils, pour autant, justifier que la victimisation du peuple juif lui donne une sorte de droit — pour ne plus être victime — d'opprimer à son tour un peuple ? Pour que la Shoah ne se reproduise plus, peut-on admettre la violation des droits des autres ? [...] Par référence à ce traumatisme, ceux qui s'opposent à la politique du gouvernement d'Israël sont soupçonnés de ne pas admettre qu'il soit nécessaire d'éviter une nouvelle Shoah. Or même si rien n'est venu égaler en horreur cette dernière, ce raisonnement s'avère inadéquat, et même inacceptable. Aujourd'hui, les principales victimes sont les Palestiniens, pas les Israéliens.

On peut certes reprocher aux dirigeants palestiniens d'être corrompus, reconnaissait-il, mais la balance des responsabilités ainsi présentées pesait lourdement en défaveur des Israéliens. Jusque-là, ce discours n'a rien d'original et ne fait que reprendre, avec quelques bémols, un certain nombre de problématiques relevant du traditionnel argumentaire antisioniste à destination des diplomates ou des militants de tout poil. La suite en revanche l'est plus, parce qu'elle semble toucher au véritable objectif de l'article : convaincre les hommes de gauche, militants et électeurs, que non seulement il n'est pas moral de soutenir Israël (à quoi sert la référence à la Shoah) mais qu'en outre ce n'est pas politiquement rentable et, à l'adresse de « la communauté » juive, que cela comporte en outre des risques physiques. Ainsi suit l'appel aux foules anonymes :

> En tous les cas, c'est ainsi que le ressent en France la majeure partie de la population. On est, à cet égard, frappé par l'évolution des jeunes, notamment les étudiants, très partagés sur le Proche-Orient il y a vingt ans, massivement émus et révoltés aujourd'hui par le sort réservé aux Palestiniens. À soutenir aveuglément une politique considérée par de plus en plus de personnes comme injuste, pour ne pas dire odieuse, la communauté juive française risque de s'isoler. Heureusement, les plus lucides et les plus courageux de ses représentants font prévaloir leurs principes sur l'exigence de la solidarité coûte que coûte avec Israël. Le lien entre la lutte contre l'antisémitisme et la défense à tout prix d'Israël tourne court, et peut même s'avérer contre-productif. On ne luttera pas contre l'antisémitisme en légitimant l'actuelle répression des Palestiniens. On peut, au contraire et malheureusement, le développer en agissant ainsi. On ne luttera pas efficacement contre l'antisémitisme si l'on voit encore longtemps des soldats israéliens tirer sur des adolescents qui jettent des pierres.

Le repli sur soi des communautés juives n'est pas attribué à l'antisémitisme ambiant mais... à la solidarité que celles-ci affichent avec Israël. Le message sera parfaitement décodé par l'ambassadeur d'Israël, l'historien Elie Barnavi : soutenir la lecture arabo-palestinienne de l'Intifada est plus rentable auprès des jeunes « issus de l'immigration » que l'on s'efforce depuis longtemps de faire voter dans l'idée que leurs suffrages se reporteront massivement à gauche : « En

France, à trop permettre l'impunité du gouvernement israélien, la communauté juive pourrait là aussi être perdante, à moyen terme, affirmait Boniface lui-même. La communauté d'origine arabe et/ou musulmane est certes moins organisée, mais elle voudra faire contrepoids, et pèsera vite numériquement plus lourd, si ce n'est déjà le cas. »

La capacité de nuisance de ce texte provient surtout du rapport établi par l'auteur entre la lutte contre l'antisémitisme, la Shoah et les Palestiniens. On notera la délicate allusion à la bonne « organisation » de la communauté juive tout autant que l'évocation de l'intervention occidentale au Kosovo « pour moins que cela » : le rêve de M. Boniface est-il de voir les F-16 de l'OTAN bombarder Tel-Aviv* ! Certes, le texte est habile dans l'espèce de jeu d'allusions envoyées en direction des lecteurs sur le mode de la connivence. On peut ainsi lire dans cette question de la « meilleure organisation » une simple allusion au fait que les institutions juives sont plus anciennes que

---

* Dans sa réponse à Elie Barnavi, Pascal Boniface confirmera qu'il a bien adressé une note aux socialistes et prétendra, en retournant l'argumentation, qu'il y démontrait la thèse qu'il était vain de soutenir les positions d'Israël, fût-ce pour des raisons électorales. Mais l'allusion aux évolutions démographiques en France contenue dans sa tribune du *Monde* ne laisse guère de doute sur l'interprétation qui était suggérée au lecteur sur un mode des plus utilitaristes : « On me reproche de faire un amalgame pour l'ensemble de la communauté juive française. Je dis au contraire que ses représentants les plus lucides et les plus courageux sont les premiers à critiquer le gouvernement Sharon et l'impasse dans laquelle il conduit son pays. Je n'ai évidemment jamais voulu justifier la résurgence éventuelle de l'antisémitisme que la communauté juive, dont je connais la diversité et l'absence de caractère monolithique, devrait subir du fait de sa fidélité à Israël. »

les associations dont les pouvoirs publics aimeraient tant voir l'islam se doter. Mais on est tenté de lire aussi, entre les phrases, que certaines communautés ou minorités agissantes sont meilleures que d'autres dans l'art de la manipulation. Toute la réponse de Pascal Boniface à Elie Barnavi — dont le passé de militant pacifiste israélien est notoire — sera traversée de sous-entendus camouflés derrière une salve de questions rhétoriques : « Cependant, pourquoi Israël serait-il le seul État au monde dont il serait interdit de critiquer le gouvernement sauf à être accusé de racisme et à recevoir de lourdes menaces de représailles ? Pourquoi le Proche-Orient serait-il la seule région où les choses sont tellement compliquées qu'il conviendrait de ne pas s'exprimer ? A-t-on appliqué le même raisonnement aux Balkans, à la Tchétchénie, au Tibet, à l'Afrique des Grands Lacs ? », conclut l'auteur de ce texte.

Dans *Peuple juif ou problème juif ?* Maxime Rodinson observe quelque peu à l'emporte-pièce, mais non sans justesse, qu'aux yeux des antisémites avant guerre, les Juifs étaient surtout considérés comme des révolutionnaires[37]. Après 1945 et surtout depuis la fondation de l'État d'Israël, les antisémites les voient plutôt comme des *bourgeois* incarnant les deux valeurs que la société capitaliste place, selon lui, au pinacle : la réussite matérielle et, par succès de Tsahal interposé, la puissance militaire. En somme, à suivre l'orientaliste, ce serait plutôt du « côté droit » qu'on les admirerait désormais en les plaçant dans le groupe des « arrivés » — et non plus dans celui des damnés de la terre (*When Jews turn right*, dit-on aux États-Unis pour décrire l'itinéraire d'intellectuels new-yorkais passés du compagnonnage de route avec le communisme ou le marxisme au néoconservatisme).

Il est vrai que le comportement de quelques Juifs de ma génération reproduit en France une évolution de ce type. À un moment donné de leur retour vers le judaïsme oublié, ils ont jeté leur bonnet de gauche par-dessus les moulins, sans s'apercevoir qu'en quittant si facilement la défroque des amis des « damnés de la terre » ils rentraient dans des costumes fabriqués pour eux par une pression sociale résistible. Là encore se vérifie à quel point les habits de l'identité juive sont taillés par l'antisémite. Bien que, depuis 1989, le mythe du Juif révolutionnaire ou bolchevique semble renaître de ses cendres par un autre bout de l'Europe, à l'Est[38].

4

Deux saisons à Bordeaux : autour du procès de Maurice Papon (septembre 1997-avril 1998)

Quand j'arrivai à Bordeaux, en septembre 1997, alors que le soleil blondissait les demeures néoclassiques, rien ne laissait présager que le procès de Maurice Papon, cet ancien secrétaire général de la préfecture de la Gironde devenu ministre du président Giscard d'Estaing et accusé de complicité de crime contre l'humanité, allait s'éterniser deux saisons*. Rien ne laissait augurer non plus les nombreuses péripéties qui devaient émailler des assises ouvertes après seize années de procédure. Bien qu'ayant suivi d'assez loin les épisodes de l'instruction, je fus désigné par *Le Monde* pour couvrir cet événement. Je me mis scolairement à étudier les coupures de presse et à prendre connaissance de la littérature déjà publiée sur le cas. La culpabilité de Maurice Papon dans la déportation de 1 690 Juifs

* L'affaire avait été déclenchée en 1981, on s'en souvient, par un article du *Canard enchaîné*, qui avait révélé le passé vichyssois de celui qui était alors le ministre du Budget du gouvernement de Raymond Barre.

de Bordeaux ne me parut guère faire de doute. Très tôt, il me sembla que le problème essentiel portait plutôt sur l'exécution de la peine. Je l'estimais franchement inutile. Elle aboutirait à offrir le spectacle lamentable d'un vieillard en prison (libéré depuis lors). À l'époque, je craignais que les générations nées après guerre puissent ne retenir que la leçon de l'incarcération d'un condamné nonagénaire, tandis que le récit des survivants sombrerait, lui, dans l'oubli.

Parce que je m'obstine à penser, en dépit des démentis de la réalité carcérale, qu'une prison aurait dû rester ce que les révolutionnaires de 1789 voulaient en faire — un espace de régénération de l'individu déviant —, espérer une telle régénération à l'âge de l'ancien préfet de Paris paraissait vain. En outre, celui-ci s'est refusé à se reconnaître la moindre part de responsabilité dans la déportation des Juifs de Bordeaux, aussi bien avant qu'après les assises. Une repentance compassionnelle, voilà peut-être ce que beaucoup attendaient de la conclusion de cet événement judiciaire. Voilà le spectacle que le vieil homme, claquemuré dans ses certitudes, ne voulut pas fournir. Son caractère exceptionnellement combatif (qui allait forcer l'admiration de certains de ses adversaires) le rendait peu propice à des retours d'âme. D'ailleurs, dans les procès pour crime contre l'humanité, ils sont fort rares[1]. Si Maurice Papon n'était pas un meurtrier de masse au même titre que les accusés de Nuremberg ou de Francfort dans les années 60, il a partagé leur attitude face aux juges.

Le condamné de Bordeaux s'est comparé tantôt au K. du *Procès*, tantôt au capitaine Alfred Dreyfus. Il faisait mine de ne jamais comprendre ce qui lui arrivait, clamait à qui voulait l'entendre qu'il n'était que le bouc émissaire de procès inaccomplis : celui de

René Bousquet, l'ancien chef de la police de Vichy à l'époque de la rafle du Vél'd'Hiv. Il suggérait également qu'il payait pour l'attitude au moins complexe de François Mitterrand sous l'Occupation, avant l'entrée en résistance de celui-ci. On se demande pourquoi les procès pour crime contre l'humanité donnent souvent lieu à un étalage de petitesses procédurières et non à une prise de conscience sincère, par l'accusé, des actes commis. À Bordeaux comme ailleurs, au lieu du sublime éthique, on eut d'interminables séances de pinaillage. Et l'on se prend à penser que l'homme que l'on a en face de soi est affligeant de mesquinerie, après avoir été indifférent dans le crime... La Shoah est peut-être un événement qui excède les capacités humaines de pardon. Est-ce cela qui décourage les maillons de la chaîne criminelle de le demander ? Tout au plus peut-on objecter qu'on mesure la sincérité d'une demande de pardon au caractère incertain de la réponse. Sans quoi le pardon se réduit à une singerie ! Pourquoi ne pas accepter l'idée que la quête de réparation qui pousse une société à revenir sur ses crimes puisse servir à refonder un pacte social ébranlé par le crime contre l'humanité ? Cela me semble une perspective plus féconde que celle qui consiste à se rebiffer rituellement contre les prétendus excès de mémoire ou les épurations interminables. C'est dans son inachèvement même que la mémoire apparaît comme une garantie de renouveau. Mais à Bordeaux, nul ne paraissait en mesure d'effectuer un tel saut qualitatif. Et l'esprit du temps ne soufflait pas dans cette direction.

D'un doute méthodique (avant le procès)

Ma formation de philosophe m'a poussé, avant l'ouverture des débats, le 8 octobre 1997, à procéder à une sorte de doute hyperbolique. La démarche consistait à convoquer tous les arguments possibles en faveur de l'innocence de Maurice Papon pour les considérer comme vraisemblables. Nous étions trois journalistes du *Monde* à nous partager la tâche de « couvrir » le procès. Le chroniqueur judiciaire, Jean-Michel Dumay, un reporter, José-Alain Fralon, et moi-même, chargé des éclairages historiques[2].

Tout le monde, au début, avait désigné Maurice Papon comme coupable et, en cet automne 1997, nous étions bien peu à faire l'effort de penser contre nous-mêmes. Avoir pris un tant soit peu contact avec l'impressionnante masse de documents composant le « dossier » m'aida à affermir mes convictions par la suite — au moment même où celles de bien des journalistes se mettaient à flancher. Par un basculement étrange, le mythe de l'innocence finit par faire son chemin dans la biosphère médiatique formée par les correspondants de presse coincés à Bordeaux. Comme mon cheminement m'avait conduit à un parcours différent (de l'hypothèse hyperbolique de l'innocence à la conviction de la culpabilité), j'ai fini ces quelques mois bordelais dans un relatif isolement.

Je suis reparti de Bordeaux le 2 avril 1998, le jour même de la fin du procès, avec la désagréable impression d'y avoir contre toute attente croisé une génération émergente plus endurcie face à l'antisémitisme, ressemblant à ces espèces nouvelles d'insectes qui finissent par être immunisées contre les produits défoliants. De cette longue fréquentation de la société des journalistes qui furent astreints à demeurer sur place, j'avais l'impression d'avoir côtoyé une jeunesse formée par des années de mémoire publique de la Shoah et de pédagogie, et pourtant déjà blindée contre toute émotion susceptible de venir de ce côté-là. Une partie en est sans doute revenue sensibilisée au problème, mais sans trop savoir comment traduire son indignation... L'autre semblait au contraire être ressortie du « procès Papon » plus barricadée contre les atteintes de la mémoire. Mémoire à laquelle elle avait été habituée à payer sa part d'hommage formel. Ainsi ai-je eu la surprise de constater à quel point un personnage aussi désuet que Maurice Papon exerçait de fascination sur quelques-uns de ces jeunes gens qui pouvaient par ailleurs avoir regardé les rediffusions de la série *Holocauste*, avoir au moins entendu parler de *Shoah* de Claude Lanzmann ou lu, dans les journaux, ce qui avait pu être rattrapé d'une trop longue période de silence sur la persécution des Juifs par Vichy. Je voyais là comme les prémices d'une rébellion butée, refusant la moindre concession au « tabou » honni. Une dureté appuyée sur des arguties allant de la condamnation de l'action des dirigeants israéliens à la lutte contre le « communautarisme ». Une génération émergente de petits maîtres vaccinés à l'avance contre le moindre accès de « pitié dangereuse », pressés de « tourner la page », de « clore le chapitre », de « parler d'autre chose ».

Y a-t-il une mesure possible de ce nouvel « agnosticisme » face à une supposée religion dominante de la Shoah, au sortir d'un procès où le sort des Juifs pendant l'Occupation avait été débattu six mois durant ? Sur ce point, un sondage commandé à la même époque par les institutions juives donne quelques indications de tendances*. À l'une des questions : « Personnellement, diriez-vous que le procès intenté à Maurice Papon était plutôt nécessaire, tout à fait nécessaire, plutôt inutile ou tout à fait inutile ? », la tranche d'âge des dix-huit à vingt-quatre ans se prononçait à 65 % pour l'option : « tout à fait ou plutôt nécessaire » (33 % répondant « plutôt ou tout à fait inutile** »). L'enquête montrait néanmoins que le caractère incomparable de la Shoah « passait » moins au fur et à mesure que les tranches d'âge s'abaissaient***. Globalement, ce sur quoi l'opinion

---

* Ce sondage fut réalisé (par téléphone) à la demande du CRIF par la SOFRES sur un échantillon national de mille personnes de dix-huit ans et plus, six mois après la clôture du procès (30 et 31 octobre 1998). L'institut recommande d'en interpréter les résultats avec prudence vu la « faiblesse des effectifs ».

** Le pourcentage de réponses favorables diminue en fonction de l'âge tout en conservant une majorité de plus en plus étroite, compte tenu des sans opinion. Comme si la génération contemporaine des faits s'agaçait de se voir ainsi jugée par les plus jeunes. Dans la tranche d'âge la plus élevée (soixante-cinq ans et plus) la majorité finissait même par se faire des plus relatives. Si 52 % jugeaient nécessaire ou utile le procès, 41 % l'estimaient plutôt ou tout à fait inutile et 7 % se déclaraient sans opinion. La répartition politique du camp des anti-procès Papon laisse apparaître le résultat suivant qui aurait mérité une catégorisation plus fine (par parti) : gauche, 30 % ; droite, 46 % ; Front national, 57 %. Voir mon propre commentaire de ce sondage dans *Le Monde* du 27 novembre 1998.

*** 24 % de la tranche d'âge des dix-huit à vingt-quatre ans estimaient que l'« extermination des Juifs pendant la Seconde Guerre mondiale est un événement qui n'a rien de comparable

se montrait sourcilleuse, c'étaient les dérives « particularistes ».

Plus inquiétant, mais peu remarqué à l'époque, notamment par les sociologues qui ne redécouvrirent l'existence de l'antisémitisme qu'à partir de la vague de violence de l'automne 2000, l'enquête révélait que les moins âgés parmi les sondés estimaient l'antisémitisme en progression depuis une dizaine d'années. Tout âge confondu, la majorité qualifiait à 44 % l'antisémitisme en France de « plutôt stable ». À l'époque, ces résultats ne suscitèrent guère de commentaires et encore moins d'alarme. Le CRIF avait commandé l'enquête dans un but microcosmique. Ses dirigeants entendaient démontrer par là au Congrès juif mondial que, si les Juifs français se montraient timides dans la campagne des spoliations, comme les Juifs américains le leur reprochaient, ce n'était pas comme on le pensait outre-Atlantique par peur d'affronter les préjugés de l'opinion. Les enquêtes ne prouvaient-elles pas qu'une écrasante majorité en France se dégageait pour trouver légitimes les démarches de restitution* ? Au lieu de cantonner l'interprétation de ces chiffres dans l'horizon borné du Clochemerle juif (ou des sages de Chelm), il aurait été plus intéressant de s'inquiéter alors de cette perception montante de l'antisémitisme auprès des jeunes (par exemple à l'école). Cela ne fut pas fait.

Ces questions en amènent une autre qui paraîtra

---

dans toute l'histoire contemporaine », contre 36 % de la classe d'âge la plus élevée. Pour les mêmes catégories d'âge, 74 % des plus jeunes jugeaient qu'il s'agissait d'« événement de même nature que d'autres génocides » contre 57 % chez les plus âgés.

* À 91 % contre 7 %, et 2 % sans opinion.

naïve aux adversaires de la mémoire et des procè. pour crimes contre l'humanité : pourquoi note-t-on plus d'antisémitisme après le procès de Bordeaux qu'avant ? On a beau jeu de dénoncer l'effet pervers de chorégraphies judiciaires tardives, susceptibles d'évoquer le spectre qu'il s'agissait de conjurer. Mais il y a une autre explication. Au cours des cinq mois de débats, une inversion de sens avait fini par retourner insidieusement le procès en « procès du procès ». Si j'estimais peu probable que le jugement de Papon suffise à éradiquer l'antisémitisme (après tout, ce qu'on mettait en procès était l'antisémitisme d'État — restait celui des individus), j'avais sous-estimé les forces qui tâcheraient de s'y opposer. Au point de faire rater la leçon d'histoire et de morale politique tant attendue.

J'ajoute que, quand l'accusé se présenta devant la cour, c'était la première fois que je me retrouvais en chair et en os face à un personnage des années noires ayant appartenu à l'« autre camp ». D'où l'impression d'aérolithe que produisit sur moi le spectacle de ce monsieur tiré à quatre épingles. Mes contacts individuels et *physiques* avec la période de la guerre étaient jusque-là plus ou moins passés par le filtre de mes parents, de leur discours comme de leurs non-dits. Les livres d'histoire, les films, les innombrables émissions de télévision avaient contribué à restaurer certains chaînons manquants. Comme pour la plupart des générations de l'après-guerre, Juifs et non-Juifs confondus, des œuvres plutôt qu'une transmission familiale ont éveillé en moi une conscience intériorisée de la Shoah : *La Nuit* d'Elie Wiesel puis, beaucoup plus tard, *Shoah* de Claude Lanzmann.

L'itinéraire de Michel Bergès ou le complexe de Balaam

S'il convenait de donner un nom propre à l'un des artisans du retournement d'une partie de l'opinion dans un sens moins favorable à la mémoire du Génocide, je proposerais immédiatement celui de l'historien Michel Bergès. Michel Bergès avait été l'un de ceux par qui le scandale était arrivé, en 1981, alors qu'il dénichait avec l'archiviste Jean Cavignac les premiers documents revêtus de la signature de Maurice Papon que Michel Slitinsky allait transmettre au *Canard enchaîné*. Né en 1952, il avait été un chercheur de terrain, un « localier » de l'histoire, sans cesse à l'affût de sources enfouies sur la région bordelaise durant l'Occupation. Longtemps, disait-il, il s'était présenté comme un « militant contre Vichy, en bloc », sympathisant avec les associations de victimes juives de la déportation. Puis, vint la volte-face qui lui fit abandonner ses anciens « compagnons d'armes ». Lui-même la situait en janvier 1988. On était alors en pleine deuxième instruction de l'affaire Papon. Le parquet général avait demandé une consultation d'historiens afin d'étudier, entre autres, le mécanisme des dévolutions de pouvoir sous l'Occupation allemande. Les avocats de la partie civile dénoncèrent un artifice de procédure et craignirent qu'un délai supplémentaire ne vienne retarder encore une instruction qui traînait. Michel Bergès ne vit pas les choses de cette manière. Peut-être vexé par la mise à l'écart de l'« expertise » historique qu'il s'apprêtait à délivrer, il mit progressivement fin à son engagement militant en faveur des parties civiles. Désormais, ce serait sous l'invocation de l'école des Annales et de l'analyse critique des archives qu'il s'inscrirait en faux contre la plupart des conclusions et interprétations de ceux dont il avait auparavant partagé la lutte. Sa position au moment du procès se résumait à des insinuations par lesquelles il suggérait un coresponsable de la déportation bordelaise dans la figure d'une personnalité juive : le grand rabbin Joseph Cohen.

Les ressorts de ce revirement qui l'amènera dans le camp de Maurice Papon et de ses défenseurs resteront, en partie, mystérieux. Pour lever quelque peu le voile, il me semble utile d'évoquer ici la figure biblique qui symbolise adéquatement l'esprit du temps et la position d'un Bergès : celle du prophète Balaam. Ce prophète-magicien dit « des Nations » est sollicité par le roi de Moab pour aller jeter un sort aux Hébreux dont la progression dans le désert l'inquiète au plus haut point. Parvenu en vue du camp, Balaam ne trouvera dans sa bouche que des bénédictions à adresser aux « tentes de Jacob », à la grande fureur de son commanditaire[3]. On s'attendrait qu'un tel personnage ait été considéré avec faveur par la tradition juive. Ne fournit-il pas une sorte d'archétype de la métamorphose de l'antisémite en judéophile[4] ? Les premiers mots du cantique que Dieu place dans la bouche de Balaam ne servent-ils pas de prière d'introduction à l'office du matin (*Mah tovou Ohaleikha Yaakov Michkenoteikha Israel*, « qu'elles sont belles tes tentes, ô Jacob, tes demeures ô Israël ») ?

Pourtant, la littérature rabbinique demeure réservée sur la sincérité de ce personnage. Elle rappelle que Balaam avait fait partie avec Jéthro — futur beau-père de Moïse — et Job de la camarilla de conseillers réunie par Pharaon afin de décider des mesures à prendre pour enrayer la poussée démographique des enfants d'Israël en Égypte, après la mort de Joseph. C'est Balaam qui donne l'avis le plus cruel et suggère au roi l'idée de noyer tout nouveau-né hébreux. Job, lui, préfère se taire (ce qui, d'après les commentaires, expliquerait les grandes souffrances qu'il dut subir par la suite). Seul Jéthro ose prêcher la modération[5]. Même la bénédiction que Balaam prononce devant le campement des Israélites reste suspecte aux yeux des Sages du Talmud. Ils vont jusqu'à faire de sa haine, en réalité restée intacte pour Israël, comme de son peu d'empressement à remplir la tâche pour laquelle il est payé, le pôle négatif du zèle qu'Abraham manifeste à obtempérer aux ordres de Dieu[6]. Ailleurs, Balaam se retrouve rangé dans la catégorie peu enviable de ceux qui n'ont pas part au monde futur. Même les bénédictions que Dieu lui arrache (après avoir extrait de lui la malédiction, son élément naturel) sont extirpées à l'aide d'un « hameçon », souligne le commentaire, et restent notoirement bien loin de ce que « son cœur lui aurait dicté » (c'est-à-dire de fort mauvais présages pour Israël). C'est donc dans toute la complexité de la lecture rabbinique — et non dans la version monolithique et édifiante du pécheur repenti — que Balaam est éponyme de certains parcours sinueux entre engagements anti- et philo-sémites.

Le passage de la ligne qui sépare le militantisme anti-Papon du soutien actif à l'ancien secrétaire général de préfecture, le tout drapé dans une posture de neutralité « scientifique », résume bien l'itinéraire de l'historien Michel Bergès. Cet homme affable, loquace jusqu'à l'étourdissement, recevait agréablement ceux qui venaient le voir. Du temps où il était un militant acharné de la mémoire, il paraissait avoir conservé l'habitude de reconstituer toute l'histoire de Vichy à partir de cette unique « scène primitive » que constituaient les intrigues du service des affaires juives de la préfecture de la Gironde, sans tenir compte des variations d'échelle entre micro-histoire bordelaise et macrocosme. Quand il s'agissait d'expliquer le renvoi par Maurice Papon d'un fonctionnaire accusé d'avoir laissé traîner des graffitis gaullistes dans les toilettes, il parlait avec grandiloquence « des luttes de pouvoir » à la préfecture de Bordeaux. Comme si son terrain girondin s'était transformé en univers sans porte ni fenêtre.

Vu la ferveur qu'il avait fini par placer dans l'affaire Papon, il semble exclu que sa trajectoire puisse s'expliquer en terme de stratégie sociale et de lutte pour une position universitaire. Son entrée au CNRS puis à l'université Montesquieu-Bordeaux-IV était d'ailleurs acquise au moment du procès. Bien plus que la recherche de médiatisation, son « cas » illustre, sur un mode caricatural, le climat intellectuel régnant dans le milieu des historiens français de l'Occupation. À l'impression de redécouverte et de réappropriation du passé de la Collaboration s'était en effet substituée une exaspération rampante devant ce « passé » censé ne pas vouloir « passer » — selon l'expression d'Ernst Nolte, reprise par Henry Rousso et Éric Conan*.

Un tel climat était déjà perceptible bien avant l'ouverture du procès. L'expression d'une telle exaspération devant les manifestations de la mémoire juive de l'Occupation (brocardée sous l'appellation de « judéocentrisme ») ne circulait toutefois qu'au sein de cénacles limités. Les assises de Bordeaux fournirent

* Éric Conan, Henry Rousso, *Vichy, un passé qui ne passe pas*, Fayard, coll. « Pour une Histoire du XXe siècle », Paris, 1994.

pour la première fois une scène publique à l'étalage de ce sentiment dont les premières manifestations remontaient, en réalité, au procès de l'ancien milicien Paul Touvier, dans la première moitié des années 90. La franchise de Michel Bergès sur ce point était, tout de même, trop maladroite pour que les mandarins de la profession s'engagent franchement sous sa bannière*. Nul, comme lui, n'osa dire qu'on faisait un mauvais procès à l'ancien préfet de Paris.

Lorsque je le rencontrai, quelque temps avant l'ouverture du procès, Michel Bergès me laissa entendre qu'il n'accordait pas, en principe, d'interview, mais que le sérieux du *Monde* l'avait déterminé à me recevoir (en réalité il ne renâclera nullement à se répandre dans les médias). L'entretien dura longtemps, fourmillant de noms propres, de dates, de données. Étourdi plus que persuadé, je ne voyais pas

* Ainsi, dans ses entretiens avec Philippe Petit, Henry Rousso se montre-t-il assez sinueux envers un Michel Bergès qui n'a pourtant cessé de se réclamer de lui. Ce n'est pas son retournement ou les pièces qui le justifiaient qui provoquaient les « interrogations » d'Henry Rousso, mais « le fait qu'un universitaire, pour de bonnes ou de mauvaises raisons, considère que son travail doive déboucher sur la mise en cause publique, voire judiciaire d'un individu » comme cela « s'est passé à l'origine en 1981 ». Mais « je ne le juge pas », s'empresse d'ajouter l'historien qui a, pour sa part, refusé de se présenter à la barre. Henry Rousso tenait moins rigueur à Michel Bergès de s'être répandu dans les médias avant le procès (après tout, les parties civiles en ont fait de même) que d'avoir, par sa comparution, entretenu une certaine confusion. Sa présence en tant qu'historien était en effet mise en cause par les parties civiles puisqu'elle apparaissait de parti pris (en faveur de la défense) : d'où l'inconfort pour l'historien de témoigner dès lors que l'on a une connaissance du dossier. La complication du raisonnement semble surtout révélatrice ici de l'embarras du raisonneur (*La Hantise du passé*, Textuel, Paris, 1998, p. 106-107).

nettement où il voulait en venir. En gros, en cet automne 1997, Bergès disait être parvenu à la conclusion que la mise en accusation de Maurice Papon avait été opérée au profit d'une torsion historiographique et au prix d'une sous-estimation de la « contrainte allemande » sur les autorités françaises de l'époque (et ses fonctionnaires, dont Maurice Papon). Chaque administration, me dit-il, était redoublée d'une administration allemande. Il employa, pour me faire bien comprendre sa position, l'expression d'« administration coloniale ». Depuis quelque temps, ajouta-t-il, il avait découvert la puissance de l'« ordre noir » SS*. À le suivre, le face-à-face de l'Occupation n'opposait pas la préfecture de la Gironde aux Juifs de la ville, mais les Juifs, et surtout leurs propres « fonctionnaires », à la police allemande. S'il ne formula jamais sa thèse aussi clairement, toutes ses interventions au procès poussaient en ce sens. J'étais assez interloqué. Les progrès de l'historiographie me paraissaient plutôt aller vers une mise en évidence croissante des responsabilités longtemps occultées de

* L'entretien que Michel Bergès accorde en 1991 à Maurice-David Matisson (l'une des parties civiles) et Jean-Paul Abribat dans *Psychanalyse de la collaboration. Le syndrome de Bordeaux 1940-1945* (« Hommes et perspectives », Marseille 1991), est truffé d'expressions empruntées au registre romanesque de la conspiration : « l'ordre noir des jésuites », « la Banque d'Indochine, c'est-à-dire une puissance fabuleuse sur le plan mondial » [*sic*]. En somme, fût-ce avec un regard critique, l'imaginaire du complot ne laisse pas d'impressionner l'historien. De même, et dans un autre registre, évoquant l'affaire du Carmel d'Auschwitz, cette remarque emberlificotée qui laisse songeur : « Entre ces deux grandes religions, ce qui se joue, c'est bien une confrontation à l'échelle mondiale des politiques des États. » Voir tout l'entretien intitulé « Objet de l'histoire et objet de la psychanalyse », p. 253-313.

Vichy dans la déportation des Juifs de France qui, c'est entendu, n'aurait pas eu lieu sans la présence des Allemands puisque sans Allemands, pas de Vichy. Or voici qu'on proposait le chemin inverse*.

Au début de 1997, Michel Bergès s'était décidé à aller à la rencontre de son objet de toujours, Maurice Papon, avec lequel il réalisera de longs entretiens. Le futur condamné lui ouvrira alors des pages de son journal d'Occupation — celui-là même qu'il refusera de produire devant ses juges, qui n'insisteront guère pour l'obtenir. Apparemment Michel Bergès sortit fasciné par sa rencontre avec ce patricien dont il avait recueilli le témoignage. Lors de notre conversation, il me désigna du doigt, traînant sur la table de la cuisine, un épais manuscrit qu'il ne me laissa toutefois pas consulter. C'est, dit-il, un ouvrage consacré à « la question juive à Bordeaux ». Mais l'homme demeura évasif sur la finition du livre qui ne verra jamais le jour, du moins sous ce titre, avant ou après le procès. De même resta-t-il vague sur la question de sa présence à la barre : est-ce la place d'un historien ? me demanda-t-il**.

Au sortir de l'entretien, j'étais quelque peu ébranlé moi aussi, je l'avoue, par la force de conviction que

* Dans ses souvenirs du procès de Maurice Papon, *La Cour, les nains et le bouffon* (Robert Laffont, Paris, 1999), Arno Klarsfeld fait état d'un échange de lettres datant de mars 1991 adressées à son père Serge Klarsfeld par Michel Bergès et Michel Slitinsky. Michel Bergès se plaignait que son ancien ami mette sous le boisseau son rôle dans l'affaire et prétende parler seul au nom des « parties civiles » (p. 155-156). Assurément, Bergès était orgueilleux mais cet orgueil blessé qui explique en partie sa trajectoire n'aurait eu aucune efficacité sans le climat « anti-mémoriel » qui avait fini par entourer le procès.

** Il y déposera deux jours consécutifs, les 19 et 20 janvier 1998.

dégageait le personnage. Je mis un peu de temps à percevoir son style accumulatif pour ce qu'il était : une tactique consistant à tétaniser l'interlocuteur par recours à l'argument d'autorité (sa « connaissance du dossier » invoquée rituellement). Je ne pouvais néanmoins m'empêcher de douter. Et si le cas de Maurice Papon avait été grossi, faute de meilleur gibier pour juger, si longtemps après les faits, la politique juive de Vichy ? J'agitais ces pensées qui se mêlaient à d'autres : n'avais-je pas, en août 1997, consulté de longues heures durant l'accablant dossier ? Je n'étais plus très éloigné de penser que le cas Papon avait été un tantinet « forcé » afin de servir d'exemple aux générations de lycéens qu'on menait par groupes entiers dans la salle vidéo attenante à celle des audiences pour assister à la grande leçon de démocratie judiciaire.

J'ai pensé que notre entretien devait être publié. L'interview paraîtra dans *Le Monde* du 22 octobre 1997 alors que les débats s'attardaient dans la procédure, se succédant sur un rythme syncopé en fonction des maladies de l'accusé. À l'époque, je ne doutais pas que les avocats de la partie civile partaient à Bordeaux avec de quoi réfuter Michel Bergès dans leur carquois. J'avais mal mesuré l'amateurisme dont beaucoup allaient faire preuve et la course aux médias à laquelle certaines « robes noires » se livreraient jusqu'à l'écœurement.

Histoire d'un changement de climat

Ce tribut payé à l'impartialité me valut une sourde réprobation du côté des parties civiles. Une fois les audiences commencées, je me concentrai sur les débats et sur mes « mises en perspectives » historiques. Mais, au fil des jours, je sentais l'ambiance autour du palais de justice se modifier. La condamnation sans appel des débuts ne fut bientôt qu'un souvenir. Sans oser jamais se prononcer pour l'innocence de Maurice Papon, faute d'arguments de poids, certains donnaient l'impression de prendre discrètement date dans l'éventualité d'une Berezina des plaignants. Après tout, le procès intenté en Israël à John Demjanjuk soupçonné d'avoir été « Ivan le Terrible », soit l'homme chargé d'actionner le moteur de la chambre à gaz du camp d'extermination de Treblinka, constituait un précédent montrant que ce genre d'affaires pouvait tourner court*. « On va vers un supplément d'information », me susurrait tel chroniqueur judiciaire. Chaque jour apportait son lot de scepticisme. Sur place, le doute avait pris la compacité d'une idéologie dominante. Croire encore à la culpabilité du condamné vous rangeait dans le camp des conformistes attardés, voire des « fondamentalistes » (ce qualificatif me fut donné dans la revue *L'Histoire* par Philippe Burrin). Autour du palais de justice de Bordeaux, on se prenait à douter de la justesse d'une

---

* Après avoir été arrêté, John Demjanjuk, garagiste de Cleveland d'origine ukrainienne, avait été extradé des États-Unis vers Israël en février 1986, où il fut condamné à mort, le 25 avril 1988, puis acquitté en appel « au bénéfice du doute » le 29 juillet 1993. Cette affaire a créé un profond sentiment de malaise à cause des multiples zones d'ombre qu'elle a laissées inexplorées — la justice israélienne ayant, à juste titre, préféré prendre le risque d'innocenter un coupable plutôt que d'envoyer un innocent à la potence. Voir les souvenirs du défenseur israélien de l'accusé, Yoram Sheftel : *L'Affaire Demjanjuk. Les secrets d'un procès-spectacle*, J.-C. Lattès, Paris, 1994.

cause qu'on avait crue entendue avant même l'ouverture des débats. Les parties civiles ne percevaient guère ce renversement de marée qui devint évident en janvier 1998. Alors, on entendit certains commentateurs sortir du bois et demander qu'on « en finisse » au plus vite*. Bientôt, même l'hypothèse de l'acquittement ne fut plus écartée. Michel Slitinsky qui avait déclenché l'affaire en rendant publics les documents signés de la main de l'accusé au *Canard enchaîné*, après avoir été sollicité *ad nauseam* dans les premières semaines, se vit peu à peu délaissé par les journalistes, renvoyé à la masse des survivants de la déportation à Bordeaux perçus maintenant comme une sorte de cabale mystérieuse (« les parties civiles »), un dernier carré d'entêtés, formé de leurs défenseurs et de quelques institutions juives, plutôt que comme un groupe de victimes demandant justice... Pour ma part, écœuré, je décidai de ne plus suivre les audiences dans les travées réservées à la presse. Je parvins à me faufiler loin de la phalange partiellement endurcie de mes

* Ainsi l'article d'Éric Conan dans *L'Express* était-il titré, après trois mois d'audience : « Procès Papon, il faut en finir ! » Un des arguments était que les débats finissaient par donner une mauvaise image de la Résistance, l'accusé ayant tenté de convaincre ses accusateurs qu'il en avait fait partie et convoqué à la barre d'authentiques « combattants de l'ombre » dans le but de cautionner sa guerre à lui. Mais était-ce une bonne raison pour demander qu'on en « finisse » ? N'était-ce pas la sacro-sainte vérité historique qui aurait eu à pâtir de cette fin prématurée ? Les débats de Bordeaux avaient été l'occasion de parler pour la première fois dans une telle enceinte des personnages les plus ambigus de la lutte contre l'Occupation : les « vichysso-résistants » dont l'illustration qui était dans toutes les têtes n'était autre que François Mitterrand. C'est également à Bordeaux que fut évoqué en public l'antisémitisme qui avait cours dans certains réseaux.

collègues, vers les sièges réservés aux parties civiles, là où l'on respirait un peu moins les miasmes de l'hypercriticisme « chic ». Globalement, il a régné autour des journalistes juifs — que ceux-ci assument ou non cette identité — un désagréable soupçon de partialité. Comme si, à travers le procès, c'était une revanche des parties civiles ou du judaïsme français dans son ensemble qui avait été recherchée au lieu du bon droit appuyé par une démonstration. Ce n'était pas la vérité qui changeait de camp ou qui « n'intéressait personne », mais l'esprit du temps.

Dans cette évolution, le tonitruant passage sur l'autre rive de Michel Bergès a joué un rôle moteur en conférant un semblant de légitimité « scientifique » à cette dégradation de l'atmosphère. À sa suite, on se mettait à parler de plus en plus des « responsabilités » juives dans le processus de déportation comme d'un « tabou ». Attendu, quand ce glissement correspond à une stratégie de la défense, le propos devenait franchement intolérable quand il se parait du manteau de la neutralité médiatique ou érudite[7]. Dans la forêt de dates, de documents, de pelures d'époque, l'affaire de la déportation des enfants, en juillet 1942, devait fournir aux adversaires anciens et nouveaux des parties civiles l'occasion d'une grave incrimination du grand rabbin Joseph Cohen et de son entourage (notamment de celle qui était la correspondante de l'UGIF à Bordeaux, Germaine Ferreyra*). Pour comprendre ce cheminement, il faut remonter jusqu'en 1990. Alors qu'il avait déjà pris de la distance par rapport à ses premiers engagements, Michel Bergès fut appelé à la

* Cette femme admirable se suicide sous les yeux des Allemands alors que, en décembre 1942, ceux-ci viennent arrêter les vieillards de l'hospice dont elle a la charge.

barre, dans le cadre d'une action en diffamation intentée à Paris par Maurice Papon contre *Le Nouvel Observateur* (l'un des innombrables procès parallèles parsemant le maquis de procédure précédant l'ouverture des assises). Le débat portait sur un point singulièrement dramatique.

Le 15 juillet 1942, avait eu lieu la première grande rafle de Juifs à Bordeaux, la ville étant incluse, comme tout le littoral atlantique, dans la zone occupée. Selon les instructions en vigueur à l'époque, les parents qui avaient été arrêtés, envoyés à Drancy et de là dans les camps d'extermination, avaient été séparés de leurs enfants. Plusieurs dizaines de ces enfants demeurèrent en Gironde et furent confiés à des familles sous la responsabilité de l'UGIF. À la suite d'une maladresse d'écriture, le compte rendu du procès dans *Le Monde* avait laissé entendre que le grand rabbin Cohen avait d'une façon ou d'une autre eu part à la « livraison » des petits que les Allemands réclamèrent en août[8]. Dans une « mise au point » publiée quelques semaines plus tard, Michel Bergès en profita pour préciser sa position sur ce point :

Sous couvert du secrétaire général Maurice Papon, le chef de ce service, Pierre Garat, décida avec l'accord des SS le placement de quinze d'entre eux, qui n'avaient plus de parents directs, dans des familles d'accueil. Pour cela, il contacta le grand rabbin de Bordeaux le 16 juillet au matin. Aussitôt celui-ci se rendit au camp de Mérignac pour réconforter les internés et promettre à ceux qui n'avaient plus leurs enfants de tout faire pour s'occuper d'eux. Il se dévoua totalement, appuyé par de nombreux amis. Après avoir reçu une lettre comminatoire des SS le 21 août 1942, Garat, qui possédait la liste des lieux de refuge et des personnes [...] fit savoir à Joseph Cohen que les occupants s'étaient ravisés : les enfants n'ayant pas de parents directs en Gironde devaient être joints au convoi prévu pour le 26 août, sous le fallacieux motif astucieusement présenté de les envoyer rejoindre leurs parents. Sans s'inquiéter du sort qui avait été réservé aux parents, Garat fit enlever les enfants par des assistantes sociales, par des inspecteurs de police ou encore, pour les plus éloignés de Bordeaux, les fit ramener par les personnes qui les avaient recueillis. C'est la mort dans l'âme que le grand rabbin Joseph Cohen, qui s'efforça courageusement d'« inventer des familles apparentées », vit reprendre des enfants, notamment certains dont il avait lui-même la charge. Dans son for intérieur, contrairement à une partie de son entourage, il resta très soupçonneux quant aux motifs mis en avant par la préfecture. Les quinze enfants livrés aux SS par le service de Maurice Papon partirent vers Drancy dans le convoi du 26 août 1942 puis vers Auschwitz. Là, ils furent gazés immédiatement[9].

Telle était la version des faits de Michel Bergès, début 1991, sur cet épisode atroce. Sa source consistait en deux pages dactylographiées provenant d'un document mystérieux appelé par lui le « journal du grand rabbin ». Les copies qu'il avait en sa possession lui avaient été remises, pour les besoins du procès, par l'une des filles de Joseph Cohen. Michel Bergès devait, par la suite, attribuer une puissance extraordinaire à ce manuscrit qu'il disait conservé jalousement à l'abri des regards par la famille. À l'entendre, on pouvait imaginer que l'innocence de Maurice Papon y était inscrite en toutes lettres ! Mais, au début des années 1990, sa vision de l'affaire, pourtant également fondée sur ce qu'il connaissait du fameux « journal », restait accablante pour Maurice Papon. Aux assises, quelques années plus tard, Bergès devait infléchir à nouveau sa lecture sur ce point, dans un sens franchement favorable à la préfecture. Mais le mécanisme de son retournement était déjà en place. On le voit dans un livre collectif qui date de la fin des années 80[10]. Bergès s'y vante, à la grande surprise de ses interlocuteurs, d'avoir eu le culot de poser une question équivoque au juge Nicod, chargé de la première instruction. Comment pouvez-vous juger Maurice Papon, avait-il demandé, puisqu'en tant que représentant de l'État il s'est « dépersonnalisé » ? L'un des intervenants, interloqué, se récria, en lui objectant que la « machine » ne permet à quiconque de faire l'économie de la dimension personnelle de la responsabilité, au risque de sa vie. Michel Bergès, évasif, se contenta alors de répliquer que dans un contexte de guerre la justice doit affronter un problème spécifique : celui de soupeser des actes commis dans un autre cadre que ceux de la « criminalité normale ». Il commençait en outre à attribuer au grand rabbin la responsabilité indirecte de la désignation de quatre cents otages qui, prétendait Bergès, auraient été déportés en représailles à son évasion*. Là, Maurice-David Matisson, l'une des parties civiles et l'un de ses interlocuteurs, tiqua encore et ajouta justement qu'« ils l'auraient été de toute manière ». Bergès suggère aussi que Maurice Sabatier, le préfet régional, supérieur hiérarchique de Maurice Papon, ainsi que Mgr Feltin, alors évêque de Bordeaux, avaient, solidarité de « notables » oblige, « protégé » Joseph Cohen en contribuant à son évasion[11]. Autre insinuation : il disait s'étonner de ce que le rabbin Cohen, lors du discours qu'il prononça pour le 11 novembre 1944 dans Bordeaux libéré depuis quelques semaines, n'ait alors pas clairement désigné les responsabilités de la

* Fin 1943, le grand rabbin Joseph Cohen parvint à s'enfuir alors qu'on s'apprêtait à l'arrêter dans sa synagogue.

préfecture. Certes, le rabbin Cohen, précisait Michel Bergès en son langage, « ne peut être mis au ban de la responsabilité morale » car « on l'a manipulé, selon moi, à titre individuel en jouant sur toutes les contradictions qu'il ressentait en lui ». L'historien se contenta, sans s'étendre sur la question des déportations, de répéter la thèse déjà défendue dans sa tribune du *Monde*. Mais le basculement était en cours.

Michel Bergès a-t-il eu entre ses mains l'éphéméride tant convoité ? Ne disposait-il pas plutôt des pages dont il fit usage lors de sa comparution aux assises de Bordeaux et de la version singulièrement édulcorée que l'auteur en avait publiée dans une plaquette, sous le titre *Journal d'un rabbin* (1967) ? Les papiers de Joseph Cohen, décédé en 1975, étaient conservés par sa fille aînée Sarah, une vieille dame sympathique, digne et quelque peu entêtée qui avait consacré sa vie à son père. Elle vivait à Bordeaux, où elle incarnait au moment du procès la seule trace de la continuité familiale de la famille Cohen en Gironde. Michel Bergès, me raconta-t-elle, avait littéralement fait le siège de son appartement pour obtenir les papiers tant désirés.

Pour ma part, je voulais bien croire que les archives du grand rabbin recelaient des éléments intéressants négligés par l'instruction. La clef de l'énigme ou une manière de « terrifiant secret », sûrement pas, d'autant plus que le dossier ne manquait pas de pièces accablantes pour Maurice Papon. Ayant été chargé de rédiger le portrait historique de ce dirigeant de la communauté juive bordelaise, je m'adressai à la famille Cohen afin d'obtenir l'autorisation de consulter ses papiers personnels. J'obtins seulement la permission de jeter un coup d'œil sur les documents légués par le grand rabbin, pourvu que sa fille, elle aussi, donnât son consentement. Ma visite à Sarah Cohen, en janvier 1998, est demeurée gravée dans ma mémoire. Professeur de piano, elle habitait encore l'appartement qu'elle avait partagé avec son père non loin de la synagogue, jusqu'à la mort de celui-ci, une maison bourgeoise à étages et à ascenseur qui faisait des bruits de herse. L'endroit était net, vaste mais triste : c'était comme s'il avait pris, avant terme, sa couleur de souvenir, dernière survivance du Bordeaux juif dont on parlait tant mais qui avait si peu de chair, excepté dans cet ultime redan. Comme le rendez-vous avait été fixé un samedi et que je supposais la dame pratiquante, il n'était question ni d'enregistrer ni d'écrire. Je m'efforçais de l'amadouer, de l'amener à parler de Joseph Cohen, ce qu'elle fit de façon très émouvante mais sans m'apprendre grand-chose. Puis, au fur et à mesure de l'entretien, je compris que j'étais venu pour rien et que je n'aurais pas accès aux fameux documents. J'obtins de vagues assurances pour plus tard, et n'insistai plus. Du reste, on m'assura qu'en fait de journal il n'y avait guère que quelques brouillons de discours, quelques feuillets épars. C'était possible, après tout. Je m'en tins là.

La première comparution de Michel Bergès à la barre eut lieu les 19 et 20 janvier 1998, après que le témoin eut longtemps fait peser le suspense sur sa venue. Sa déposition fut surtout l'occasion de dresser un nouvel état des lieux de son interprétation d'une affaire avec laquelle sa troublante intimité fut révélée à tous ceux qui l'ignoraient encore. Mais du côté des journalistes, elle était attendue comme le coup de théâtre censé renverser la vapeur du procès. Insidieusement, bon nombre d'observateurs, dont peu s'étaient rendus aux archives pour se faire une opinion par eux-mêmes, avaient tendance à céder par avance au doute que Bergès distillait à longueur d'interviews. On s'attendait à ce qu'il les étaye définitivement par son témoignage. À dire vrai, ce qui me frappait, c'était l'espèce de « joie mauvaise » où se mêlaient curieusement la propension qu'on pourrait qualifier de « soixante-huitarde » à confondre les institutions — en l'occurrence, la machinerie des assises —, fût-ce par l'entremise des témoins et défenseurs de Maurice Papon, et l'empathie naturelle pour tout accusé, syndrome bien connu des chroniqueurs judiciaires. Ce climat délétère rencontrait les effets d'annonce de Bergès.

Celui-ci commença par dire qu'il ne pouvait plus formuler les choses dans les termes qui avaient été les siens huit ans auparavant, et se prétendait désormais méfiant à l'égard des « grilles déductives », prétendant pouvoir déceler des tentatives de sabotage émanant de la préfecture. De plus, les documents montraient, selon lui, qu'il y avait eu des négociations et que celles-ci auraient effectivement épargné des vies... Un dispositif fait de sous-entendus se mettait en place autour du thème central de la connaissance du sort final des déportés (dont l'enjeu était le maintien du chef de complicité d'assassinat, qui ne fut pas retenu dans l'arrêt). Que savait Papon, et que savait le grand rabbin Cohen à l'été 1942, alors que les enfants dispersés dans des familles en Gironde étaient ramenés aux SS ? On cherchait à plonger le rabbin et le fonctionnaire de Vichy dans le même jeu à somme nulle du savoir et de l'ignorance. L'un et l'autre devaient savoir ou ignorer la même chose. Le naufrage de l'ancien haut fonctionnaire de Vichy n'était plus solitaire. Il devait entraîner dans son étreinte mortelle le « notable » juif.

À l'audience, Michel Bergès affirma avoir récolté

des témoignages prouvant que des familles d'accueil s'étaient proposées pour garder les enfants en Gironde, et que l'injonction transmise par Pierre Garat de les ramener aux SS n'était pas « comminatoire » puisque des discussions étaient en cours. Voilà sur quoi paraissaient reposer ses « doutes ». Quelle était la leçon de ce débat pointilliste, fort difficile à suivre sinon pour des initiés ? Que l'implication de la préfecture diminuant, celle des autorités juives augmentait. Après tout ne fallait-il pas que quelqu'un les eût raccompagnés, ces enfants, avant qu'ils ne fussent conduits au camp de Mérignac et, de là, à Auschwitz ? Cette opinion ne fut pas formulée dans ces termes. Mais elle était dans l'air. Après le procès, Michel Bergès sera d'ailleurs plus explicite, finissant par lever quelque peu le voile sur ce qui sous-tendait ses incessantes « questions à l'histoire » des assises. Voici son ultime récit de l'affaire des enfants qui, cette fois, innocentait Maurice Papon à ses yeux* :

MICHEL BERGÈS : Le grand rabbin Cohen et l'UGIF ont permis de sauver un certain nombre [d'enfants], tout en acceptant d'en ramener d'autres. [...] D'après certains témoignages, il semble aussi que Garat se soit arrangé avec les personnes d'accueil pour qu'elles puissent les garder...

MAURICE PAPON : Ou les confier à des familles en observant le plus strict anonymat. Car c'est bien comme cela que ça s'est passé !

M.B. : L'UGIF avait communiqué leur liste à la préfecture, le 17 août 1942. On est d'autant plus étonné qu'à Bor-

* Maurice Papon, *La vérité n'intéressait personne. Entretiens avec Michel Bergès sur un procès contre la mémoire*, François-Xavier de Guibert, Paris, 1999. L'ouvrage parut en octobre 1999, lors de la fuite piteuse du condamné de Bordeaux en Suisse. Peut-être était-il destiné à l'innocenter et à justifier son départ aux yeux de l'opinion publique.

deaux cet organisme très officiel n'a pas fait protéger les enfants en totalité dans l'intervalle d'un mois entre le 14 juillet et le 21 août 1942. Par contre le grand rabbin Cohen, à côté de l'UGIF de Germaine Ferreyra, avait inventé, selon les propres termes de son journal, des « familles apparentées » pour ceux qui n'avaient plus de parents en Gironde. Là encore, au-delà de son dévouement et de son implication, une autre décision fut prise à la préfecture lorsque les SS exigèrent le 21 août qu'ils soient intégrés dans un futur convoi. Celle-ci était double : accepter de laisser en Gironde les enfants qui pouvaient disposer d'une garde, alors que les SS redemandaient l'ensemble de ceux dont les parents avaient été arrêtés en juillet précédent. Ensuite, faire ramener les autres petits malheureux, les livrer dans le convoi après avoir organisé leur retour du lieu où ils se trouvaient jusqu'à l'annexe de Bacalan. Des factures de taxi payées par le service des affaires juives suggèrent que Garat est intervenu...

M.P. : N'est-ce pas plutôt l'UGIF qui a réglé les factures ? Ce qui montrerait une implication dans cette triste affaire. Implication dont je ne discute pas la bonne foi...

M.B. : Qui a donné l'ordre et a supervisé cette décision, dans laquelle, là aussi, le grand rabbin s'est trouvé *a posteriori* contraint d'assumer ses responsabilités ?

M.P. : L'UGIF c'était essentiellement le grand rabbin et Mme Ferreyra [12]...

Cette stratégie sous-jacente visait à rendre le grand rabbin Cohen au moins coresponsable. Par là, l'opprobre découlant de la persécution se reportait un peu sur les victimes. Un vent glacial recommençant à souffler sur la mémoire juive de la guerre, tel fut pour moi le tournant du procès Papon [13]. Ce qui me frappa fut aussi le peu de fondement historique à cette évolution. Elle traduisait davantage les modifications d'un préjugé qu'elle ne résultait d'un accroissement de connaissance. On était loin, en effet, de la critique adressée par Hannah Arendt aux responsables des institutions juives dans son *Eichmann à Jérusalem.* Ici il s'agissait plutôt de se chercher un compagnon de cellule pour alléger le fardeau de la culpabilité. Ceux qui avaient attendu des documents décisifs ou des faits nouveaux de Michel Bergès en avaient été pour leurs frais. L'écoute qui lui fut accordée était en réalité le vecteur d'un sentiment délicat à exprimer trop explicitement, que l'on pourrait résumer comme le rejet d'un prétendu culte juif de la mémoire. La hâte de clore le cycle de cette « deuxième épuration », l'impatience de « tourner la page » sans s'interroger sur la légitimité qu'il y a à vouloir secouer précisément cette terre-là de ses souliers : tout cela avait assuré aux ambiguïtés d'un Michel Bergès un public.

Une nuit d'Europe

Nuit du 1er au 2 avril 1998. Le jury s'est retiré pour délibérer. Alors que la ville est déserte, une foule bizarre continue à peupler les abords du palais de justice dont les colonnes doriques se perdent dans la demi-obscurité des lampadaires. Nul ne veut rater la lecture de l'arrêt qui se fait attendre et tous les habitués de ces mois d'audiences restent là. Bientôt, la salle d'entrée trop vaste prend des aspects de hall de gare. On dort affalé sur les bancs à la lumière des veilleuses ou dans des prétoires ouverts pour l'occasion. Une atmosphère d'excitation et de fatigue gagne avec l'insomnie. À côté, le restaurant La Concorde, devenu au fil des semaines le détour obligé des journalistes et des avocats, fait salle comble. L'avocat général s'y montre en terrasse sans robe ni hermine, pipe à la bouche. Moi-même je me sens pris d'une exaltation inhabituelle : j'ai tout simplement l'impression que quelque chose d'aussi majestueux que l'Esprit du monde s'est posé un instant sur le centre de Bordeaux ! J'écoute, avant de me rendre au tribunal, la voix du *Hazan* d'avant-guerre, Moshe Koussevitzky, qui entonne sur un disque *Sheboneh beis hamikdosh* (« et il rebâtira son Temple »)[14]. Je ne me le formule pas alors en ces termes mais si je m'efforce de donner sens à cette agitation intérieure, je puis dire que cette fois la mécanique, parfois sordide, parfois ridicule de la justice, reprend sa fonction de rite social. L'ambiance semble révolutionnaire, à ceci près qu'il s'agit ici d'une révolution réparatrice et non violente.

Assiste-t-on à une réconciliation tardive de la société avec elle-même ? À la formation d'une communauté éthique nouvelle où les structures intérieures des pays tout comme les sociétés civiles vont dépasser le champ clos identitaire et national au profit d'une commune mémoire de la douleur ? Va-t-on connaître ce temps où l'antisémitisme sera extirpé ? Une mémoire partagée qui ne repose pas sur le silence pudique ni sur un voile d'ignorance jeté sur les péchés des pères mais, au contraire, sur le rappel du malheur. Voilà la promesse qui gisait au fond de cette nuit-là. Promesse rationnelle, promesse d'Europe.

Les heures s'avancent. Je croise Arno Klarsfeld avec qui nous fuyons un instant en direction d'un café encore ouvert de la place Gambetta. Mais alors que nos échanges, parfois contradictoires, ont accompagné le procès, là nous avons du mal à parler. L'impression de « dernière fois » éprouvée par tout ce petit monde qui a appris tant bien que mal à vivre ensemble a raison de notre escapade et je décide de retourner devant le palais de justice qui, entre-temps, a pris des airs d'asile de nuit. Les heures passent. Beaucoup tiennent encore alors que la fatigue ne décourage ni les rumeurs ni les spéculations. Enfin on annonce que l'arrêt sera rendu à neuf heures. Le jour se lève. Tout le monde se faufile une dernière fois en direction de l'inconfortable salle du tribunal pour entendre la voix un peu rocailleuse du président Castagnède égrener les réponses aux diverses questions. Puis la peine tombe : « En conséquence, la cour condamne Maurice Papon à dix ans de réclusion criminelle. » L'acquittement a été évité. Mais la peine déconcerte. Personne ne sait trop que dire. On se quitte rapidement, sans prendre vraiment le temps de se dire au revoir. Moi aussi j'ai fui Bordeaux, le matin même de l'arrêt. Dans le train du retour, épuisé nerveusement, parvenant difficilement à contenir des larmes, m'est revenu le mot de Goethe après Valmy : « Ainsi s'était passée cette journée. [...] On retira nos gens du feu, et ce fut comme si rien ne s'était passé [15]. » Il exprimait ma déception naïve à constater, au matin, que le monde n'avait pas autant changé que je l'avais follement espéré.

Le décentrement des Juifs dans l'histoire de Vichy

C'est à l'occasion du procès de Maurice Papon que la vision de Vichy prévalant dans le milieu des historiens spécialisés s'est ouvert un chemin dans l'opinion au sens large. À la fin des années 1990, l'idéologie historiographique avait, en effet, considérablement évolué à propos de l'interprétation des années d'Occupation. Si on ne revenait pas sur les acquis des années 1970 obtenus aux forceps sous l'impulsion des historiens américains comme Robert Paxton et Michael Marrus, et si l'État français restait évidemment coupable des persécutions aux yeux de la plupart des gens — opinion dont la déclaration de Jacques Chirac en 1995 et les repentances de l'Église avaient montré les progrès —, certains historiens cherchaient maintenant à circonscrire l'antisémitisme de Vichy dans le cadre théorique plus étroit d'une politique d'« exclusion ». D'où l'affection pour l'expression d'« apartheid à la française » pour la qualifier. Quant à la question de la complicité, elle était soit laissée dans le vague, soit réévaluée à la baisse, soit carrément écartée. On vit fleurir des formules comme « Vichy ne voulait pas la mort des Juifs ». Les limites de cet ouvrage ne permettent pas d'engager la discussion sur l'image nouvelle qui, petit à petit, s'est mise en place en réaction aux « excès de mémoire » supposés avoir précédé cette période de révision. Il suffit de préciser que je ne partage aucun des présupposés qui sous-tendent cette tendance plus « complexe » que celle de la période précédente, et qui se trouve épaulée par une théorie de la « mémoire vaine* », selon laquelle l'entretien du souvenir public de Vichy serait nuisible aux objectifs visés : la lutte contre l'antisémitisme. À quoi se mêle une vision systématiquement critique des procès pour crimes contre l'humanité[16]...

---

* L'expression est d'Alain Finkielkraut, l'un des contempteurs des assises de Bordeaux où cet admirateur d'Arendt ne fit, à ma connaissance, qu'une seule brève visite, employant surtout sa plume à critiquer l'action « des Klarsfeld ». Voir son ouvrage intitulé *La Mémoire vaine. Du crime contre l'humanité*, NRF Essais, Gallimard, Paris, 1989.

Au seizième jour du procès, le 3 novembre 1997, l'historien Jean-Pierre Azéma dénonça les « effets pervers du balancier de la mémoire ». Il qualifia, dans le même mouvement, l'antisémitisme de Vichy d'« apartheid à la française [17] ». Plus tard, il s'abritera derrière l'inventeur de la formule, Pierre Truche, procureur général au procès de Klaus Barbie. Mais chez l'historien l'usage va, à l'évidence, plus loin que celui d'une simple métaphore. Les mots produisent ici un décentrement de la question juive, laquelle serait censée avoir pris trop d'importance dans la conscience nationale sans que jamais on précise ce qu'il faudrait mettre à sa place — l'important paraissant résider finalement dans le décentrement lui-même et la dénonciation du « communautarisme » qui l'accompagne. L'expression fut ensuite reprise avec flamme par Éric Conan applaudissant des deux mains dans les dernières lignes de son *Journal d'audience* : « Le président Castagnède a maintes fois souligné que cet apartheid antijuif ne relevait pas du crime contre l'humanité. » Ce journaliste était celui qui, avec Henry Rousso, s'était efforcé de formuler le nouveau *credo* historiographique au sortir du procès de Paul Touvier dans *Vichy un passé qui ne passe pas* (1994). Dressés face aux hordes imaginaires de la militance mémorielle ou communautariste, seul ennemi face auquel il convenait, selon eux, de demeurer « vigilant », nos deux auteurs y déclaraient : « Les lois antisémites françaises ne s'inscrivent pas, à l'origine, dans un processus d'élimination physique mais correspondent à une volonté d'exclusion sociale [18]. » « On se défiera, répéta Jean-Pierre Azéma en écho, de l'évolution en France du balancier de la mémoire qui tend actuellement à analyser Vichy sous le seul prisme d'un antisémitisme présenté comme omniprésent et délibérément meurtrier. [...] La politique d'exclusion raciale mise en œuvre *motu proprio* par Vichy n'avait pas programmé l'extermination des Juifs de France. » Et plus loin, l'analyse passe un cran supplémentaire : « Tout un chacun sait que le régime qui prétendait *vouloir s'attaquer seulement à l'influence sociale des Juifs de France* [je souligne] s'est fait au fil des mois et en tout cas à partir de l'été 1942 le complice des arrestations et de la déportation de près de soixante-seize mille hommes, femmes et enfants considérés comme juifs, en principe (mais la réalité fut autre) de nationalité étrangère. » Le procès Papon s'inscrit donc aussi dans le contexte d'une idéologie universitaire qui rogne les dimensions de la complicité de Vichy (séquestration, déportation mais pas assassinat). C'est cette vision *a minima* qui s'est imposée aux juges et aux jurés devant lesquels les historiens se sont présentés de longues heures durant, se nourrissant en retour d'un arrêt qu'ils ont contribué à fabriquer.

La « nouvelle pensée » sur Vichy ne pouvait que laisser des traces sur l'étude de l'antisémitisme elle-même, y compris dans les meilleurs des travaux. Un ouvrage collectif, paru peu de temps après le procès, en fournit une bonne illustration*. Il est dirigé par Pierre-André Taguieff. Le sociologue consacre une longue introduction à préciser son cadre interprétatif et un premier chapitre à « L'antisémitisme à l'époque de Vichy ». Signe des temps, son propos se veut une charge dirigée contre les tenants d'une interprétation qu'il entend considérer comme caduque. Ici le symbole repoussoir n'est pas le militant de la mémoire,

* *L'Antisémitisme de plume, 1940-1944. Études et documents*, sous la direction de Pierre-André Taguieff avec Grégoire Kauffmann et Michaël Lenoire, Berg International, Paris, 1999.

généralement incarné par Serge Klarsfeld ou les membres de son Association des fils et filles des déportés juifs de France, mais un autre historien, juif lui-même, et touché dans sa chair par l'histoire de la Shoah : Zeev Sternhell. Au nom de la mise en pièces d'une lecture supposée déterministe de l'antisémitisme comme menant nécessairement au Génocide ; au nom du rejet d'un « réductionnisme » qui, selon Pierre-André Taguieff, ne ferait plus la différence entre l'antisémitisme français et l'exterminationnisme allemand, la thèse de l'origine française du fascisme se voit écornée par une attaque frontale contre son auteur, Sternhell. Vouloir démontrer à toute force le caractère endogène et français du fascisme et de l'antisémitisme exterminationniste comme le fait Sternhell reviendrait, pour Pierre-André Taguieff, à tenir le même discours que les plus collaborationnistes des collaborateurs, lesquels s'obstinèrent à démontrer eux aussi la nature « bien française » de l'ethnoracisme qu'on les accusait d'importer d'outre-Rhin ! Le premier à utiliser l'argument des « précurseurs français » (en bonne part) n'est autre que Drieu La Rochelle, écrit Taguieff, lequel Drieu se voit rapproché sur ce point d'un Sternhell ayant passé son enfance de Juif polonais dans une cachette creusée sous terre !

Et Pierre-André Taguieff de citer un texte de novembre 1940, dû à l'auteur de *Gilles* : « Pas une idée du fascisme qui n'ait été tracée par un écrivain français des derniers cinquante ans. Seulement les idées françaises ne pouvaient plus passer dans la réalité. De sorte que les Italiens, les Allemands qui ont sorti l'idée et l'acte en même temps sont bien les créateurs de la politique du siècle. Ni Proudhon, ni Sorel, ni Maurras n'ont servi à rien en France — ni Gobineau, ni Drumont », et en janvier 1941, un Alfred Fabre-Luce, alors encore doriotiste, évoque « un préhitlérisme français ». Conclusion de Pierre-André Taguieff, dont on admirera en passant le sens de la nuance : « Drieu [...] a élaboré un modèle d'interprétation idéologico-politique du "fascisme" qu'une certaine historiographie s'est contentée de retraduire en termes académiques » ! Le vainqueur allemand, précise Pierre-André Taguieff, « a conduit Vichy, engagé aveuglément [*sic*] dans la collaboration d'État, à se faire l'auxiliaire administratif et policier du projet nazi d'extermination impliquant rafles et déportations ».

Les « phénomènes judéophobes » ne sauraient être analysés comme s'ils fonctionnaient indépendamment des autres formes de rejet (suit une énumération en forme d'inventaire : « l'antimaçonnisme, l'anticommunisme, l'antilibéralisme, l'antiféminisme, l'homophobie, l'antisémitisme et la xénophobie s'entre-symbolisent »), précise-t-il. Mais d'autre part, en chercheur soucieux de précision, il concède la présence de deux « invariants » de la haine antijuive (l'inassimilabilité radicale et la vision conspirationniste). Assez contradictoire avec cette interaction supposée est également la définition qu'il donne, un peu plus loin, de la « judéophobie » comme commandant une représentation du Juif satanique, combinant inhumanité et surhumanité — ce mixte se condensant dans l'accusation de crime rituel, laquelle « permet de réinterpréter tous les massacres observables dans l'Histoire comme attribuables aux Juifs ». Même si cette description est rapportée à des notions plus « universelles » (« étranger par nature » et « ennemi absolu »), on ne voit guère comment la construction mythique nourrie des *Protocoles des Sages de Sion* qui définit, à ses yeux, l'antisémitisme moderne, a toujours à voir avec la série des « phobies » énumérées plus haut. La différence de l'antisémitisme avec la xénophobie, l'ethnocentrisme ou le racisme, est une différence qualitative et non d'intensité.

Même en passant en revue les thuriféraires français de l'antisémitisme racial, Pierre-André Taguieff en vient à douter que l'objectif de ces derniers ait été Auschwitz ou Treblinka. Que l'« eugénisme négatif » proclamé par les antisémites n'ait été que le masque commode d'une extermination euphémisée, y compris dans l'Allemagne nazie du temps, est-il donc si peu envisageable ? Parler de stérilisation en 1942, alors que le camp de Drancy est ouvert, que les convois de déportés commencent à s'écouler vers l'« Est », et que les spécialistes de l'antisémitisme proches du pouvoir, comme Xavier Vallat, ont toute latitude pour savoir, au moins par le canal des rapports diplomatiques, ce que recouvre la solution finale sur le front de l'Est, n'est-ce pas accepter le risque que les Juifs y soient tués ? Et plus généralement, le statut des Juifs d'octobre 1940 est-il si différent en nature des lois de Nuremberg de 1935, ou des décrets-lois roumains édictés par le roi Carol II cette même année 40 et imprégnés d'antisémitisme racial ? On passe de l'antisémitisme d'État à l'antisémitisme éliminationniste, et les catégories, même celles qui font florès sous la plume de Pierre-André Taguieff, ne sont pas dotées de murs infrangibles. Il y a un tronc commun à la haine antijuive. En matière d'antisémitisme, le réservoir de mythes n'est pas extensible à l'infini.

Bordeaux aura été pour moi une expérience décevante et l'optimisme d'un Serge Klarsfeld qui proclama à l'issue du procès qu'il espérait que ses enfants ne connaîtraient jamais plus l'antisémitisme me paraissait bien hasardeux. Au contraire, par mille glissements, nuances, déplacements d'accents, le procès de Maurice Papon m'apparaît comme un changement d'époque. Étaient-ce les premiers signes de la décrue de la mémoire de l'Occupation ? Avec elle se perd aussi un des freins puissants de l'antisémitisme, tandis qu'à l'Est d'autres digues sont en train de se rompre.

5

Un mythe renaissant : le « judéo-bolchevisme » (1996-1998 et après)

L'antisémitisme contemporain a ceci d'effrayant qu'il nous confronte d'abord à une formidable entreprise de dénégation et de camouflage. Une dénégation qui a pour enjeu la reformulation d'un antisémitisme possible après la Shoah, tant que la mémoire du Génocide pèse sur son expression la plus directe. Même l'antisémite le plus enragé perçoit encore qu'après la découverte des camps d'extermination sa haine revêt un caractère extrême, parce que toutes ses virtualités meurtrières en sont désormais connues. À cet égard, l'épisode négationniste représentait la première tentative de libération d'une parole antijuive postérieure à la catastrophe nazie. Il semble que ce processus de libération du discours (et des actes) ait désormais franchi une étape nouvelle. On en vient à détester les Juifs *malgré* la Shoah, comme s'il n'était plus nécessaire de la nier mais, au contraire, de la « comprendre » en attendant de la justifier... En lui assignant, le cas échéant, une origine dans le comportement des Juifs eux-mêmes sous couvert de leur restituer leur dignité d'« acteurs de l'Histoire ». Sur le mode du compliment qui est surcroît d'affliction, le raisonnement devient particulièrement vicieux. En prétendant redonner aux « damnés de la terre » une forme de maîtrise sur leur propre passé de persécutés, on les en rend en partie responsables ! Telle est du moins une des potentialités du nouveau discours antisémite qui cette fois ne relève pas exclusivement de sources arabo-islamiques ou extra-européennes.

Parmi les formes de haine antijuive, celle qui consiste à faire porter aux Juifs tout ou partie de la responsabilité des crimes du communisme est peut-être la plus perverse. Perverse, parce qu'elle charrie sous le masque d'une thèse présentée parfois comme empathique certains éléments qui relèvent en réalité de l'antisémitisme le plus traditionnel (la théorie du complot, le retournement des Juifs victimes de la violence révolutionnaire en bourreaux des peuples bolchevisés, l'attribution d'un caractère spécifique prédisposant par nature ceux-ci au messianisme révolutionnaire ou à l'universalisme démocratique, etc.). Cette charge prospère dans l'Europe dite de la « démocratie faible », l'Europe post-totalitaire, l'ex-Europe de l'Est travaillée depuis longtemps par la propagande antisioniste, et que certains Occidentaux estiment qu'il ne faut plus trop ennuyer avec le rappel de l'antisémitisme ou de la Shoah, sous prétexte que les « crimes du communisme » vaudraient bien le bain de sang hitlérien.

Ma volonté d'inscription dans l'histoire des Juifs aussi bien que mon empathie de toujours pour Israël et pour le sionisme m'ont constamment servi de boussole. L'antisionisme de l'extrême gauche et l'appui logistique fourni au terrorisme palestinien par des États comme la RDA ont formé un barrage qui m'a évité de sombrer avec armes et bagages dans la culture de la radicalité et m'a mis en porte-à-faux avec ceux de ma génération dont je compremais les combats sans pouvoir partager avec eux l'espérance que l'État juif se dissolve dans la lutte des classes*. C'est d'un événement aujourd'hui ancien que je date

---

* Les liens entre l'antisémitisme et le terrorisme de ce camp-là devaient s'avérer bien plus étroits que je ne l'ai pressenti à l'époque. Notamment en Allemagne. Le premier coup d'éclat, en RFA, de la « guérilla allemande » avait pour objectif de casser le prétendu « complexe juif » de la gauche hérité d'une culture antifasciste que les groupes proches des Andreas Baader et Ulrike Meinhof jugeaient « impuissante ». La cible choisie par les « guerilleros » européens fut donc une cérémonie commémorant la Nuit de cristal prévue pour le 9 novembre 1969, dans l'immeuble de la communauté juive de Berlin (l'attentat échoua fort heureusement à cause d'un détonateur défectueux, voir l'article de Gerd Koennen « Schalom und Napalm » paru dans *Die Zeit*, 28 février 2002). Autre épisode significatif du climat de l'époque : quelques mois plus tard, peu après l'attentat des Jeux olympiques de Munich, l'assassinat de onze athlètes israéliens par un commando palestinien (5-6 septembre 1972), Jean-Paul Sartre signa dans *La Cause du peuple-J'accuse* (n° 29) un texte révélateur, sinon de sa pensée profonde, du moins de son état d'esprit du moment et surtout de celui du « peuple d'extrême gauche ». « Dans cette guerre, écrit Sartre, la seule arme dont disposent les Palestiniens est le terrorisme. C'est une arme terrible mais les opprimés pauvres n'en ont pas d'autres, et les Français qui ont approuvé le terrorisme du FLN quand il s'exerçait contre des Français ne sauraient qu'approuver à leur tour l'action terroriste des Palestiniens. [...] Le principe du terrorisme est qu'il faut tuer. Et même si l'on s'y résigne, il demeure, comme Albert Memmi l'a dit, qui était d'accord avec le combat des Algériens, insoutenable de voir, après une explosion, des corps mutilés, la tête d'un enfant séparée du corps. Mais si l'on a pu l'admettre, alors il faut reconnaître en effet que l'attentat de Munich a été parfaitement réussi. » Certains gauchistes d'alors attachés aux leçons de la Seconde Guerre mondiale et de la persécution des Juifs protesteront contre cette interprétation des faits. Voir à ce sujet Bernard-Henri Lévy, *Le Siècle de Sartre*, Grasset, Paris, 2000, p. 453.

ma prise de conscience de l'entrelacement entre le gauchisme et la cause palestinienne. Elle fut liée à la grande manifestation qui suivit les obsèques de Pierre Overney, ce jeune homme abattu par un vigile, le 22 février 1972, devant les usines Renault. Un événement qui a laissé des traces durables dans la mythologie révolutionnaire de la fin du XXe siècle et dont les conséquences seront sanglantes*. Il s'agissait, en réalité, de la dernière manifestation de masse du gauchisme.

Le nom de Pierre Overney, inconnu métamorphosé en martyr de la révolution supposée montante, avait rassemblé une foule qui se pressait autour du Père-Lachaise, ce samedi 4 mars 1972, dans le XIe arrondissement de Paris que ma famille habitait alors. Connaissant les ressources discrètes du quartier, j'étais parvenu à me faufiler jusqu'à l'entrée du Père-Lachaise, où le corps de Pierre Overney allait être enterré dans un caveau provisoire. Les portes du cimetière furent très vite refermées sur le cortège tandis que la foule qui remplissait les avenues d'alentour était haranguée par Alain Geismar et les dirigeants de la Gauche prolétarienne. Seule une poignée de militants avait pu fredonner *L'Internationale* jusqu'à la tombe. Soudain je fus entouré des habituels drapeaux rouges, mais aussi de bannières à bandes noire, blanche et verte traversées d'un triangle rouge. Je m'enquis de la signification de ces drapeaux. On me répondit qu'il s'agissait des drapeaux palestiniens.

* Le groupe dont Frédéric Oriach, futur membre d'Action directe, sera un militant actif, les Noyaux armés pour l'autonomie populaire (NAPAP), refusera lui aussi les verdicts de la « justice de classe » et, en 1977, assassinera le vigile qui avait tiré sur Overney, Jean-Antoine Tramoni.

C'était la première fois que l'emblème de l'OLP flottait aussi massivement à mes yeux au côté de celui de la Commune. Comme si la cause dont le soutien impliquait alors le démantèlement de l'État juif (l'« entité sioniste ») était devenue l'idiome de la révolution mondiale. J'étais écartelé entre deux fidélités : celle de mon temps, le gauchisme de l'après-Mai, qui ne cesserait d'universaliser chaque jour un peu plus la lutte pour les Palestiniens et mon propre attachement à Israël pour qui ces drapeaux représentaient une déclaration de mort. Je ne me sentis plus à ma place au Père-Lachaise ce jour-là. Je quittai les lieux, vacciné à quinze ans contre toute tentation gauchiste.

Je dois cette réaction à mon éducation juive et sioniste assez poussée. D'autres Juifs de ma génération demeurèrent dans l'orbite du trotskisme. D'autres justifièrent leur engagement dans le communisme sous toutes ses formes par l'idée que l'URSS ayant triomphé du nazisme, ce fait obligeait les survivants de la Shoah à une reconnaissance inconditionnelle. À ceux-là il ne servait à rien de rappeler que lors de l'offensive allemande de l'été 1941, le régime stalinien n'avait pris aucune précaution particulière en faveur des Juifs tout en ayant parfaitement connaissance des menaces qui pesaient sur eux et que la presse soviétique avait sciemment dissimulées aux beaux jours du pacte germano-soviétique. Pis, dans quelques cas les autorités maintinrent de force à leur poste des ouvriers juifs plutôt que de les évacuer à l'Est, ce qui les exposait à être rattrapés par les Allemands et à être tués[1]. À l'autre bout de l'histoire du conflit mondial, on sait aujourd'hui le peu d'empressement que les Soviétiques mirent à « libérer » Auschwitz. Pas plus que leurs alliés anglais ou américains ne consentirent à distraire des troupes ou des avions pour freiner le Génocide en cours. Mais ces faits ne furent connus qu'à la toute fin des années 90. Jusqu'alors courait une légendaire fiction antifasciste qui voulait que ce fût l'URSS qui ait arraché les Juifs aux griffes de l'Allemagne hitlérienne. Cette conception tenace dans certains milieux suffisait aux yeux des Juifs d'extrême gauche à compenser l'antisionisme virulent du « camp socialiste » et que seuls certains dissidents osaient dénoncer pour ce qu'il était souvent, de l'antisémitisme. Après 1989-1991, des nostalgiques dudit camp s'efforcèrent de sauver ce qui pouvait l'être de la mémoire du « socialisme réel » après 1989-1991 en mettant subitement en valeur cela même qu'on taisait pieusement naguère sous des pseudonymes comme un secret de famille honteux : les origines juives de quelques-uns des membres de l'Internationale. Une façon de « salut par les Juifs » ayant l'effet pervers de donner du grain à moudre aux néoconservateurs pressés de leur côté de redonner vie au mythe du Juif révolutionnaire...

Dès les années 80, alors que le communisme se mourait, ce processus s'était déjà mis en branle via la redécouverte de la MOI (Main-d'œuvre immigrée, l'organisation communiste française qui encadrait l'immigration et qui a fourni de nombreux résistants communistes) et son exaltation tardive. La résistance juive communiste fut glorifiée. On se mit soudain à se souvenir qu'une grande partie des effectifs de ladite MOI était yiddishophone. Le *yiddishland* révolutionnaire reprit du lustre et du service. On rappela aussi, plus fréquemment, que l'URSS avait voté en faveur de la création de l'État d'Israël en 1947 et on se prenait même à rêver, lorsque le temps de la Perestroïka fut venu, à une future nouvelle alliance entre Israël, les Juifs et un univers soviétique régénéré...

Jamais je n'ai, pour ma part, cédé à ce genre d'illusions rétrospectives. Peut-être grâce à la figure tutélaire de mon arrière-grand-père maternel, Wolff (Vladimir) Epstein, que je n'ai jamais connu puisqu'il est mort quelques années avant ma naissance mais assez tard pour avoir eu la joie de survivre à Staline. L'exemple de ce marxiste et social-démocrate dans l'âme, militant de toujours à la neuvième section parisienne de la SFIO, démontrait qu'on pouvait rester de gauche sans avoir jamais eu ni sympathie ni complaisance pour ce qui se passait à l'Est*.

---

* Mon arrière-grand-père, Wolff Epstein, dont j'ai déjà parlé dans l'introduction, appartenait à cette catégorie de socialistes précocement lucides sur la terreur bolchevique. Arrivé de Kaunas (à l'époque ville de l'Empire russe) à Paris avec sa femme à la suite de la révolution manquée de 1905, au cours de laquelle mon arrière-grand-mère Hélène avait reçu, dit-on, un coup de fouet d'un cosaque au cours d'une manifestation, il éditait toutes sortes de publications socialistes ou y participait. Dans l'une de celles-ci, *Idée et Action. Revue mensuelle du mouvement socialiste et syndical international* (n° 4, novembre 1936), il consacre un article aux procès de Moscou dans lequel il explique notamment : « Nous savons aussi que Trotski non plus que Kamenev et Zinoviev (nous exceptons Smirnov, brave homme dédaigneux de sa propre vie mais respectueux de celle des autres) n'auraient probablement rien fait d'autre s'ils avaient été à la place de Staline. Ce ne sont pas eux qui auraient aboli la dictature sur le prolétariat russe qu'exerce Staline. Ce ne sont pas eux qui auraient substitué à la dictature personnelle la dictature du prolétariat, c'est-à-dire la démocratie ouvrière, agissant elle-même, décidant elle-même de son activité » (p. 40). Wolff Epstein, ainsi que sa femme Hélène (féministe avant la lettre, secrétaire du journal *Tribune des femmes socialistes*), a son entrée dans le *Dictionnaire biographique du mouvement ouvrier français* publié sous la direction de Jean Maitron (tome XXVII, p. 49-51) où il est également rappelé qu'il fut gérant de la revue *Combat marxiste*. Appartenant au

L'effondrement du mur de Berlin m'a comblé de joie et doit correspondre à un moment d'autant plus décisif de ma formation politique que l'allusion à cette chute constitue l'une des dernières entrées de mon journal personnel. Ce n'est nullement le lieu d'évoquer ici l'ambiance extraordinaire de ces journées de novembre que j'ai malheureusement vécues de loin,

---

courant paul-fauriste, il était resté fidèle à la SFIO, et n'avait pas suivi les néosocialistes pacifistes comme André Marquet (bien qu'il eût été lui-même pacifiste). En revanche, il y conserva des amitiés. L'itinéraire de certains de ses anciens amis les amena jusqu'à la collaboration. Tel est le cas de Georges Albertini, animateur de la minuscule tendance nommée Redressement à la SFIO, qui interprétait les régimes fascistes comme une « structure présocialiste ». On retrouve Albertini, pendant la guerre, secrétaire général du Rassemblement national populaire (RNP) de Marcel Déat (voir : Philippe Burrin, *La France à l'heure allemande. 1940-1944*, Le Seuil, Paris, 1995, p. 67 et 399). Dénoncé par un jeune homme de seize ans parce qu'il était allé faire des courses aux heures réservées aux « Aryens », envoyé à Drancy, Wolff Epstein était persuadé que c'était grâce à ce même Albertini qu'il avait été transféré au camp du quai de la Gare — comme je l'ai dit en introduction — où l'on employait certaines personnalités et conjoints d'Aryens à trier les meubles récupérés dans les appartements des Juifs déportés. Le niveau d'intervention d'Albertini m'a été confirmé par la fille de Wolff Epstein, Raya Lec, ma grand-mère — très âgée à l'époque où je l'interrogeais sur cette histoire et disparue depuis. Il semble pourtant que les transferts du « camp d'Austerlitz » à Drancy aient été collectifs et que du coup on puisse douter que mon arrière-grand-père ait bénéficié d'une faveur particulière. Quoi qu'il en soit, c'est à Drancy que Wolff Epstein se trouvait à la fin de l'Occupation allemande et seule une pénurie de wagons lui a évité la déportation dans le dernier convoi qui en est parti. Cela ne l'empêchera pas, à la Libération, de clamer haut et fort qu'il devait son salut à Albertini. Au point de témoigner en sa faveur lors du procès d'épuration qui frappa ce dernier (archives du CDJC, LXXIV p. 36, folio 2, et folio 4, p. 42).

faute d'avoir pu trouver une place d'avion pour la future capitale allemande. Mais j'ai pu constater que, dans mon entourage journalistique, cet enthousiasme n'était pas partagé, loin de là. J'eus même l'occasion d'observer des réactions de dénégation surprenantes. Comme celle de cet historien de la Révolution française d'obédience jacobino-marxiste, qui se refusa à croire, jusqu'au dernier moment, à la disparition de la RDA, cet État dont il avait été si souvent l'invité comme tant de communistes français. Un aveuglement qui a dû persister tout en s'accommodant — difficilement — des évidences du réel. Ce n'est pas ici non plus le lieu de montrer comment l'attachement à l'idéal communiste ou révolutionnaire a survécu à lui-même sous forme de lémure, croyant année après année à sa renaissance ou — pour les moins obnubilés — à sa résurrection (dans le « mouvement social » de décembre 1995 contre le plan Juppé de réforme de la Sécurité sociale soutenu par Pierre Bourdieu, puis plus tard dans les mouvements contre la mondialisation libérale). L'histoire de cette vie après la vie de l'idée communiste mériterait à elle seule d'être écrite. Je constate seulement qu'elle a fini par acquérir juste assez de consistance pour fournir une apparence de réalité sociologique au fanatisme intact, retourné en anticommunisme des ouvriers de la onzième heure et autres anciens maoïstes.

La rencontre avec les œuvres de François Furet et de Marcel Gauchet a achevé de me réveiller de tout ce qui m'engonçait encore dans un quelconque « sommeil dogmatique ». Ces deux figures m'aidèrent à ne pas sombrer dans cet autre travers qui aurait consisté à vouloir sauver l'idée révolutionnaire via le repli sur la Révolution française*. Quand les dirigeants du PCF revendiqueront, pour se ressourcer, un ancrage proprement français de l'idée communiste, les acquis de la « galaxie Furet » leur auront coupé l'herbe sous le pied.

Rencontre avec Maximilien Rubel

En septembre 1995, une rencontre m'amena à une confrontation intense avec la question de l'antisémitisme de Marx. Une question qui faisait partie des sujets dérangeants sur lesquels les hommes de gauche n'aimaient pas trop s'étendre jusqu'à la chute du mur de Berlin mais qu'on pouvait, après 1989, aborder sans plus craindre de « désespérer Billancourt ». Le quatrième tome des œuvres de l'auteur du *Capital* venait de paraître, précisément dans la Pléiade. La traduction était due à un étrange personnage que « Le Monde des livres » m'avait chargé d'interviewer. On le définissait comme un « marxologue aronien » qui s'était acharné toute sa vie à défendre l'œuvre de Marx contre les « marxistes ». Maximilien Rubel, tel est son nom, désignait par là ces Églises qui avaient fleuri à l'Est pendant la période communiste sous la forme d'instituts marxistes-léninistes, dont le péché cardinal était, à ses yeux, d'avoir substitué une orthodoxie d'ordre religieux à ce qui pour lui était une grande *philosophie*. Une philosophie dont il défendait bec et ongles tout ce qui était défendable et même un

* Comme on cherchait à le faire dans le Parti communiste après 1989, où l'on tentait de rattacher l'idée communiste à une tradition exclusivement française, après avoir, un temps, proposé comme référence la NEP léniniste.

peu au-delà... Je dois confesser que, dans la période où je croisais ce personnage exigeant et paradoxal, Marx était fort loin de moi. Marx et Engels étaient devenus des références éloignées dans le temps, évoquant immanquablement les couvertures orange et gris des Éditions sociales. J'étais donc mal préparé à rencontrer ce spécialiste qui approchait les quatre-vingt-dix ans dont l'œil ironique et sévère toisa sans aménité l'impertinent *knowing nothing* journaliste. Une femme âgée m'ouvrit la porte de l'appartement, bourré de livres comme il se doit. À mon grand étonnement, je me sentis plongé dans un environnement familier. Maximilien Rubel était un Juif de Czernowitz, né en 1905. Cette cité austro-hongroise, ville natale du poète Paul Celan, devenue roumaine après la Première Guerre mondiale, avait été une pépinière de germanistes à l'instar de Maximilien Rubel lui-même. Mais son épouse se distrayait encore, dans la France de 1995, par la lecture dans le texte (yiddish) d'Ytshok Leybush Peretz et Sholem Aleikhem. Maximilien Rubel, qui était arrivé en France en 1931, me confia avoir commencé à s'intéresser à Marx pendant l'Occupation, alors qu'un groupe de « marxistes » et d'anarchistes sollicitait son aide. Il lui avait été demandé de traduire des tracts en allemand destinés à inciter les soldats de la Wehrmacht à la désertion. Une question me brûlait les lèvres, au regard du passé qui était le sien. Pouvait-il lire sans effroi les thèses sur Ludwig Feuerbach* (qu'on m'avait fait étudier au

---

* « Dans *L'Essence du christianisme* [Feuerbach] ne considère comme authentiquement humaine que l'attitude théorique, tandis que la pratique n'est saisie et fixée par lui que dans sa manifestation juive sordide. » *L'Idéologie allemande*, traduction de Renée Cartelle et Gilbert Badia, Éditions sociales, Paris, 1974. Quand notre professeur d'hypokhâgne au lycée Condorcet nous

lycée) ou l'article de 1843 sur *La Question juive* ? Où voyait-il, dans ces écrits-là, le Marx éthique et humaniste qu'il voulait opposer aux « marxistes » ? Voici ce que fut sa réponse :

Avant 1917, outre l'école marxiste des Kautsky, Rosa Luxemburg, Otto Bauer, etc., il y a eu une réception non marxiste selon laquelle Marx était une espèce de prophète, et son œuvre une eschatologie profane annonçant le salut de l'humanité non par l'arrivée d'un sauveur, d'un messie, mais par le prolétariat, « l'immense majorité », consciente de l'évolution cataclysmique du système économique fondée sur le capital et sur l'État. *La Question juive* peut être ainsi lue au rebours de l'interprétation traditionnelle qui en fait un écrit judéophobe comme l'admonestation d'un prophète aussi dur pour le peuple d'Israël que pouvait l'être un Jérémie, par exemple, mais qui demeure un prophète parmi les siens... Faisant le bilan de son rapport à Hegel dans ses textes de jeunesse, Marx utilise sans hésitation l'expression d'« impératif catégorique » par laquelle Kant désignait la source de l'action morale. Chez Marx, il s'agit de l'impératif de supprimer toutes les conditions dans lesquelles l'homme est un être humilié, asservi, abandonné et méprisable. Cette préoccupation éthique traverse toute l'œuvre, jusqu'au *Capital*[2].

Un courant de sympathie a, m'a-t-il semblé, fini par passer entre cet homme qui se défiait des médias et moi, trop peu « marxien » à ses yeux. Il m'offrit le recueil des textes philosophiques de Marx traduits et annotés par lui et, de sa belle écriture, me fit une dédicace que je ne relis pas sans un pincement au cœur, en pensant aussi à cet arrière-grand-père socialiste de

---

faisait lire ce texte, il s'empressait de nous préciser avec son sympathique accent du Sud-Ouest qu'il ne fallait nullement croire que Marx était antisémite !

Kaunas/Kovno : « Pour Nicolas Weill, en souvenir d'un entretien... à compléter. » En refermant la porte de cet érudit énergique qui devait mourir un an plus tard sans que nous nous soyons revus, ce n'était pas Marx qui m'occupait l'esprit mais un morceau de la Czernowitz juive qui achevait son retrait de l'histoire dans l'anonymat d'un immeuble sans âme du XIIIe arrondissement, non loin du boulevard Blanqui.

À moi, donc, de compléter et de poursuivre ce dialogue sur la judéophobie de Marx. Pour qui prend la peine de le lire, *La Question juive* reste un texte effrayant dont le fond haineux à l'encontre des Juifs ne laisse planer aucune ambiguïté. Certes, la première partie de ce morceau d'anthologie antijuive (à côté duquel il faut placer la littérature des socialistes et anarchistes français du XIXe siècle de Fourier à Proudhon) prend parti pour l'émancipation — question qui faisait alors l'objet d'une polémique considérable en Allemagne. Marx y réfute la thèse de l'hégélien Bruno Bauer. Bauer prétendait qu'il était injuste d'accorder aux Juifs l'avantage d'une émancipation dans un État qui, lui-même, demeurait un État chrétien. Fallait-il créer une catégorie de privilégiés jouissant seuls de la liberté religieuse dans une entité politique de toute façon dominée par le préjugé ? Tant que la religion demeure au fondement de la légitimité politique, estimait Bauer, rien ne justifiait qu'on exonère les Juifs de ce fardeau commun. On voit poindre ici, dès la première moitié du XIXe siècle, l'idée qu'une attention aux Juifs (quand ce n'est pas à la lutte contre l'antisémitisme) heurterait l'égalité. On pourrait montrer que ce reproche qui consiste à stigmatiser les Juifs en demande de droits ou de protections comme une avant-garde de nantis est devenu un leitmotiv de l'antisémitisme de gauche, tant l'hostilité à toute apparence de privilège ou tout semblant d'inégalité représente une valeur essentielle pour ce camp-là (fût-ce dans le cas où telle histoire particulière requerrait telle mesure tout aussi particulière). J'ai même entendu des antisionistes justifier leur hostilité à Israël au motif qu'ils ne comprenaient pas pourquoi les Français juifs seraient les seuls à bénéficier du privilège d'un État refuge en cas d'antisémitisme, ou d'avoir le choix entre deux patries. Bauer n'a pas disparu à gauche...

Que lui répondait Marx ? Que l'émancipation politique — en l'occurrence, celle des Juifs d'Allemagne — ne représentait pas le *nec plus ultra* de l'émancipation humaine et que, tant que cette dernière n'était pas advenue, on pouvait bien continuer à être juif, si on le voulait. Ici, commentait Rubel, Marx comme Hegel semblent se prononcer en faveur de l'acquisition de droits politiques pour les Juifs. Malheureusement, le raisonnement ne s'arrête pas là. En faisant de « la question juive » un test des bornes de l'émancipation démocratique, Marx ajoute sur un ton imprécateur que cette libération finale, qui doit avoir les dimensions de l'humanité, ne pourra s'opérer qu'en *déjudaïsant* la société. Au risque d'engendrer une confusion riche d'avenir, voire une fusion de la haine du Juif et de celle du bourgeois. D'où ces lignes insupportables dans lesquelles Marx soutient que l'erreur de Bauer consiste à chercher le secret du Juif dans sa religion alors que « le fonds profane du judaïsme » serait « le besoin *pratique*, l'*intérêt personnel*. Quel est le culte profane du juif ? Le *trafic*. Quel est son Dieu ? L'*argent*. Eh bien ! En s'émancipant du trafic et de l'argent, donc du judaïsme réel et pratique, notre époque s'émanciperait du même coup ». L'élimination des Juifs devient le corrélat de l'élimination de la société bourgeoise, celle-là même que le *Manifeste du parti communiste* décrivait comme « plongée dans les eaux glacées du calcul égoïste ». « C'est de ses propres entrailles que la société bourgeoise engendre continuellement le Juif », renchérit Marx.

Bien des traits de l'antisémitisme du XXe siècle, notamment en Allemagne, émergent dans ces pages où le « Juif réel » se voit décrit tantôt en marchand de femmes à la « nationalité *chimérique* », tantôt sous les traits du barbare méprisant l'art et la création et rêvant de domination mondiale. Certes, ces textes ont été écrits bien avant la Shoah et même bien avant le développement de l'antisémitisme *völkisch* et il convient de ne pas les charger d'un sens rétrospectif (en prétendant qu'ils préfigureraient l'extermination hitlérienne ou même qu'ils auraient eu une influence directe sur l'« antisionisme » du dernier stalinisme, relais de l'antisémitisme après 1945). Mais l'Allemagne de la contre-révolution n'en avait pas moins été marquée de pogroms et la violence antijuive était loin d'y être inconnue. On pourra objecter que Marx voit dans le Juif une hypostase du « besoin pratique ». Il n'empêche que plus d'une allusion montre que, pour lui, les Juifs réels ont bel et bien une propension particulière à l'incarner. Ne se sont-ils pas empressés « ardemment » selon lui de collaborer à l'évolution de la société en un « sens négatif » ? N'est-il pas redoutable, aujourd'hui, de lire que l'homme ne devient véritablement homme que lorsqu'il cesse, ainsi que la société, d'être juif ? Quelle conclusion en tirer sur le degré d'humanité du Juif ? Il faut enfin rappeler la conclusion, en forme de mot d'ordre dans le style du messianisme exterminateur : « *L'émancipation sociale du juif, c'est l'émancipation de la société libérée du judaïsme* » (souligné par Marx), phrase terrible où apparaît encore que, pour Marx, le Juif est devenu l'archétype du bourgeois et réciproquement. Marx n'éprouve que mépris pour ce peuple auquel ses origines le rattachent puisque, né juif, il avait été converti par son père dans l'enfance. Est-il tenable, comme s'y essayait Rubel, de lire ces textes comme des admonestations prophétiques faites *de l'intérieur* et, au lieu de faire de Marx un antisémite, d'y voir un prophète de malheur mal compris ?

Honnête et scrupuleux, Maximilien Rubel tente alors dans les notes de l'édition de poche de tirer Marx du côté de Spinoza. Pour lui, le réprouvé d'Amsterdam se trouve plus proche de l'argumentation de Bauer que le converti Marx et, en suivant le fil du raisonnement, Spinoza se montrerait en définitive plus hostile à la religion juive que l'auteur du *Capital*. Pourtant, si le projet de Marx est éthique — telle est l'opinion de Rubel —, il paraît difficile de ne pas voir dans le judaïsme tel qu'il est décrit dans *La Question juive* l'antitype de l'émancipation *morale* de l'homme. La rigueur aura d'ailleurs le dessus. Maximilien Rubel concède, tout en le déplorant, que « la phobie de l'argent est telle chez Marx que sa dénonciation semble s'étendre au-delà de la minorité riche de la communauté juive ». Il ne s'agit pas que d'apparence : Marx négligeait la majorité juive qui vivait de revenus modestes, regrette encore Rubel, cette *Judennot* (misère juive) que lui-même avait sans doute dû approcher en Roumanie.

Admettons que l'antisémitisme de Marx était assurément moins judéophobe que celui de ses contemporains théoriciens du socialisme, du communisme ou de l'anarchie à commencer par son adversaire Proudhon. Il reste quand même ardu de chercher à faire de Marx un prophète parmi les siens. Après tout, l'horizon du prophétisme, comme Max Weber l'a fort bien montré dans le *Judaïsme antique*, demeure dans le cadre, largement délaissé par Marx, de l'Alliance et de la Loi. La défense de Dieu dans le malheur — typique des Prophètes d'Israël — devant un peuple infidèle n'implique aucun bouleversement théologique, et encore moins aucun dépassement dialectique de la Loi dans le style de Marx. Non, décidément, il n'y a rien chez Marx d'un nouveau Jérémie !

Au début des années 90, la personnalité dont je me sentais intellectuellement proche était l'historien François Furet. « Intellectuellement », car je n'ai rencontré l'historien qu'une seule fois, dans le cadre d'une interview pour *Le Monde,* peu de temps avant sa mort, et n'en ai jamais été le disciple. À la rentrée de l'automne 1995, paraissait son essai *Le Passé d'une illusion*[3]. À dire vrai, le choix de travailler sur l'« idée communiste au XXe siècle » m'avait surpris de la part de Furet. N'avait-il pas, à la fin de la décennie 1989, annoncé qu'à l'instar du Tocqueville de *L'Ancien Régime et la Révolution* il allait « remonter » le cours du fleuve révolutionnaire (lequel s'achevait, pour lui, aussi tard qu'en 1880) ? C'était pourtant mal le connaître que de se l'imaginer scruter à la loupe l'Ancien Régime pour y trouver la Révolution déjà tout entière inscrite. Son ancrage libéral ne pouvait pas non plus lui faire suivre la voie de Taine, grand critique de la raison occidentale, qui dans *Origines de la France contemporaine* considérait la culture de salon et le goût pour la conversation abstraite au XVIIIe siècle comme les véritables matrices du jacobinisme. Furet, grand esprit passionnément attaché au commentaire de l'actualité, était maintenant préoccupé par l'éventualité d'une irruption, en France, du *politically correct*. Entendez par là une culture ultra-différentialiste qui faisait rage sur ces campus américains fréquentés par François Furet une fois l'an à l'université de Chicago, épurant les canons littéraires, érigeant « l'homme blanc mort » en image de l'ennemi absolu et pratiquant dans les lettres et les sciences sociales ce qu'un observateur américain avait qualifié — en termes eux-mêmes d'inspiration très « furetienne » — de « dictature de la vertu[4] ». Comme si le pourfendeur du jacobinisme historiographique avait retrouvé ses ennemis dans une gauche académique obsédée par la défense des femmes, des homosexuels, des Noirs et autres minorités. La mise en bilan du communisme avait d'autre part commencé avec l'ouverture provisoire des archives pendant la Perestroïka, et, à l'évidence, les premiers résultats de ces recherches le sollicitaient plus que l'étude des frondes parlementaires. Avec *Le Passé d'une illusion*, Furet se fixa comme objectif de conjuguer la reconnaissance de la tragédie inhérente à l'histoire du communisme avec le projet de créer une conscience historique commune à l'Europe tout entière, Ouest et Est réunis. Objectif noble, mais qui ne semblait pas dépourvu de mauvaise conscience chez cet ancien militant communiste du début des années 50. Déformé, cela donnera la thèse selon laquelle l'Occident aurait une dette vis-à-vis de l'« autre Europe ». Un devoir réparateur né de l'« abandon » des pays tombés dans la hotte de Staline après 1945.

Sua lege damnatus

Je me revois encore en train de lire, sur épreuves, le beau phrasé de François Furet. Toutes les figures qui surgissaient au fil des pages semblaient recouvrir une part d'autobiographie savante, depuis l'évocation de Pierre Pascal gagné d'abord par le « charme universel d'Octobre » (avant d'en devenir l'un des premiers déçus) jusqu'aux historiens de la Révolution française, d'Alfonse Aulard à Albert Mathiez, soupçonnés d'avoir contribué à acclimater la rhétorique de la Révolution française au coup d'État fomenté par Lénine. On y voyait défiler la cohorte des trompés comme Victor Basch, l'ancien dreyfusard, président de la Ligue des droits de l'homme, l'universitaire juif germanophone assassiné par la Milice avec sa femme... Puis vinrent certaines approximations gênantes. Par exemple, alors qu'en Allemagne les historiens étaient en train de redécouvrir l'implication de la Wehrmacht, autrement dit de la société allemande, dans les crimes du nazisme, François Furet s'ingéniait à reprendre à son compte la conception vieillie d'une « armée régulière » ayant manifesté « peu d'inclination à y participer[5] ».

Mais mes yeux s'écarquillèrent à la lecture de la note-fleuve du chapitre 6 (« Communisme et fascisme »). Dans ce texte inopiné, François Furet rendait un hommage appuyé à l'un des historiens et philosophes allemands les plus controversés du moment : Ernst Nolte[6]. Ce dernier, écrivait-il, aurait eu le mérite de briser le « tabou intéressé » de l'antifascisme, obstacle majeur, à l'en croire, à toute mise en relation du totalitarisme communiste avec les totalitarismes fasciste ou nazi. François Furet qualifiait même l'œuvre de Nolte, dont seul un ouvrage déjà ancien, *Le Fascisme en son époque*, était en gros disponible en français, d'une des « plus profondes qu'ait produites ce demi-siècle ». Et d'accuser la gauche allemande de l'avoir « diabolisé ». Je lus et relus plusieurs fois ce texte. Oui, Nolte était bien l'objet de son plaidoyer, le philosophe disciple de Heidegger, à l'origine penseur classé plutôt à gauche mais qui était devenu depuis les années 80 l'un des chefs de file du renouveau nationaliste en Allemagne[7].

Nolte, dont la thèse, désormais célèbre, fait du nazisme non seulement un phénomène second chronologiquement par rapport au bolchevisme (sur ce point Furet le suit) mais également une *réaction* au communisme, met les deux totalitarismes en relation étroite de cause à effet. Pour Nolte la présence importante des Juifs dans le mouvement communiste constitue surtout un thème récurrent, presque obsessionnel, et les conséquences sur l'interprétation de la Shoah qu'il en tire sont redoutables. Elles sont bien résumées par la formule de Cicéron *sua lege damnatus*[8]. Surtout, dans un contexte où les massacres bolcheviques et la criminalité nationale-socialiste sont mis en équation, ou du moins en étroite relation... Dans ce contexte « révisionniste », la violence d'Auschwitz n'est plus qu'un simple épisode d'une « guerre civile européenne ». L'extermination des Juifs doit surtout être mise en relation avec le Goulag. Elle en perd, du coup, sinon son atrocité singulière dont Nolte ne disconvient pas, du moins son caractère *sui generis*. Certes François Furet avait qualifié de « triste » la tendance de Nolte à prétendre faire des victimes juives du nazisme des acteurs, pour ne pas dire les responsables de leur propre tragédie. Furet regrettait l'insistance de Nolte sur « la quantité considérable d'hommes et de femmes de cette extraction [juive] dans les différents partis communistes et leur entourage* ». Par là, déplorait Furet, le professeur berlinois

* *Le Débat*, mars-avril 1996. Les arguments de Nolte ont été réfutés de façon convaincante par Ian Kershaw dans son *Qu'est-*

avait affaibli son interprétation en prétendant trouver le « fondement rationnel » de l'antisémitisme hitlérien. Mais il expliquait cette exagération par le « fond de nationalisme allemand humilié » qui s'attardait chez un homme plus ou moins intellectuellement au rancart dans son propre pays, en tout cas bien classé dans les rangs des ultraconservateurs[9] et qu'il s'employait, avec succès, à réintroduire dans le débat français.

Accablé par la lecture de ce morceau qui heurtait de plein fouet mon admiration pour l'historien de la Révolution française, je me précipitai sur le téléphone afin de battre le rappel des intellectuels susceptibles d'argumenter sur ce qui m'apparaissait comme un dérapage. De ma propre initiative, j'appelai un historien lui suggérant de rédiger une réponse. La voix ennuyée que j'eus à l'autre bout du fil ne manifesta pas un enthousiasme exagéré. N'était-ce pourtant pas sa fonction que de se prononcer sur une question d'histoire contemporaine, fût-elle aussi polémique ? Il en convint, mais ne fit rien. Je me tournai du côté d'un autre historien qui aurait dû être particulièrement sensible à ce genre de dérives. Mais la mémoire des articles courageux de François Furet sur le sionisme le retenait. J'en sollicitai enfin un troisième : même déchirement. Sans approuver la note, ce proche de Furet m'avoua être incapable de s'attaquer à un homme auquel il était si lié. J'évoque ces conversa-

---

ce que le nazisme ? Problèmes et perspectives d'interprétation, Gallimard, « Folio », Paris, 1997 [1993], traduit de l'anglais par Jacqueline Carnaud, p. 372-378. Le livre de Nolte, *La Guerre civile européenne, 1917-1945. National-socialisme et bolchevisme* (éd. des Syrtes, Paris, 2000), traduit de l'allemand par Jean-Marie Argelès, avec une préface de Stéphane Courtois, donnera lieu au colloque dont il sera bientôt question.

tions uniquement pour qu'il soit su que le débat aurait pu avoir lieu.

Je n'étais pas le seul à avoir éprouvé une déception à lire la note sur Nolte sous la plume d'un homme dont la proximité avec les Juifs était si évidente et dont la sympathie pour leur histoire et leur État se faisait rare en France. « Oui, cette relation à Nolte nous empêche de faire notre deuil », me confia quelqu'un qui l'avait bien connu.

Fascisme et communisme : les Juifs au milieu

La courte période qui sépare la parution du *Passé d'une illusion* de la mort brutale de François Furet, à l'été 1997, verra le débat sur la fameuse note rebondir avec la sortie d'une correspondance entre les deux historiens. D'abord publié dans la revue romaine *Liberal*, cet échange de lettres fut repris en français dans deux numéros de la revue *Commentaire* pour paraître par la suite en livre. Au dire des proches de Furet, l'historien qui avait pris l'initiative d'invoquer ainsi le personnage sulfureux du professeur berlinois se serait finalement aperçu du caractère peu tolérable de ses opinions, et aurait fini par prendre ses distances. Mais la lecture de l'ouvrage ne confirme pas tout à fait cette impression. Si certaines réserves sur des points essentiels sont effectivement perceptibles dans les lettres de l'historien français, le livre ne restitue pas aussi nettement ce mouvement de recul. Relue aujourd'hui, cette correspondance, présentée sur la quatrième de couverture comme « aux antipodes d'un conformisme prudent », étonne tout de même par les vastes traversées que les deux historiens s'y autorisent, et que n'explique pas seulement le ton libre du style épistolaire. Il y a là comme le chant du cygne d'une histoire « généraliste » du xxᵉ siècle. Non qu'elle ne soit plus nécessaire, au contraire, mais parce que ceux qui sont capables de la faire se font rares.

En réalité, à lire ces textes d'un peu près, les convergences n'ont pas toutes l'air d'être fondées sur un malentendu. Sur certains points, François Furet va parfois même un pouce plus loin qu'Ernst Nolte. Ainsi quand le philosophe allemand affecte de simplement constater que de nombreux Juifs sont présents dans l'appareil communiste [10], l'historien le corrige d'abord, en précisant qu'il s'agit du « premier état-major communiste »... mais finit par se laisser aller à une explication carrément « essentialiste » du phénomène. « Pour beaucoup de raisons, écrit-il, dont je n'ai pas la place ici de faire l'inventaire même sommaire, les Juifs sont, dans le monde moderne, le peuple le plus porté à l'universalisme — donc à la fois au libéralisme et au communisme —, après avoir été le peuple le plus persécuté-ghettoïsé par l'Europe chrétienne, et enfermé dans la promesse de son élection qui lui a permis de survivre. »

De par la génération à laquelle les deux hommes appartiennent, il semble que tous deux se montrent attachés, pour des raisons inverses, à l'imagerie du Juif révolutionnaire. Seule divergence, chez Furet la chose est prise en bonne part, tandis qu'elle déplaît au néoconservateur allemand. En revanche, François Furet proteste, sans ambiguïté, quand son interlocuteur se met à exposer sa théorie du « noyau rationnel » qui revient à chercher les éléments de réalité sur lesquels se serait appuyée la fantasmagorie nazie. À cela se borne, dans cet écrit, la défense des Juifs par

Furet. Ce qui me parut — et me paraît toujours — léger, c'est le peu de souci que ces deux intellectuels manifestent du comportement politique des Juifs eux-mêmes dans l'histoire. Qu'en a-t-il été de la relation *réelle* des Juifs avec le communisme ? N'a-t-elle pas été des plus marginales, même si, comme on le verra un peu plus loin, les conséquences du communisme sur la vie des Juifs, elles, ne le furent pas ? Si les deux hommes se rejoignaient sur un point, c'était pour dénoncer un « conformisme » d'époque (pas encore baptisé de « vigilance » ni de « bien-pensance ») qui empêchait, à leurs yeux, d'évoquer la criminalité communiste.

J'étais peiné de constater que François Furet négligeait de prendre nettement position sur les usages pervers faits par Nolte de l'idée qu'il ne fallait pas considérer les Juifs comme de simples *victimes* mais comme des *acteurs* de leur histoire, cette histoire se révélât-elle catastrophique pour eux. Se refuser à figer l'existence juive dans une posture passive, de victime par essence, est une chose nécessaire. Mais en profiter pour leur ôter la dignité qu'on doit aux victimes dès lors qu'ils le sont effectivement, en est une autre. Il convient de dissocier strictement la lecture des faits (dans laquelle les Juifs peuvent être considérés comme des acteurs) de l'estimation morale (où ils conservent dans la persécution leur statut de victimes). Nolte, au contraire, tend à confondre les deux plans. L'historiographie juive moderne cherche de son côté à restituer aux Juifs ce statut d'acteurs. Pour autant la limite doit être impérativement maintenue entre cette tendance — positive — et la dérive consistant à faire peser sur les Juifs tout ou partie de la *responsabilité* de leurs malheurs, quand ceux-ci ont maille à partir avec l'antisémitisme. On peut certes évaluer ou critiquer la *réponse* que les Juifs ont opposée à la haine antijuive à travers les siècles. On peut penser avec Hannah Arendt qu'il n'y a jamais de degré zéro de la responsabilité, même dans les cas les plus extrêmes de l'oppression. Mais sûrement pas induire de cette capacité de réponse une once de causalité juive dans l'antisémitisme*. Qu'on ne s'y trompe d'ailleurs pas. Le raisonnement qui refuse aux Juifs la dignité de victimes après la Shoah représente une forme particulièrement radicale de l'antisémitisme** ! Après l'échec de l'offensive négationniste

---

* Pour ce qui est de l'opinion de François Furet sur ce problème, on peut dire qu'en affirmant une proximité de nature des Juifs avec l'universalité démocratique, il voulait faire leur éloge et, du reste, chez lui, les Juifs partagent ce trait avec les Américains. Son intérêt pour le sionisme s'enracine par ailleurs dans une intuition théorique profonde : celle de la contingence de l'Histoire dont le cours peut parfaitement se ressentir de l'intervention d'individus comme un Theodor Herzl. Par ce décisionnisme prudent, Furet entend réfuter le pesant déterminisme propre à une historiographie et une à sociologie françaises, ballottées entre l'idolâtrie de la « longue durée » chère à l'école des Annales, les interprétations marxistes de l'Histoire et le sociologisme qui réduit tout au jeu des acteurs dans le « champ ». On peut raisonnablement penser que ceux qui conciliaient une origine juive et un engagement dans le mouvement communiste, notamment dans les rangs du Komintern, avaient toute sa sympathie. Là, en tout cas, réside la profonde différence de point de vue entre Furet et son correspondant berlinois.

** La question morale est d'autant plus importante que la mise en équivalence de certains survivants de la Shoah et des nazis est un des thèmes aussi insidieux que favoris de l'extrême droite. En Autriche par exemple, le leader populiste Jörg Haider lança une calomnie à l'adresse d'Ignaz Bubis, alors dirigeant de la communauté juive en Allemagne, l'accusant d'avoir pendant la Seconde Guerre mondiale fait passer de l'or en contrebande de Suisse en direction du Reich. De même, insinua-t-il, que l'écrivain pacifiste Robert Jungk, candidat écologiste aux élections présidentielles

visant à convaincre que le Génocide n'avait pas eu lieu, une autre charge est en train de voir le jour, plus insidieuse encore. Elle minimise la Shoah en en faisant un événement réactif second par rapport à l'agression « judéo-bolchevique ». Qu'un certain nombre de Juifs aient été tentés de rejoindre le mouvement communiste et que ces trajectoires comportent quelque chose de fascinant aux yeux des historiens, c'est l'évidence. En revanche, on ne saurait laisser dans le vague la question corollaire : en quoi est-ce significatif des comportements de la grande masse des Juifs européens eux-mêmes au XXe siècle ? Cette lacune est dommageable. D'autant plus que l'universalisation de la haine antijuive résultant du communisme allait faire payer aux Juifs le prix fort de l'illusion de quelques-uns d'entre eux.

Un colloque en l'an 2000

Ma vie de journaliste m'a conduit à assister à de nombreuses conférences. Peu m'ont toutefois laissé une impression aussi pénible qu'un colloque organisé par la Géode, un laboratoire du CNRS de Nanterre dirigé par Stéphane Courtois, trois ans après la mort de François Furet. Il s'agissait d'un thème pourtant consensuel en apparence : « Origines et émergence des régimes totalitaires en Europe ». Toute la fine fleur de la science politique semblait s'y être donné

---

de 1992, et d'origine juive, avait écrit des articles à la gloire de l'Allemagne nazie depuis son exil helvétique. Voir Anat Peri, *Jörg Haider's Antisemitism*, The Vidal Sassoon International Center for the Study of Antisemitism, Université hébraïque de Jérusalem, n° 18, 2001, p. 12-20.

rendez-vous afin d'entendre l'un des invités vedettes, venu l'Allemagne : Ernst Nolte[11]. On sentait tout de même l'assistance un peu gênée. Le public, où l'on remarquait Pierre-André Taguieff ou le philosophe Tzvetan Todorov, attendait un geste du « grand homme » pour applaudir sans malaise. Le texte de Nolte tournait autour de la notion de révolution et de la valeur bonne ou mauvaise dont cette notion avait été successivement affectée au fil du temps. Après avoir rappelé, à l'intention de son public français, que les deux grands socialistes français, Fourier et Proudhon, étaient des antijuifs patentés, Nolte se lança dans une explication destinée à montrer que quand Hitler érigeait en adversaire absolu « le Juif révolutionnaire » (figure ou réalité, il ne le précisait pas...), il ne faisait que retourner comme un gant la représentation universalisante du Juif produite, à l'en croire, par l'histoire du marxisme et de la révolution d'Octobre. D'où l'usage par Nolte de l'expression grecque *Metabasis es to allo genos* (renversement en un autre genre) afin de décrire la pensée révolutionnaire — devenue repoussoir absolu aux yeux des nazis. Le nazisme reproduisait le marxisme en en inversant les valeurs. Nolte concédait que le « tort » du national-socialisme avait été de transformer le « grand nombre de Juifs » (impliqués dans le bolchevisme) en « les Juifs[12] ». Mais lui aussi affirmait haut et fort que « les Juifs » avaient joué leur rôle universel dans un affrontement lui-même universel ayant opposé révolution et contre-révolution. Ne pas le reconnaître, ajoutait Nolte, serait leur « faire outrage ». Même si Hitler avait poussé à l'extrême cette considération en faisant « de participants des auteurs ». Par là, Nolte exposait sa fameuse théorie du *fundamentum in re*, principe d'explication, précisait-il, et non pas tentative de légitimation. Comme si c'était faire injure aux Juifs que de ne pas reconnaître leur importance dans l'avènement du communisme ! Le Juif acteur ce n'était plus le résistant s'armant contre l'oppresseur, l'insurgé du ghetto de Varsovie. Ce n'était pas non plus le Juif politique tentant de combattre l'antisémitisme mais le Juif du NKVD, l'instrument d'une violence en quelque sorte première, à laquelle la violence hitlérienne ne constituait qu'une réplique. La notion d'« universel » servait à faire passer une pilule plutôt amère. Cette conception du rôle joué par les Juifs dans les bouleversements du XXe siècle était-elle si éloignée — les sous-entendus en moins — de celle d'un Furet ?

Bien des années auparavant, dans un de ses articles du *Nouvel Observateur*, François Furet avait lui aussi exalté l'image flatteuse du « peuple acteur de son propre destin (et non victime passive) ». Évoquant en 1979, quelques mois avant l'attentat de la rue Copernic, l'inquiétude qu'il sentait poindre chez des Juifs français à qui la période de l'Occupation avait démontré qu'en matière d'assimilation « les jeux ne sont jamais faits », François Furet ajoutait cette considération pour le moins troublante : « [Les Juifs français], écrivait-il, ont ainsi *réinventé* une des accusations classiques de l'antisémitisme contre eux : d'être un peuple mobile, universel, partout et nulle part[13]. »

Que l'antisémitisme puisse à ce point déteindre sur le buvard de la conscience juive, je n'en disconviens pas et je le montrerai encore dans le prochain chapitre où il sera question de la haine de soi. Mais ici, François Furet laisse l'impression dérangeante d'un brouillage entre cause et conséquence, et paraît flirter avec la limite. Que le nomadisme soit une conséquence de la persécution antijuive, c'est une évidence. Mais qu'il soit le résultat d'une propension atavique à l'universel, fût-il démocratique, voilà qui renvoie à une théologie moins sympathique où le Juif, chevalier servant malgré lui de l'universel, comme Don Quichotte l'était de Dulcinée, paie son élection de ses malheurs*. François Furet révèle une véritable difficulté à admettre une autre hypothèse beaucoup plus simple selon laquelle les Juifs qui ont opté pour le communisme ont, en réalité, cessé de l'être, sauf dans les constructions délirantes du nationalisme *völkisch*. Certes la transition a pu être graduelle et la renaissance d'une culture yiddish dans la Russie soviétique des années 1920 et 1930 a pu faire illusion et donner à penser que l'histoire des Juifs se poursuivrait malgré tout sous l'égide du « socialisme réel ». Mais, pour l'essentiel, l'adhésion au mouvement communiste équivaut à une sortie individuelle d'un judaïsme qui a perdu son sens en tant que collectivité aux yeux de l'intéressé (même s'il peut demeurer attaché à certaines traces folkloriques). Elle n'est en somme qu'un autre nom pour l'assimilation. Bien entendu, toutes les équivoques qu'on trouve sous la plume d'un Furet ne sont nullement significatives d'un propos qui témoigne le plus souvent d'une perception fine, parfois prémonitoire, des potentialités de la haine antijuive. Notamment quand il s'exprime du côté qui lui importait au fond : le côté gauche.

Ce que François Furet avait parfaitement compris,

---

* « L'histoire du dernier demi-siècle a fait d'eux, comme du judaïsme européen, la butte témoin des tragédies du moderne : l'Holocauste les a tragiquement privés de la croyance heureuse à l'assimilation ; et les drames du communisme, du recours au messianisme révolutionnaire », François Furet, *Un itinéraire intellectuel*, *op. cit.*, p. 473. Voir ci-dessus.

c'était la tendance lourde de la gauche à n'admettre l'image du Juif que souffrant, et l'incapacité de celle-ci à accepter l'image du Juif s'appropriant une quelconque violence, fût-elle légitime. Si la gauche acceptait avec enthousiasme de prendre la défense (rétrospective) du survivant de la Shoah, celle-ci ne cesserait de rejeter le type de réponse à l'antisémitisme proposé par le sionisme. Furet avait vu dans le sionisme le grand perdant du tournant anticolonialiste tardif de ladite gauche, fabriquant le stéréotype substitutif du Juif vainqueur (en 1967) « devenu bourreau » (surtout à partir de l'incursion de Tsahal au Liban en 1982). François Furet datait de la crise de Suez ce retournement appelé à une longue postérité et que viendront renforcer d'autres « idéologies françaises » (l'antiaméricanisme, le gaullisme de gauche, bref tous les credos de la gauche « catholique » quand elle n'est pas « marxiste », ajoutait-il, ironiquement). Enfin, il notait comment, croisant des fantasmes diplomatiques aussi bien que révolutionnaires, la France se faisait l'intermédiaire naturel des peuples du tiers-monde sur le dos d'Israël, État devenu pour la diplomatie française une figure de substitution des États-Unis, puissance plus difficile à affronter. Dans la relation à Israël se jouait donc l'angoisse du déclin propre à la France d'après guerre. Visionnaire, vingt ans avant que Pierre-André Taguieff ne fasse l'inventaire des « nouvelles judéophobies », François Furet avait su d'emblée prendre la mesure de l'antisémitisme « mondialisé » qui s'alimentait du conflit du Proche-Orient. Antisémitisme dont il redoutait, dès 1979, qu'il ne revête des formes et une dimension inédites[14]. Tout au plus pouvait-on lui reprocher de rapporter trop exclusivement le développement de cet antisémitisme à la mondialisation des solidarités unissant la diaspora avec l'État juif, instaurant une relation directe entre les faits et gestes des Juifs, et la réaction antisémite[15]. Là encore, la théorie du Juif acteur recèle des risques de transition « dans un autre genre » (*Metabasis es to allo genos*) ! En aucun cas il ne s'agit de faire figurer François Furet en position d'accusé. Même si son autorité intellectuelle, sa proximité avec le philosophe Allan Bloom dont il fréquentait le cercle à l'université de Chicago, sa profonde compréhension de l'existence juive contemporaine ont peut-être pu lui laisser penser qu'il n'avait pas de pincettes à prendre, dût-il se trouver çà et là sur la même longueur d'onde qu'un Nolte. Cette provocation visait une gauche conformiste dont la bien-pensance lui rappelait, sans doute, les ravages de la *political correctness* à l'œuvre sur les campus américains dont il ne cessait de s'alarmer. Paradoxalement, c'est cette préoccupation devenue centrale qui lui fit importer en France un débat qui, aux États-Unis, n'avait d'autre scène que les universités, et d'autre enjeu que la définition d'un « canon » de livres essentiels à lire par les étudiants. Confiné dans sa sphère académique, le « politiquement correct » qui préoccupait tant l'historien dans le début des années 1990 ne faisait pas grand dommage à la société américaine. Ses effets étaient limités, du moins à l'époque. En revanche, exporté en France où la parole publique des intellectuels conserve un écho social plus étendu qu'en Amérique, ce débat et un soupçon systématique porté sur tout ce qui de près ou de loin rappelait la vigilance dans le discours sur les minorités ne pouvaient que revêtir une dimension politique. La volonté de « choquer le bourgeois » (de gauche) ou de faire passer un grand vent de peur sur les « nouveaux bien-pensants » avait d'autres conséquences dans une Europe grevée par la double mémoire du fascisme et du communisme qu'outre-Atlantique. Ne pas les avoir suffisamment pressenties : tel reste, à mon avis, le faux pas de François Furet.

Revenons à Nolte et à sa conférence parisienne du printemps 2000. Certains des applaudissements qui suivirent son intervention ressortissaient à la simple politesse. D'autres, en revanche, devaient me faire plus de mal. Bien sûr, l'ensemble de l'assistance n'était pas « noltisé » et quelques spectateurs étaient même venus en découdre, bien que de façon parfois fort discrète et elliptique. Mais il régnait globalement sur l'assemblée un vent de fronde orienté d'abord contre une supposée bien-pensance que l'on soupçonnait d'avoir ostracisé Nolte sans l'entendre, par excès de « vigilance » ou, pour d'autres, dans le but d'empêcher que soient mises sur le même plan les victimes du nazisme et celles de la terreur bolchevique — perpétuant par là une insupportable hiérarchie victimaire ! Comme si beaucoup brûlaient d'applaudir cet aérolithe venu d'Allemagne censé braver l'« interdit » pesant sur la contestation de la spécificité de la Shoah (Nolte s'en défendait pourtant). Bref, beaucoup de ces gens frétillaient de leur audace à être venus, contre l'avis des « conformistes » médiatisants, se repaître de science sulfureuse. Les questions fusèrent depuis les gradins. Je prends difficilement la parole en public et je n'affectionne guère les micros. Mais il me parut indispensable d'intervenir, moins pour réfuter Nolte que pour rappeler aux esprits forts qui se trouvaient là qui ils s'apprêtaient à célébrer. Je me levai donc, et d'une voix balbutiante rappelai à l'assistance que dans *La Guerre civile européenne*, Nolte avait parlé des négationnistes comme de personnes « aux motivations variées mais souvent honorables » avec lesquelles il conviendrait de polémiquer « objectivement[16] ». J'avais constaté que Nolte s'entendait avec Furet pour réprouver toute poursuite légale contre le négationnisme, pourtant seul moyen efficace, à mon avis, pour les faire taire enfin et qui, en France, a fait ses preuves quand des procès ont eu lieu. Généralement, ceux qui refusent les poursuites légales jugent (à tort selon moi) suffisants les réfutations voire le simple mépris. Tel n'était pas le cas de Nolte qui paraissait attribuer une importance extraordinaire au négationnisme. Pas pour des raisons éthiques ou par souci de combattre l'antisémitisme ! Mais parce que, si les négationnistes ont raison, si les chambres à gaz n'ont pas existé, toute ma théorie « relationniste » s'effondre, disait-il (Holocauste = réaction à la terreur rouge[17]).

Je demandais donc à l'orateur de préciser sa pensée quand, dans son livre, il avait désigné les adeptes de Paul Rassinier ou Robert Faurisson, à mes yeux des antisémites d'un nouveau genre, comme autant de personnes « honorables ». Dès que je pris la parole, une vague de têtes se tourna vers moi et j'eus la désagréable sensation d'être instantanément fixé par l'assistance dans une image de journaliste non seulement intrus, mais judéocentrique et vigilant. « Qui a tort intellectuellement n'est pas forcément un homme mauvais », me répondit Nolte de sa voix chevrotante... Les applaudissements fusèrent surtout quand Nolte lâcha : « comme historien, je *relationne* Auschwitz mais comme homme moral, je ne le relativise pas ». La salle était soulagée. Elle s'ébaudissait de cette profession de foi qui lui permettait enfin de prendre parti pour le mandarin contre le médiatique accusé de crier au loup. Je pense que la réplique de Nolte avait pourtant de quoi laisser rêveur. La critique du négationnisme est-elle désamorcée dès lors qu'on s'entend pour ne pas trouver ses adeptes moralement méchants ? Le débat tourna court. Presque tout le monde en avait, semble-t-il, retiré ce qu'il voulait...

Les Juifs et le communisme : qu'en est-il vraiment ?

Il ne saurait être ici question d'entrer dans le détail d'un thème — les Juifs et le communisme — qui constitue, à lui seul, le sujet d'un livre. Aussi me bornerai-je à étayer de quelques preuves récoltées ici ou là l'opinion que je me suis faite sur une question où l'on se préoccupe plus souvent de la part des Juifs dans le communisme que de celle — en réalité marginale — qu'a tenue le communisme dans la vie politique juive. Seule une reconstruction, dans laquelle entre une bonne dose de mythologie rétrospective ou de psychologie sociale sommaire, peut plaider pour une quelconque parenté entre communisme et judaïsme. Le vent d'antisémitisme qui souffle fort à l'est de l'Europe cherche à tisser des liens systématiques entre les deux, visant par là à rendre les Juifs responsables des malheurs provoqués par une terreur communiste dont on ne veut retenir que l'essence allogène. L'antisémitisme représente en effet une figure bien commode pour exonérer les peuples conquis par l'Armée rouge de toute responsabilité dans l'instauration et le maintien du régime importé dans ses fourgons. Elle permet d'occulter le profit que des couches entières ont tiré de ce régime à des fins de promotion sociale. Il était avantageux, pour dissimuler cette résignation à l'ordre nouveau, d'en accabler les Juifs dans la mesure où ceux-ci étaient déjà considérés comme « étrangers » aux traditions nationales.

Derrière cette renaissance inattendue d'un mythe oublié, celui du Juif révolutionnaire, « jacobin de l'époque », disait l'écrivain allemand Jacob Wassermann, figure qui avait disparu depuis les années 1930, se profile une figure où le persécuté devient parfois l'équivalent moral de son persécuteur. Le discours antisémite de facture nouvelle qui se compose sur ce terreau ne nie pas la réalité des souffrances du peuple juif au XXe siècle comme le faisaient les négationnistes. Mais il cherche à conférer une cruelle « justification » à ces souffrances. Non seulement l'Holocauste a eu lieu, mais les Juifs l'ont bien cherché ! Il faut d'autant moins sous-estimer ce nouvel idiome antijuif que sa puissance de contamination n'est pas négligeable, notamment en France où l'histoire du mouvement communiste au sens large a été si prenante, a suscité tant de passions et d'amertume, et où elle est susceptible de provoquer des réactions particulièrement violentes. Malgré l'urgence, le travail sur les relations réelles entre les Juifs et le communisme ne fait que commencer[18]. Mais certains acquis de la recherche sur cette question sensible mériteraient déjà d'être mieux connus. Jusqu'à présent, l'étude était dominée par les biographies lascinantes des Juifs engagés dans l'Internationale communiste. Mais celles-ci ne permettent pas de sonder les courants majoritaires du peuple juif sur ce problème.

Il n'a jamais été facile de cerner avec exactitude l'opinion publique juive. À l'évidence, manquent les données qui pourraient correspondre à nos enquêtes électorales. Il est arrivé que des élections plus ou moins libres et concernant exclusivement les populations juives aient eu lieu (en dehors de la terre et plus tard de l'État d'Israël). Des représentants de partis juifs ont siégé dans certains parlements d'avant-guerre en Europe de l'Est. On dispose par ailleurs de quelques cas d'élections à participation importante, qui visaient des assemblées spécifiquement juives. En analysant les résultats avec prudence, ne serait-il pas possible d'obtenir une photographie relativement fidèle de ce que les Juifs pensaient du communisme, quelques années avant le deuxième conflit mondial ? Dans le plus grand centre de population juive — en Pologne — se tint ainsi, du 30 août au 6 septembre 1936, un scrutin dont l'objet était le renouvellement des conseils des communautés juives de Pologne (*Kehilot*). C'est à ma connaissance la dernière fois qu'une communauté juive eut l'occasion, en Europe, d'exprimer ses vues politiques sur un mode relativement démocratique pour l'époque, c'est-à-dire par le biais d'une élection directe (au suffrage masculin). Cette élection portait, il est vrai, sur des organismes à vocation principalement cultuelle. Pourtant le parti social-démocrate juif, le Bund, avait, cette fois, décidé de s'y associer, tout en désapprouvant la mise à l'écart des femmes et des jeunes. À la surprise générale, les candidats socialistes y remportèrent d'appréciables succès sur les partis religieux mais aussi au détriment des sionistes (la situation qui empirait en Palestine faisait de l'émigration une perspective de moins en moins crédible pour les Juifs polonais confrontés à un antisémitisme pourtant de plus en plus virulent[19]).

Ce succès fut-il dû à un soutien communiste dissimulé, les électeurs se prononçant pour le Bund faute de pouvoir porter leur suffrage sur un candidat communiste ? Notons que les communistes juifs avaient violemment attaqué la décision du Bund de participer au scrutin. À leurs yeux, les dirigeants juifs socialistes étaient des « socio-fascistes ». On se rappelle que les dirigeants Wiktor Alter et Henryk Erlich, le gendre de l'historien Simon Doubnov, seront bientôt assassinés par Staline une fois aux mains des Soviétiques après l'invasion de la Pologne. En 1936, les communistes appelèrent à boycotter les urnes et ne renoncèrent à cette attitude qu'à la veille du scrutin. Surtout, le contexte dans lequel se tinrent les élections laisse à penser que les succès du Bund ne peuvent être attribués à un vote communiste masqué. Il s'explique plutôt par le désespoir de nombreux Juifs, en particulier pratiquants, face à un climat de persécution de plus en plus dur à supporter. La popularité croissante des socialistes juifs récompensait, en réalité, l'attitude offensive que le Bund avait adoptée dans la lutte contre l'antisémitisme. Ce parti avait en effet organisé une grève de protestation après un pogrom dans la ville de Przytyk, le 17 mars 1936, grève coïncidant avec le passage en lecture, à la Diète polonaise, d'un projet de loi visant, dans les faits, à abolir l'abattage rituel. Un effet de confusion a pu amener certaines consciences religieuses à penser que le Bund, parti laïc s'il en fut, faisait des efforts pour défendre les préceptes fondamentaux du judaïsme. Certes, le cœur politique de l'opinion publique juive en Pologne, dont ces élections constituaient en quelque sorte l'ultime photographie, s'était légèrement déplacé à gauche. Mais rien ne permet de penser qu'il battait pour les communistes[20].

Une autre façon d'aborder le problème est de reprendre ce que l'historien Simon Doubnov, par ailleurs attaché à la démocratie et à l'émancipation (comme au maintien d'une identité juive politique dans le cadre d'une autonomie culturelle), a dit et pensé, en temps réel, de la révolution bolchevique. Le récit de ce démocrate juif favorable à un socialisme éthique et non marxiste pendant les premières années de la révolution d'Octobre (il quitte la Russie au début des années 20) en dit long sur l'absence de congruence entre l'histoire des Juifs et celle du communisme. Simon Doubnov a tenu tout au long de son existence un journal qui devint la matière de son exceptionnelle autobiographie parue dans les années 30. L'historien vivant alors à Petrograd était aux premières loges lorsque s'effectua le renversement du régime issu de février 1917 par la révolution bolchevique. Après avoir rappelé que c'est la révolution de Février qui émancipa les Juifs de l'ex-empire tsariste (et donc que les Juifs n'avaient aucune raison d'en être redevables aux bolcheviques, lesquels s'empressèrent, au contraire, d'annihiler toute vie politique juive une fois le pouvoir conquis), Doubnov donne son jugement global sur la prise du pouvoir par les communistes comme suit : « La Révolution européenne dans sa traduction russe, c'est un pogrom de gauche à la place du pogrom réactionnaire de la droite[21]. » À propos des individus d'origine juive engagés auprès de Lénine, son avis est sans ambiguïté : « ils n'ont pas de racines dans notre peuple », affirme-t-il. Trotski, dont tant d'adeptes suivent les pas croyant parfois emprunter un itinéraire juif, ne trouvera pas grâce aux yeux de Doubnov. Il n'est, à l'en croire, qu'un « esprit borné » ânonnant une seule idée absurde de « révolution permanente ». Se consolant, par l'érudition, de l'anarchie sanglante et de la dictature qui s'installe, Doubnov est bientôt rejoint par l'histoire juive contemporaine avec les pogroms qui se déchaînent en Ukraine à la suite de la guerre civile. Le 7 janvier 1918, à propos de la participation de certains Juifs au coup d'État d'octobre, il pressent qu'« on ne nous fera pas oublier, à nous autres Juifs, les compagnons de Lénine : les Trotski, les Zinoviev, Uritski et autres... En cachette on appelle Smolny : *Tsentrojid* », « le centre des youpins » (p. 812). Et de constater que « le terrain est prêt pour l'antisémitisme ». Très tôt, l'historien comprend comment les communistes s'y entendent à bouleverser la hiérarchie sociale par la hiérarchie de la famine. Les bolcheviques se gagnent les ouvriers à coups de ration supplémentaire. À nouveau, Doubnov tempête contre Trotski, exemple de « tout ce qui est déchu en l'homme » (p. 852). Puis, une à une, les nouvelles des massacres dans ce qui fut la « zone de résidence » parviennent jusqu'à Petrograd. Déjà, Doubnov formule ce qui restera son ultime injonction, celle que la légende met dans sa bouche un instant avant d'être abattu en 1941 par un SS ou un nazi letton dans le ghetto de Riga : « Bonnes gens notez tout, écrivez. » À Lvov, pendant la guerre civile, on brûle vifs les Juifs dans leurs propres maisons, observe-t-il (p. 861). Puis c'est la stupeur : l'Armée rouge elle-même qui se met à perpétrer des pogroms en Ukraine (p. 865-867). Pourtant, les malentendus s'installent dont Doubnov pressent le danger. Ainsi Maxime Gorki rend-il un mauvais service aux Juifs en déclarant maladroitement que ceux-ci ont joué un rôle déterminant dans la révolution bolchevique (p. 880 et 884). Le fait qu'en Ukraine la population juive fuie les Blancs pour se mettre sous la protection des Rouges ajoute pour l'heure à la confusion et, pour plus tard, à l'ambiguïté et au mythe.

D'emblée, l'homme qui à cette époque possède

l'une des consciences les plus aiguës du destin juif perçoit cette vérité simple, à propos des relations entre le communisme et les Juifs : partout ceux-ci auront plus pâti que profité de l'arrivée au pouvoir des bolcheviques. Il faut alors expliquer les adhésions, parfois spectaculaires mais encore une fois marginales, de certains Juifs au communisme. Le processus d'assimilation des Juifs de Russie, d'ailleurs fort bien décrit par Doubnov, et dont ce russophone était l'illustration, était assez bien engagé. Seule la réaction tsariste qui suivit l'assassinat d'Alexandre II en 1881 en bloquait les progrès. Elle se poursuivra sous d'autres formes, en l'occurrence subversives. C'est elle qui sans doute rend raison du processus qui mènera des Juifs à occuper une place de choix dans certains des organes les plus sensibles du pouvoir bolchevique, à commencer par l'organe même dont le nom s'identifie à la « terreur rouge » : la Guépéou, puis le NKVD.

Une exposition en Allemagne

En mars 1995, l'Institut de recherche sociale de Hambourg (Hamburger Institut für Sozialforschung) inaugurait une vaste exposition photographique intitulée *Vernichtungskrieg Verbrechen der Wehrmacht*. Il s'agissait de plus de mille clichés (dont huit cent un ont été reproduits dans le catalogue paru en 1996). Ils montraient les exactions de l'armée allemande dans les territoires conquis sur l'URSS ainsi que dans les Balkans. Ces crimes de masse avaient été photographiés par les « perpétrateurs » eux-mêmes*. L'exposi-

* La plus grande partie de ces clichés n'avaient jamais été montrés au public et provenaient de plusieurs fonds d'archives

tion devait, jusqu'à l'été 1999, voyager dans trente et une villes allemandes et autrichiennes, et susciter des remous. Notamment en Bavière où les partis d'extrême droite, mais aussi la CSU, vivaient très mal son passage (bien que les hommes politiques aient préféré esquiver un débat frontal). Celle-ci n'en a pas moins reçu la visite de huit cent mille visiteurs. En octobre de la même année, à Osnabrück, sa dernière étape, trente-deux mille personnes s'étaient déplacées. 80 % des groupes inscrits pour la visite étaient composés de lycéens. Son installation à Munich, à la Rathausgalerie en février 1997, avait même provoqué une manifestation et une contre-manifestation jetant quelque dix mille personnes dans la rue ! De fait, le propos donnait l'ultime coup de grâce à un mythe solidement ancré dans l'opinion publique allemande et, on l'a vu, chez certains historiens français : celui de l'innocence relative de la Wehrmacht — donc d'une partie de la société allemande — dans les crimes hitlériens commis à l'Est.

---

d'Europe centrale et orientale, d'Israël et des États-Unis. On trouve également un lot de photographies officielles émanant des *Bildberichtern* prises par des professionnels de la PK (*Propaganda-Kompanien*). Celles-là passaient évidemment entre les mains de la censure militaire à Berlin, avant d'être remises aux agences de presse. Certaines avaient été retrouvées dans un fonds de développement de films, saisi en 1945 et envoyé aux États-Unis. Ces stocks furent remis dans les années 60 à la RFA et sont aujourd'hui conservés aux Bundesarchiv de Coblence. D'autres photos sont des clichés d'amateurs, saisis lors de leur capture. Elles proviennent des fonds ex-soviétiques, ex-yougoslaves, tchèques, polonais, autrichiens, israéliens et américains : l'identité de leurs auteurs est inconnue. Souvent l'identification des lieux et des scènes n'a été possible que si celles-ci avaient été au préalable étiquetées. Parfois des recherches ont dû être menées pour les situer.

Voilà une controverse historique, particulièrement disputée au cours des dernières années, que l'exposition qui s'apprêtait alors à passer l'Atlantique pour être montrée à New York relança à ses dépens. En octobre 1999, en effet, une vive polémique se déclenche qui va jusqu'à faire, à plusieurs reprises, la une des quotidiens allemands. Ainsi, la *Frankfurter Allgemeine Zeitung*, sans contester l'objet même de l'exposition — la participation de la Wehrmacht aux crimes de guerre et aux crimes contre l'humanité nazis —, n'hésite pas à parler de « campagne de désinformation » nationale. Le 4 novembre, Jan Philipp Reemtsma, directeur de l'Institut de recherche sociale de Hambourg, annonce une suspension pour trois mois (l'exposition sera reprise plus tard). Que s'était-il passé ? Deux historiens originaires de l'ex-Europe de l'Est, l'un hongrois, Kristian Ungvary, l'autre polonais, Bogdan Musial, avaient fait remarquer que certains clichés n'avaient pas été correctement attribués ou localisés. Ainsi une photo sur laquelle on pouvait voir des monceaux de cadavres ressemblait-elle, à quelques détails près, à un autre cliché sélectionné par la commission pour l'investigation des crimes contre le peuple polonais représentant certes des tas de cadavres de prisonniers, mais assassinés par le NKVD. Avait-on attribué à la Wehrmacht des massacres commis par les instruments de la terreur soviétique ? Du coup, ne pouvait-on en tirer la conclusion implicite selon laquelle les populations d'Ukraine et de Russie blanche, dont une partie apporta son soutien à l'entreprise d'extermination menée par les Allemands et leurs alliés dès 1941, pouvaient avoir peu ou prou quelques raisons non seulement d'en vouloir au NKVD (ce qui peut se comprendre), mais plus précisément aux Juifs, accusés d'en peupler les rangs ? On frisa sans cesse la ligne rouge.

Bogdan Musial, chercheur associé de l'Institut historique allemand de Varsovie, s'expliqua sur sa démarche[22]. Au moment de l'attaque allemande contre l'URSS, le 22 juin 1941, il y avait, rappelle-t-il, un demi-million de prisonniers dans les geôles soviétiques, dont deux cent mille concentrés à l'ouest du pays, soit dans les zones les plus exposées à l'offensive des troupes nazies, aux premières loges de la débâcle de juin 1941. Bogdan Musial place sa recherche sous l'invocation du *Livre noir du communisme* dirigé par Stéphane Courtois, auteur d'une préface largement controversée dans laquelle il est déploré, notamment, que les crimes du communisme soient demeurés des crimes sans images (suggérant que dans cette absence résiderait l'une des causes de leur peu d'impact supposé en Occident). « On touche là, affirme ainsi Stéphane Courtois, l'un des points sensibles de l'occultation des crimes du communisme dans une société mondiale surmédiatisée où l'image — photographiée ou télévisée — est bientôt seule à faire foi auprès de l'opinion ; nous ne disposons que de rares photos d'archives sur le Goulag ou le Laogai [les camps de la Chine communiste], d'aucune photo sur la « dékoulakisation » ou la famine du Grand Bond en avant. Les vainqueurs de Nuremberg ont pu à loisir photographier et filmer les milliers de cadavres du camp de Bergen-Belsen et l'on a retrouvé les photos prises par les bourreaux eux-mêmes, comme cet Allemand abattant d'un coup de fusil à bout portant une femme qui a son enfant dans les bras[23]. » C'est ce défi que Musial prétend relever en affirmant avoir exhumé les premières images des crimes du communisme, dissimulées par le palimpseste des images de la Shoah :

recouvrement symbolique d'une hypermnésie prétendue du Génocide des Juifs qu'il conviendrait d'opposer à l'amnésie relative qui entourerait en Occident les massacres de masse perpétrés par les Rouges ! On va voir que Musial va plus loin encore dans cette direction et transpose directement la concurrence des mémoires et des victimes sur le champ de bataille.

Après avoir évoqué un ordre secret de Beria qui recommandait que soient fusillés tous les « éléments contre-révolutionnaires » dans les prisons, voici comment Musial reconstitue l'enchaînement des faits consécutifs à la découverte des charniers ou des cadavres assassinés dans les prisons par le NKVD : « Les gens criaient vengeance. Mais les exécuteurs avaient pris la fuite. Rapidement on trouva un bouc émissaire : les Juifs. De fait *les Juifs étaient sur-représentés aux échelons inférieurs de l'administration soviétique, ainsi que dans les rangs des miliciens, des hommes de main et des mouchards du NKVD* [c'est moi qui souligne]. Des témoins polonais et ukrainiens avaient également livré les noms de ceux qui avaient pu prendre part aux massacres de masse à Lemberg [Lvov] ou ailleurs. Cependant les plus coupables s'étaient enfuis avec les troupes soviétiques. Mais ils avaient laissé sur place leurs proches qui, eux, n'avaient rien ou peu à voir avec le système de terreur soviétique. C'est pourtant sur ces derniers que la fureur et la haine de leurs concitoyens ukrainiens allaient s'abattre. » Musial non plus ne justifie ni ne relativise — mais met en relation... Il y a toutefois une omission de taille dans son analyse : ce n'est pas depuis l'été 1941 que les populations locales étaient accoutumées à rendre les Juifs responsables de tous leurs maux ! Le mythe du judéo-bolchevisme était enraciné depuis l'époque de la guerre civile. Et la propagande nazie le ressassait à l'envi depuis les années 20*.

Bogdan Musial concède que les photos de charniers étaient pain bénit pour les services de propagande de Goebbels qui, dans son journal (6 juillet 1941), note son intention de les exploiter dans le but de convaincre les troupes que le bolchevisme est bel et bien ce fléau de l'humanité, cette maladie à éradiquer que décrit le discours nazi. À la fin de l'essai, Musial conclut : « De tels sentiments ont contribué à la radicalisation et à la brutalisation de la guerre contre l'URSS. Beaucoup de soldats allemands n'éprouvaient désormais aucune compassion avec les agents réels et supposés du régime soviétique. » Ici, nulle tentative de nier la réalité des crimes de la Wehrmacht ni sa participation au Génocide. En revanche, la mise en relation (au sens noltien du terme, pourrait-on dire) joue à plein. Les crimes nazis sont considérés comme « seconds » par rapport à la criminalité originaire qu'est celle du communisme. Une criminalité à laquelle, d'une façon ou d'une autre, des Juifs auraient été mêlés. Dans les représentations des acteurs, certes, mais aussi — qui sait ? — pourquoi pas dans les faits[24]...

Que disent, justement, les faits de la présence massive ou non de Juifs au sein des organes de la répression stalinienne en général et du NKVD en particulier ? Le préjugé selon lequel les instances de la terreur stalinienne auraient été massivement peuplées de Juifs est particulièrement enraciné, y compris

* L'historien Louis Dupeux, au colloque évoqué ci-dessus, rappelait que dès 1921 le futur idéologue du Parti national-socialiste, Alfred Rosenberg, diffusait un annuaire des Juifs dans la Révolution.

auprès de certains Juifs. Ainsi l'avocat de John Demjanjuk, Yoram Sheftel, parle-t-il dans son récit du procès de la révolte et du dégoût qu'il ressentit à lire les noms à consonance juive sur les plaques commémoratives des morts dans les services du KGB qu'il était allé visiter pour les besoins de sa contre-enquête[25]. Dès lors, il se pourrait bien qu'un strapontin finisse par leur être dévolu, au banc des accusés... D'acteur à responsable, la conséquence ne serait pas bien difficile à tirer. Des recherches sur ce point épineux sont en cours. Quels en sont les premiers résultats ? Les voici : on peut affirmer que les Juifs n'étaient nullement sur-représentés dans l'encadrement du NKVD à l'époque de la « grande terreur » de la fin des années 30, consécutive à l'assassinat de Kirov, le 1er décembre 1934, et a fortiori en 1941. En revanche, il est vrai qu'ils l'ont été dans les premières années de l'URSS.

Un tableau réaliste de la situation commence à pouvoir être esquissé, grâce aux travaux d'historiens russes comme Nikita Petrov (lequel travaille pour la fondation Mémorial à Moscou) et Konstantin Skorkin[26]. En dépouillant les biographies de cinq cent soixante-cinq fonctionnaires, membres de l'encadrement du NKVD sur une période qui va de juillet 1934 à février 1941, ces chercheurs ont pu observer les mutations résultant de la « grande terreur » qui n'a pas manqué de frapper ceux qui constituaient l'appareil même de la répression policière. Les épurations successives en cette période vont toutes dans le même sens : russification, rajeunissement, prolétarisation et, ajoutons, déjudaïsation. Ainsi, alors que, en 1934, 60 % de l'échantillon étudié étaient constitués de personnages formés avant la révolution de 1917, en 1939 les contemporains d'Octobre ne représentent plus que

4 % du total. Pour la même période, la proportion de cadres d'origine dite prolétarienne passe de 40 à 80 %. L'année 1934 est par ailleurs décisive pour l'élimination des Juifs de l'instrument de la terreur soviétique. Plus attentifs désormais aux facteurs de rivalités ethniques dans l'explication des luttes de pouvoir au sein de l'administration soviétique, les historiens constatent que dans les hautes sphères du régime, les Juifs ont été écartés dès la période 1927-1929. Alors qu'avant 1934 la proportion de tchékistes d'origine juive frôlait les 40 % (pour une proportion de 2 % de la population), dépassant même celle des Russes (37 % contre 30 % en 1934), en 1939 cette proportion est drastiquement ramenée à 4 %. Il est à noter qu'en 1934, près d'un tiers de cet encadrement avait encore appartenu (avant 1917) à d'autres partis que le parti bolchevique. Outre les Juifs qui étaient passés par le filtre des partis russes, on en comptait 8 % qui avaient commencé leur vie politique dans des formations spécifiquement juives (5 % dans le mouvement sioniste de gauche Poalei Zion, et 3 % au Bund, les sociodémocrates juifs). En 1939, ceux-là ont totalement disparu. Les statistiques permettent donc de commencer à mettre en doute les tentatives de trouver une once de *fundamentum in re* à l'hypothèse d'une responsabilité principalement juive dans les massacres de prisonniers de 1941. À la fin de la période d'avant-guerre, la proportion de membres de la police d'origine juive est en passe de correspondre à celle de la population juive de l'URSS. Aussi modeste soit-elle, cette proportion servira longtemps à détourner la culpabilité des assassinats de masse, en se focalisant sur la question des Juifs rendus, comme c'est l'usage, collectivement comptables des agissements de

quelques individus d'origine juive dans l'appareil policier*.

Avec la renaissance bruyante à l'Est, feutrée à l'Ouest du mythe du judéo-bolchevisme, l'Europe se voit donc confrontée à une forme d'antisémitisme qui prend racine dans les bouleversements de sa propre histoire et n'emprunte rien à ce prétendu mouvement mondial où les efforts de l'intégrisme islamique et du mouvement antimondialisation se conjugueraient

---

* La théorie du Juif auteur de l'histoire et responsable des conséquences de cette histoire a récemment reçu un soutien d'Aleksandr Soljenitsyne dans son ouvrage consacré aux relations entre Juifs et Russes. Le premier tome, paru en 2001 en russe, a été traduit en français en 2002 (*Deux siècles ensemble*, Fayard), par Anne Kichilov, Georges Philippenko et Nikita Struve. L'auteur du *Premier Cercle* y accumule les traits caractéristiques de ce nouveau discours « sans concession » sur l'histoire juive. Il commence par s'efforcer de minimiser l'effet de l'antisémitisme sur les comportements des Juifs en désignant une origine juive à leur tendance au repli (« Certes ce sont les Juifs de Russie qui, plus longtemps que leurs autres coreligionaires, s'étaient maintenus dans le noyau de l'isolation, concentrés sur leur vie et leur conscience religieuse »). Puis dans les deux derniers chapitres, Soljenitsyne, qui entend faire œuvre didactique, reprend tels quels les commentaires d'époque qui dépeignent les Juifs comme des « matérialistes » (p. 504) ou qui estiment que « l'indifférence des masses populaires juives pour le destin de la Grande Russie fut une erreur fatale » (p. 505). Prétendant être l'un des premiers à aborder ce sujet sensible (évacuant d'un revers de la main les travaux d'un Simon Doubnov qu'il évoque en passant), il attribue à un entêtement fatal de leur part l'enfermement des Juifs russes dans la culture juive. Il faut ici rappeler comment Doubnov décrit dans *L'Histoire de ma vie* l'enthousiasme qui fut celui de sa génération à l'idée de créer une littérature juive russophone et comment cet effort était constamment entravé par les tracasseries administratives l'empêchant alors qu'il était rédacteur au *Voskhod* pétersbourgeois de résider officiellement dans la capitale. De même, quand Soljenitsyne émet des doutes sur le patriotisme des soldats juifs pendant la

Première Guerre mondiale, passe-t-il sous silence le sort atroce réservé aux conscrits juifs de l'armée du tsar que Doubnov a décrit dans son *Histoire d'un soldat juif 1880-1915* (traduit du russe par Laurence Dyevre et Alexandre Eidelman, avec une préface de Léon Poliakov, « Toledot-Judaïsme », Cerf, Paris, 1998). « Je servis, raconte le soldat, dans l'armée trois ans comme simple soldat car ma nationalité juive me privait des privilèges que donnait leur degré d'instruction à mes camarades russes [pour devenir officier, il fallait se convertir]. Je me heurtais aux manifestations les plus brutales d'antisémitisme. Le commandant de notre compagnie, qui puisait sa sagesse politique dans la presse réactionnaire et antisémite comme *Temps nouveaux*, n'avait d'autre nom pour ses soldats juifs que "sales youpins" [...] Ses subordonnés et la plupart des soldats russes et polonais l'imitaient, ce qui nous empoisonnait la vie. Combien de fois, pris d'une rage impuissante, serrai-je convulsivement mon fusil pour ne pas répondre aux injures par des coups ! [...] Le bagne s'acheva pour moi au printemps 1903. Je fus autorisé à rentrer chez moi. Je sautai dans un train pour regagner mon Kichinev natal, et appris, en cours de route, l'affreuse nouvelle du pogrom qui venait d'y avoir lieu », p. 2.

En revanche, Soljenitsyne concède que les populations juives de Russie avaient tout intérêt à combattre pour l'Entente puisque la présence de l'Angleterre et de la France au côté de la Russie en 1914 pouvait apparaître comme une promesse d'émancipation. Mais il prétend qu'elle était quasiment acquise avant la révolution de Février. Dans l'atmosphère de la Russie prérévolutionnaire, ce qui globalement choque Soljenitsyne, c'est bien moins le maintien de discriminations que le philosémitisme qu'il pointe dans l'intelligentsia du temps. Comme marque d'un tel « excès », il convoque le fait qu'on ait taxé dans certains cercles littéraires d'antisémitisme un auteur — Tchirikov — qui « au cours d'un dîner d'écrivains s'était laissé aller à dire que la plupart des critiques littéraires pétersbourgeois étaient juifs mais étaient-ils capables de comprendre la réalité de la vie russe ? ». On peut d'autre part s'étonner que Soljenitsyne préfère privilégier dans son catalogue de « voix juives » celle du sioniste radical Vladimir Jabotinsky, futur père fondateur du parti révisionniste dont est issue l'actuelle droite israélienne, plutôt que l'humanisme socialisant de Doubnov. Enfin, il a l'air d'avérer la thèse selon laquelle pour provoquer les explosions actuelles de haine antijuive — explication à laquelle on se limite trop souvent désormais. En France, elle touche particulièrement des milieux intellectuels de moins en moins sur leur garde et préférant ouvrir, par provocation, des brèches où risquent de s'engouffrer des interprétations de l'histoire propres à se transformer plus tard en visions du monde ou en idéologies antijuives plutôt que d'apparaître comme d'insupportables « vigilants ». Si, depuis la fin des années 90, la hausse de la courbe des incidents antisémites (actes ou menaces) est certainement liée aux soubressauts de la guerre israélo-palestinienne, tel n'a pas toujours été le cas, et il convient de continuer à regarder ce qui, ailleurs, est tout autant susceptible d'alimenter un antisémitisme jamais aussi nouveau qu'on le croit. Surtout à la veille de l'élargissement de l'Europe à l'Est. Le postnégationnisme (la Shoah a eu lieu et les Juifs l'ont bien

---

les Juifs remplissaient les bancs de l'université tandis que d'autres — comme le père de l'auteur — se battaient. « Aux uns de faire la guerre aux autres de faire des études ? » avance-t-il sur le mode interrogatif... Si les Juifs avaient finalement à craindre de l'antisémitisme, c'était bien plus de celui des Polonais que de celui des Russes et l'avenir s'annonçait « constructif », conclut-il.

Ce type de reconstruction appartient typiquement au genre de l'histoire-plaidoyer et on attend avec un intérêt quelque peu inquiet ce que le prochain volume dira de la période du communisme. On en a un avant-goût quand Soljenitsyne affirme à la fin du chapitre 11, d'une manière ambiguë, se refuser à « calculer le pourcentage de Juifs qui s'employèrent à déstabiliser la Russie (tous nous nous y sommes employés), qui ont fait la révolution ou ont participé au gouvernement bolchevique » parce que comprendre comment l'intelligentsia russe, du fait de son philosémitisme excessif, a intériorisé « leur vision de notre histoire et de la façon d'en sortir » (p. 528). Seul le premier volume était paru en traduction française chez Fayard lorsque cette note fut écrite.

méritée puisqu'ils paient le prix de la révolution bolchevique) dont j'ai esquissé la description dans les pages qui précèdent pourrait bien se révéler l'une des sources les plus fécondes de l'antisémitisme de demain. D'autant plus féconde qu'elle prospère sur la culpabilité ressentie par les intellectuels français d'avoir fort peu fait pour libérer l'Europe du joug du socialisme réel.

Dire que les Juifs ne sont pas les acteurs et encore moins les responsables de la haine qu'ils subissent n'implique pas pas qu'il faille pour autant nier ce lien étroit qui existe entre le comportement de ceux-ci et l'antisémitisme. Mais ce rapport est de *conséquence* et non de cause. Et évaluer ce qui relève de la causalité juive dans l'histoire suppose au préalable que la moindre scorie de préjugé ait été nettoyée de l'historiographie. En attendant, mieux vaut inverser la lunette de l'observation et étudier ce qui résulte pour les Juifs de l'intériorisation de l'antisémitisme dont les murs des ghettos ne les ont jamais protégés. S'est-il développé chez eux une culture de la honte telle qu'elle permet de mesurer la qualité et l'intensité de l'antisémitisme ambiant rien qu'en jaugeant les réactions qu'il induit chez ceux qu'il vise ? C'est parce que j'en suis convaincu que je voudrais clore ce chemin par quelques mots sur les nouvelles formes de la haine de soi.

6

De la haine de soi à l'identité juive négative

Admettons que, pour l'antisémite, le Juif constitue une sorte de présence qui se trouve lovée à l'intérieur du moi, une transcendance incompressible plantée au cœur de l'immanence, une altérité installée dans la tranquille béatitude de l'individu roi. Admettons également qu'au rebours du racisme et de la xénophobie la haine antijuive s'exerce comme haine du même ou du presque même, et non de la différence. Ne peut-on, dès lors, se demander si le paradigme de la haine de soi ne serait pas le mieux adapté à décrire, dans sa spécificité, la haine antijuive ? On peut d'autant plus s'interroger sur cette hypothèse que la haine de soi chez les Juifs s'est toujours développée selon un double symptôme. Symptôme d'un processus de « sortie du judaïsme » d'abord, symptôme de l'appropriation du climat d'antisémitisme ambiant ensuite. Les groupes en voie de décomposition présentent rarement un front uni, une face victimaire pure et lisse. Au contraire, ils intègrent en la retournant contre eux-mêmes la violence qui vient de l'extérieur, prêtant, inconsciemment ou non, appui à l'entreprise de démolition que la société leur impose. C'est pourquoi le phénomène juif de la haine de soi est repérable à divers moments critiques de l'histoire des Juifs, alors même qu'on attendrait d'une communauté attaquée qu'elle fasse bloc pour se défendre. À la dégradation du sort des Juifs au tournant du XIIe siècle correspondrait, par exemple, le comportement d'apostats devenus chrétiens où l'on trouve déjà des éléments de ce qui sera nommé au XXe siècle haine de soi. Le converti Theobald apporta l'appui de ses récits mythiques à la première accusation de crime rituel de Norwich tandis que Donin devenu Nicolas après son baptême sert d'accusateur au procès du Talmud sous le règne de Louis IX (1242-1244). Il est vrai, ces premiers âges de la haine de soi se conçoivent exclusivement dans le cadre de la conversion, seule possibilité de sortie du judaïsme ménagée par une société où le religieux et le politique s'interpénètrent étroitement au point de fusionner.

La structure de la haine de soi évolue, dans un deuxième temps, avec l'émancipation qui, cette fois, libère les individus sans plus les obliger, autrement que par choix personnel, à quitter leur religion. C'est alors que le terme apparaît ès qualités. Au début l'expression s'applique à des personnalités taraudées par le refus d'être juif et qui thématisent ce refus par des écrits d'une troublante violence. Tel est le cas de Simone Weil ou du jeune Viennois Otto Weininger. Dans un contexte de montée en puissance de l'antisémitisme au tournant des XIXe et XXe siècles, cette attitude permet assurément de mesurer le degré de digestion de l'antisémitisme par les Juifs eux-mêmes[1]. Pourtant la haine de soi de la Belle Époque ne touche encore que des individus qui négocient ainsi, sur un mode parfois suicidaire, leur autoextirpation du judaïsme. Les ressorts d'une telle souffrance renvoient à des mécanismes essentiellement psychologiques, même si certains auteurs pensent trouver dans les débuts du sionisme politique et l'obsession de quelques-uns de ses premiers maîtres à estimer nécessaire une régénération du Juif (le « Juif nouveau ») des traces de haine de soi[2]. Dans le cas des Juifs engagés dans le mouvement communiste, on constate un même refus de tout ou partie du judaïsme, sur un plan autant individuel que collectif.

N'atteignons-nous pas aujourd'hui un « troisième âge » de la haine de soi où le refus peut aller de pair avec le maintien, voire avec l'affirmation de l'identité juive sur le plan individuel ou familial tandis que la seule expression publique de cette identité s'exprimerait à travers une spectaculaire prise de distance avec ce qu'on présume être la grande masse des Juifs, leurs institutions communautaires ou étatiques et toutes leurs formes d'existence collective ? Cela correspondrait assez bien à une époque où, chez les non-Juifs, l'antisémitisme emprunte souvent les canaux de la critique d'Israël et du sionisme, délaissant l'« observation » des tares et des défauts prêtés à la race ou au corps juifs. Au point qu'on a pu résumer la situation en écrivant que l'antisémitisme est passé de l'« idéal » d'un monde sans Juifs (*Judenrein*) à celui d'une Terre sans État juif (*Judenstaatrein*). Certes, il est rapide de stigmatiser, comme on le fait parfois, les Juifs signant des pétitions contre Israël par le syndrome de la haine de soi. Mais il est tout de même surprenant de constater qu'un certain nombre de ces pétitionnaires ne prennent effectivement position sur des « sujets juifs » ou « en tant que juifs » que lorsque l'occasion leur est fournie de critiquer ou de condamner Israël*.

On doit se demander si la notion de « haine » (de soi), dont la connotation demeure psychologique, conserve sa pertinence pour décrire le phénomène dès lors qu'il revêt une expression politique (lutte contre les organisations juives, contre l'État juif, etc.) ? Certains Juifs adoptent systématiquement un point de vue oppositionnel à l'égard des mouvements politiques majoritaires du monde juif actuel, à commencer

* *Le Monde*, 18 octobre et 8 novembre 2000. L'héritage du « deuxième âge », celui de la haine de soi psychologique, a toutefois perduré dans des itinéraires empruntés par quelques non-Juifs désireux de se donner une identité ou une généalogie juive sans en passer par les fourches caudines de la conversion. Une telle entrée dans le judaïsme serait sans conséquence (après tout, disent certains Juifs, s'ils veulent en être...) ou pourrait même être considérée comme une forme extrême de la moderne conception du « judaïsme par choix », si une telle attitude ne révélait aussi, chez ceux qui l'entreprennent, un profond rejet de leurs attaches antérieures. On veut être juif parce qu'on n'aime pas ce qu'on naît ou ce que l'on veut « trahir » (au risque de figer du coup l'identité juive dans la mythologie du traître). J'ai évoqué, dans l'introduction, le cas de Benjamin Wilkomirski, abandonné par sa mère et adopté par un couple de médecins de Zurich. On se rappelle que ce clarinettiste s'est persuadé avoir été un enfant juif rescapé des camps. Le choix d'un destin d'enfant survivant de la Shoah visait-il à dissuader par avance quiconque aurait mis en doute l'authenticité de son témoignage ou la judéité de son enfance confisquée ou plutôt empruntée ? Cet édifice s'est effondré, en tout cas, comme un château de cartes. La clef de l'énigme avait sans doute à voir avec deux formes de haine de soi : refus d'avoir été un enfant rejeté par sa mère biologique (mieux valait qu'une force extérieure — le nazisme — eût été la cause de cette séparation) ; mais aussi, malaise d'être un citoyen helvétique dans un contexte où la Suisse se retrouvait jetée sur le banc des accusés pour son attitude envers les Juifs au cours de la Seconde Guerre mondiale. Un autre cas moins

par le sionisme. Ils prétendent parfois parler *au nom* de, et en tout cas, à *l'intérieur* du monde juif dans une posture systématiquement critique, éventuellement d'un point de vue religieux. À titre d'exemple, j'évoquerai à nouveau la figure d'Isaac Deutscher[3], à qui l'on doit l'invention de la notion de *non-Jewish Jew* (« Juif non juif ») et qui fut du reste le premier à avoir thématisé le concept d'*identité juive négative.* Isaac Deutscher s'affrontait à la contradiction entre la nécessité du marxiste qu'il était de prendre ses distances vis-à-vis du judaïsme et l'impossibilité, après la Shoah, de rompre complètement les amarres avec le peuple juif. Il estimait, tout en le déplorant, que le

---

célèbre d'appropriation d'une identité juive par l'effet d'un accès de haine de soi est celui de ce chercheur sans poste mythomane qui hantait l'École des hautes études en sciences sociales, Horace Maria — fils de très modestes immigrants d'origine dominicaine —, qui se faisait passer pour un Juif, noir et américain. Son itinéraire a été raconté par Daniel Friedmann, *Un chercheur dans tous ses états*, Métailié, Paris, 1999.

Il faut par ailleurs évoquer, à propos de ceux dont le judaïsme public consiste avant tout à lutter contre le « sionisme », le cas de Norman Finkelstein, auteur d'un pamphlet contre les organisations juives américaines accusées d'exploiter l'Holocauste (*L'Industrie de l'Holocauste, réflexions sur l'exploitation de la souffrance des Juifs*, La Fabrique, 2001). Voir l'excellent portrait qu'en a dressé l'écrivain néerlandais Leon De Winter dans l'hebdomadaire *Der Spiegel* (« Der Groll des Sohnes » — Le ressentiment du fils —, daté du 28 août 2000) et reproduit dans *Die Finkelstein Debatte*, Piper, édité par Petra Steinberger, Munich et Zurich, 2001, p. 99-107. Notons que Daniel Ganzfried, celui qui a « démasqué » Wilkomirski, a, par la suite, pris parti en faveur de Norman Finkelstein (*ibidem* p. 150-153) dénonçant l'« industrie de l'Holocauste » — les deux « gauchistes » juifs se retrouvant paradoxalement du côté... des banques ! Dans ce cas, deux haines de soi s'opposent : les Juifs de l'identité négative contre le non-Juif qui veut les rejoindre, fût-ce par effraction.

massacre par les nazis de six millions de Juifs (dont son propre père) avait fourni ce succès posthume à Hitler de faire renaître une identité juive à un « stade de l'histoire du monde » où elle était surtout, selon lui, « un réflexe déclenché par les pressions des antisémites ». « Auschwitz, concluait-il, fut ce terrible berceau de la nouvelle conscience juive*. » Deutscher

* Pour autant, réviser la conception marxiste de l'Histoire à l'aune de la Shoah demeurait pour lui incongru ! D'où l'idée que la seule façon d'agir en intellectuel issu de cette « communauté négative » de persécutés consistait à se faire « éternel protestataire » contre une société capitaliste à la « barbarie mal digérée ». « C'est seulement dans la mesure où la quête d'une identité peut aider l'intellectuel juif dans sa lutte pour un avenir meilleur étendu à l'humanité tout entière que cette quête, selon moi, se justifie », écrit-il. Cette mission proposée à l'« intellectuel juif » s'accompagne chez Deutscher d'écarts de langage ou de pensée, tant il colle à une orthodoxie marxiste bien vieillie. Ainsi trouve-t-il les thèses défendues par Marx dans *La Question juive* toujours pertinentes, *op. cit.*, p. 76. « Pendant plusieurs siècles, dit ailleurs Isaac Deutscher, ce fut dans le rôle exceptionnel joué par le Juif au sein de la société européenne que l'élément positif de l'identité juive prit racine. Au temps du féodalisme et des débuts du capitalisme, il représentait l'économie d'argent et ses idées pour les gens dont le mode de pensée était conditionné par une économie naturelle. Ce n'est pas par hasard que dans l'esprit chrétien le Juif s'est identifié à un symbole tel que Shylock. [...] Ce n'est pas non plus une malice de *Meshumad* [renégat] qui a fait dire à Marx que le véritable Dieu des Juifs était l'Argent », etc., *Essais sur le problème juif*, *op. cit.*, p. 62-63. Sa seule réserve : les premiers socialistes ont eu une tendance regrettable à s'attaquer à l'« apparat » du capitalisme — les Juifs — plutôt qu'à son noyau : les rapports de production. Isaac Deutscher critique plus loin le « conformisme » des intellectuels juifs, en particulier américains, et leur tendance à s'engager en masse dans les rangs conservateurs pendant la guerre froide. Au point d'exprimer un autre regret, certes sur un mode ironique mais sans beaucoup de bon goût ni d'empathie pour les « persécutés » d'hier, celui du *numerus clausus* (p. 75) ! Deutscher parsème ses articles de

inaugurait également la posture qui consiste à prendre appui sur la légitimité des Juifs assassinés pour mieux accabler les Juifs actuels : le mouvement ouvrier juif, la renaissance culturelle yiddish dans l'Europe orientale du début du XXe siècle ou les victimes de la Shoah se voyant mobilisées dans le but de dénier aux vivants tout droit à une identité juive positive.

Isaac Deutscher était pourtant un produit caractéristique du judaïsme foisonnant de l'Est. Il avait été élevé au *Héder* (école primaire religieuse) puis à la cour du rabbin hassidique de Ger avant sa rupture avec la pratique orthodoxe à l'âge de dix-sept ans lorsque, à l'instigation d'un camarade, il engloutit un sandwich au jambon à la porte d'un cimetière, le jour de Kippour. Tout étourdi de son audace, il confesse avoir éprouvé un immense sentiment de culpabilité suite à cette profanation*.

---

remarques farouchement « essentialistes », voire carrément insupportables. Par exemple quand il parle du « froid rationalisme de l'esprit juif » (p. 114).

* Ainsi, à propos du philosophe Martin Buber, il ironise : « Nous devinions et nous sentions sous les épaisses dorures des romantiques comme Martin Buber l'obscurantisme de notre religion archaïque et d'un mode de vie inchangé depuis le Moyen Âge », *Essais sur le problème juif*, *op. cit.*, p. 61. Deutscher attribue l'attitude des opinions publiques devant l'assassinat des Juifs d'Europe par les Allemands et l'absence de solidarité de la classe ouvrière face au sort réservé aux prolétaires juifs au lien entre l'économie moderne et les Juifs : « Selon moi — et c'est l'hypothèse que je suggère — les raisons mêmes qui avaient permis aux Juifs de survivre en tant que communauté séparée, c'est-à-dire le fait qu'ils représentaient une économie de marché au milieu de gens qui vivaient dans le cadre d'une économie naturelle, ces raisons-là, et le souvenir que le peuple en gardait, expliquent du moins en partie la *Schadenfreude* [la joie mauvaise] ou l'indifférence avec laquelle les masses européennes ont assisté à l'holocauste des Juifs », p. 52. Un peu plus loin il confesse que « pour

Revendiquer une *identité juive négative*, autrement dit une identité qui n'est faite que de prise de distance publique avec tout ce que l'identité juive peut conserver d'attachement collectif à un peuple, à un État ou à une communauté religieuse, signifiait aussi pour lui qu'être juif équivalait à être un éternel contestataire, seule ébauche de définition possible du Juif à l'ère moderne. Empruntant des détours parfois risqués, parce qu'ils croisent des éléments relevant du *thesaurus* de l'antisémitisme, les athlètes du nouveau refus juif de soi s'obstinent à inscrire leur démarche dans le sillage du destin juif désormais confondu avec celui des « intellectuels déracinés » ou du paria glorieux.

---

un homme élevé comme je l'ai été l'engouement du Juif occidental pour un retour au XVIe siècle, retour qui est censé l'aider à retrouver ou à redécouvrir son identité culturelle juive, a quelque chose d'irréel et de kafkaïen ». Et à propos de la renaissance de l'hébreu : « Je ne puis accepter cette nouvelle mutation de la conscience juive ni l'absorber dans mon identité car j'ai été trop marqué par une tradition européenne internationale, polonaise et russe, allemande et anglaise, et par-dessus tout marxiste », p. 72. Isaac Deutscher, victime lui-même des purges staliniennes, n'en reprochait pas moins aux organisations sionistes de sous-estimer le fait que, grâce à l'URSS, deux millions et demi de Juifs avaient pu se réfugier à l'intérieur du territoire soviétique après l'offensive allemande. L'impréparation générale — poursuit-il — les aurait alors conduits à réactiver leurs réflexes de trafiquants vivant de rien (*Luftmenschen*), continue-t-il, important du même coup en Asie centrale l'antisémitisme dans des zones où il n'avait pas cours. Là encore, l'antisémitisme est mis au compte du comportement des Juifs eux-mêmes (on appelle cela : théorie de la correspondance), même si Deutscher précise que ce sont les conditions socio-historiques qui sont à l'origine de ce comportement (*ibidem*, « Révolution russe et problème juif »).

Quitte, une fois de plus, à invoquer les morts contre les vivants*.

Une étrange nébuleuse paraît en tout cas en cours de formation pour qui la relation à Israël comme à l'identité juive ne peut se vivre que de manière critique au mieux, (auto- ?) destructrice au pis. De plus en plus de Juifs, en effet, considèrent le judaïsme comme un résidu ethnique gênant dans un univers à la fois individualiste et globalisé. Pour ceux qui adhèrent à la nouvelle internationale rassemblant, depuis la fin des années 90, les mouvements antimondialisation, l'attachement politique au monde juif sous la forme du sionisme se limite à une forme attardée de nationalisme voire de colonialisme**. La mémoire de

* Lors de l'invasion israélienne du Liban, en 1982, une manifestation eut lieu devant l'ambassade de l'État juif à Washington. Un jeune homme y brandissait une pancarte sur laquelle on pouvait lire la proclamation suivante : « NON, ce fils de survivants de la révolte du ghetto de Varsovie, d'Auschwitz et de Maidanek ne se taira pas. Israël-Nazi : halte à l'Holocauste au Liban !!! » Photo fut prise ! Le manifestant était un gauchiste américain dans le style de Noam Chomsky. Il avait pour nom Norman Finkelstein. Le détail est rapporté par Leon De Winter dans *Der Spiegel*, n° 35, 28 août 2000. Shmuel Trigano, *L'Ébranlement d'Israël*, *op. cit.*, parle, lui, à propos de cas de ce genre, de « dénégation de soi ». Par là, il désigne ces Juifs dont la judéité consiste en tout et pour tout à se sacrifier en permanence sur l'autel de ce qu'ils interprètent comme l'universel (tout ce qui induit la réprobation d'Israël autrement dit du « peuple » juif, fût-ce au nom du judaïsme lui-même). Le sociologue va toutefois trop loin quand il attribue la paternité théorique de cette attitude à Hermann Cohen ou à Emmanuel Levinas, pour qui l'éthique juive se résumerait à être l'« otage de l'autre ».

** Isaac Deutscher, leur précurseur désormais lointain, pensait que la tare originelle du sionisme était de s'arc-bouter à une forme d'organisation politique, l'État-nation, qu'il estimait déclinante.

la Shoah suffit-elle pour faire contrepoids à la disparition de tout contenu juif original ? Un contrepoids qui depuis quelques années n'appartient même plus à la mémoire des Juifs eux-mêmes, dépossédés depuis longtemps d'un Génocide peu à peu érigé en signe universel de la souffrance humaine et éventuellement brandi contre eux. N'entend-on pas dire parfois que l'image des souffrances infligées par l'occupation israélienne annulerait celles du ghetto de Varsovie ?

Le complexe de Jonas

De ce nouveau refus juif de soi je trouve les premières traces en France, dans un texte bien étrange de l'éditeur Jérôme Lindon tiré, en 1955, à trois cent quarante-trois exemplaires et récemment republié après sa mort, en avril 2001. Cette petite plaquette se présente comme la traduction française du livre de Jonas[4]. Il s'agit en réalité d'un commentaire sur la signification actuelle de ce livre prophétique, dont la lecture rituelle a lieu pendant l'après-midi du Yom Kippour. Jérôme Lindon, très proche à un certain moment de Georges Lévitte qui avait été l'un de mes maîtres en judaïsme, était un produit typique de la grande bourgeoisie juive parisienne. Il avait parcouru les mêmes étapes obligées que mes parents et moi-même : fréquentation des Éclaireurs israélites de France, bar-mitsva, apprentissage de l'hébreu. Plus tard il sembla manifester la volonté de secouer le joug de ce legs familial. Son père Raymond Lindon avait dirigé une importante institution sioniste. Sa mère était la sœur d'André Baur, président de l'Union libérale avant guerre et vice-président de l'Union générale des Israélites de France (UGIF) en zone Nord, qui fut déporté avec sa famille à Auschwitz.

Le *Jonas* de Jérôme Lindon préfigure ce qui deviendra une attitude proclamée de rupture avec la collectivité juive. À cette époque, ce discours demeurait rare. Comme d'ailleurs l'était, dans l'autre sens, le soutien exacerbé qui deviendra celui d'une partie de la communauté juive à Israël, postérieur à 1967 quand la survie même de l'État juif parut remise en question, ce qui n'était pas le cas en 1955. Tout en déniant la moindre consistance à l'idée de « peuple juif » qui, il est vrai, charriait en ce temps des relents de la notion de « race juive » dont on venait de constater les ravages, Lindon entendait sauver le « judaïsme ». La *vérité* du « peuple juif » ne devait être recherchée que dans la splendeur de sa tradition textuelle — ce que venait illustrer l'entreprise de traduction de *Jonas*. « Il n'existe pas, écrivait en revanche Jérôme Lindon, une qualité qui soit à la fois particulière au berger nomade de Galilée, au marrane espagnol du XVIe siècle officiellement baptisé, au diplomate israélien, à tel membre du Soviet suprême, à tel financier de la Cinquième Avenue, à ce prolétaire noir qui vit à New York suivant les lois de Moïse (rejeté non seulement par les Blancs non juifs mais aussi par les autres Noirs parce que juif et par les autres Juifs parce que noir), à ces hommes qu'on appelle pourtant tous des Juifs. » Conclusion : « Le concept de "juif" n'existe pas. Il y a aujourd'hui des avares, des Lévy, des Israéliens, des "ploutocrates", des agitateurs, des pratiquants de la religion israélite, à la rigueur — s'il existait des races "pures" — des Sémites, il n'y pas à proprement parler de Juifs[5]. » Passons sur l'usage malencontreux des stéréotypes associant une fois de plus les Juifs à l'argent, travers typique au grand bourgeois cherchant peut-être à se donner des airs de transfuge. Je remarque surtout que la référence à la définition raciale est ici invoquée afin de dissuader à l'avance quiconque chercherait toute autre possibilité de définir collectivement le peuple juif : prétendre se référer à une collectivité juive autre que textuelle, c'est finalement être raciste !

Du coup, on trouve chez Lindon une manière de première version du Juif imaginaire qui désigne ici celui qui, face à l'antisémitisme, se perd inutilement dans l'affirmation, dangereuse pour lui et les siens, d'une identité sans réel contenu : « Un jour, affirme Lindon, on somme les juifs de s'inscrire sur quelque registre. Et voici un citoyen libre qui s'appelle Israël — Jonas Israël —, qui ne se connaît ni race ni religion mais qui est fils de Justin Israël et estime lâche la dissimulation, voilà qu'il met son nom sur la liste. La liste du prochain convoi pour “le pays séparé”. Le voilà juif. » Le Juif se fait alors complice, malgré lui, de son sort, par vanité en quelque sorte ou par souci de trouver une logique à la persécution. D'où ces lignes à la limite du supportable si elles n'étaient l'évident symptôme d'un malaise, peut-être un jugement implicite de la politique de l'UGIF :

> Il n'est, sur ce plan, de différence entre Jonas et son persécuteur ; que l'un soit bourreau et l'autre soit victime est secondaire : ils acceptent de jouer au même jeu. Le second ne fait en somme qu'attribuer une étoile jaune à celui qui lui dit : « Si vous distribuez des étoiles jaunes, je vous annonce que moi et mes enfants, depuis le jour de notre naissance, nous y avons droit. » Et l'antisémite qui empêchera finalement le fils de Jonas de s'effacer, c'est bien Jonas lui-même qui d'abord l'a « provoqué ».

La seule attitude à la fois digne et cohérente consisterait selon Jérôme Lindon à avoir « le courage de la renonciation » en refusant « de participer plus longtemps, sous des prétextes évidemment fallacieux, à une entreprise d'oppression et d'extermination[6] ». Le seul salut pour les Juifs réside donc dans la dispersion. On peut trouver cette vision à la fois très extrême et très courte, dans la mesure où elle laisse penser qu'une simple « renonciation » à l'héritage par les Juifs suffirait à assécher l'argumentaire de l'antisémite. En tout cas, en ne se réclamant plus de la judéité, le Juif n'aurait plus, comme le résume le « traducteur » dans une longue parenthèse, à s'exposer à une série d'insolubles contradictions énumérées sur le mode de la prosopopée :

> Je réclame la protection de vos lois et en même temps je les bafoue : nous parlons de morale et je compromets l'avenir de mes propres fils en imprimant dans leur chair, à leur naissance, le signe qui les désignera au bourreau ; nous parlons égalité et je me proclame, sans motifs apparents, différent des autres ; pureté, et mon âme est couverte des blessures de mes chutes ; rigueur, et mon discours est équivoque ; honneur, et je suis piteux ; salut, et je suis perdu[7].

Les dernières lignes du texte donnent néanmoins à croire qu'avec ce renoncement quelque chose pourrait quand même avoir été égaré, fané comme le fameux *Kikaïone* que Dieu fait pousser sur la tête de Jonas à la fois pour le protéger de la chaleur et pour le consoler de n'avoir pas détruit Ninive, malgré l'annonce qu'il avait demandé au prophète de répandre dans la ville coupable... Par ce cri d'angoisse arraché à une entreprise d'implacable rejet, je me sens, malgré tout, proche de cet homme que je n'ai rencontré qu'une seule fois et dont je ne partageais pas les convictions. Dans le cheminement d'un Lindon, je retrouve des traces de ce qu'a pu être, à leur insu, celui de mes parents, de mon père notamment, qui était issu du même milieu israélite originaire de l'est de la France. J'y découvre également quelques étincelles de ce judaïsme qu'ils m'ont transmis. Aussi bien, celui qui procède d'une tradition explicite que de la transmission silencieuse. Car le refus d'être juif a pu trouver d'autres modes d'expression que l'antisionisme radical : un quiétisme absolu ou l'indifférence, l'un et l'autre peut-être formant les cas les plus généraux. Il est en revanche très rare qu'on ne puisse trouver des bribes d'antisémitisme intériorisé à la base d'un tel refus. J'y ai personnellement toujours été sensible, et je me suis efforcé d'y opposer une idée à la fois singulière et simple : l'amour d'Israël, comme contraire de la haine d'Israël et du refus d'être juif*.

Je suis conscient que ce retournement de certains Juifs moins contre eux-mêmes en tant qu'individus

---

* L'*Ahavat Israel* (l'amour d'Israël) fut opposé par Gershom Scholem à Hannah Arendt après que celle-ci eut poussé sa charge contre les « conseils juifs » dans son *Eichmann à Jérusalem* (voir *Fidélité et Utopie. Essais sur le judaïsme contemporain*, traduits par Margueritte Delmotte et Bernard Dupuy, Calmann-Lévy, Paris, 1978). À titre de pièce à apporter au débat sur cette notion si mal comprise, je ne puis m'empêcher de citer en terminant ce texte de Leo Strauss : « À l'objection consistant à dire que l'on ne peut pas aimer une idée mais seulement une personne, [Hermann] Cohen répond que l'on ne peut aimer que des idées ; même dans l'amour sensuel, on n'aime que la personne idéalisée. Le pur amour est orienté seulement vers des modèles de l'action, et aucun être humain ne peut être un tel modèle au sens précis du terme. Le pur amour est l'idéal moral. Il est désir ardent, non de s'unir à Dieu, mais de se rapprocher de Lui, c'est-à-dire le désir d'une sanctification indéfinie, infinie, de l'homme : Dieu seul est saint », *Pourquoi nous restons juifs ?*, *op. cit.*, p. 211-212.

que contre la part collective de leur identité a partie liée avec une amertume née de la mémoire de la Shoah. Le traumatisme du Génocide explique cet appel étrange au « renoncement ». Nul doute qu'une certaine expérience politique juive de la Seconde Guerre mondiale et l'humiliation qu'elle a engendrée constituent, aujourd'hui encore, un poids terrible pour les consciences juives, une blessure toujours pantelante et qui, au point le plus ultime, rend raison de bon nombre de ces attitudes de « refus d'être juif ». Ce débat-là est encore à venir. Il représente assurément comme la part d'ombre de la relation des Juifs de la diaspora au sionisme et à l'État d'Israël.

Conclusion

Je n'avais pas consulté, avant d'entamer ce récit, les statistiques des incidents, actes ou menaces, donnant une idée globale de l'évolution de l'antisémitisme, depuis 1945. Celles-ci montrent un dessin en dents de scie qui contredit les données des sondages. Alors que les enquêtes d'opinion font apparaître une baisse tendancielle de l'expression ou plutôt de l'aveu du préjugé antijuif, la courbe formée par les incidents offre, au contraire, un aspect oscillatoire où des « pics » alternent avec des moments plus ou moins longs de creux ou de latence[1]. Dans la période récente, c'est-à-dire depuis la fin des années 70, on note un premier pic correspondant en gros à une tranche temporelle allant de la fin des années 70 à 1982, puis le mouvement s'apaise pour reprendre à la fin des années 80 et atteindre un nouveau sommet, contemporain du déclenchement de l'Intifada, de la guerre du Golfe et de la chute du communisme, avant de se remettre à la baisse. Depuis la « deuxième Intifada », c'est-à-dire depuis l'automne 2000, la courbe est à nouveau spectaculairement remontée pour redescendre, à partir de mai 2002. On aurait toutefois tort, dans les périodes de forte tension, de faire fond sur la nature oscillatoire de ladite courbe, pour spéculer sur une probable décrue. En effet, les statistiques font également voir que les « pics » croissent chaque fois en intensité. De même est-il illusoire d'exciper de la diversité des chiffres et de la multiplicité des bases de données (communautés juives, ministère de l'Intérieur et demain Union européenne), pour nuancer les plus alarmants : quelle que soit l'intensité, tous en effet se recoupent et révèlent une même tendance. La sous-évaluation est plutôt le danger qui guette l'observateur que l'inverse : d'une part, l'instrument permettant de quantifier la violence quotidienne, les humiliations, bref tout ce qui donne à l'antisémitisme la profondeur d'un climat, n'a pas encore été découvert. D'autre part, le nombre d'incidents doit être rapporté à la population visée. S'il est vrai que les actes racistes ou xénophobes représentent souvent le double des actes antisémites dans les statistiques officielles, la cible des premiers concerne une population bien plus nombreuse. Enfin convient-il de se garder de la tentation de lier trop exclusivement les pointes antijuives aux aléas de la situation au Proche-Orient. Tout ce livre est un effort pour montrer que les sources traditionnelles de l'antisémitisme sont encore vivaces et qu'il n'y a donc pas véritablement d'antisémitisme nouveau. La profanation de Carpentras, née d'un délire néonazi mêlé de folklore antijuif, n'emprunte aucun trait ni élément au conflit entre Israël et les Palestiniens, alors que cet élément entre dans l'explication pour d'autres événements de la période. La paix ne mettra donc pas fin à ce genre d'actes. En revanche il est tout aussi évident que, depuis Copernic (même si la lecture de l'attentat ne fut pas celle-là à l'époque), la guerre israélo-arabe joue le rôle d'un accélérateur de plus en plus déterminant. Du coup l'antisionisme en devient le canal privilégié de la haine antijuive.

Un autre fait notable est que les épisodes dont j'ai rendu compte parce qu'ils m'avaient particulièrement touché correspondent aux périodes de pic : c'est particulièrement frappant s'agissant de Copernic et de Carpentras. Par la suite, c'est en tant qu'observateur ou que journaliste que je me suis penché sur l'antisémitisme, ce qui m'a permis de constater qu'il se passait aussi des choses pendant les périodes de basses eaux. C'est là où l'on surprend les « freins qui lâchent », là où il serait plus facile d'intervenir, là où la brutale hausse de la courbe serait résistible... Tel est le sens de l'affaire Garaudy/abbé Pierre, de l'atmosphère qui a entouré le procès Papon ou de la réanimation du mythe du judéo-bolchevisme.

La croyance au caractère inéluctablement régressif de l'antisémitisme n'est pas qu'une illusion des sondages. On partageait généralement cette conviction dans mon enfance et mon adolescence. La haine antijuive, pensait-on, était tétanisée pour toujours par les atrocités de la Shoah. Aujourd'hui je constate qu'elle n'était qu'anesthésiée. Pis, l'antisémitisme me paraît avoir su s'adapter à la prise de conscience publique du Génocide. Les méandres qu'il a dû emprunter, comme un cours d'eau sur une plaine sablonneuse, lui ont gagné d'autres terreaux, d'autres publics. Ainsi, toute une génération d'intellectuels semble désormais moins mobilisée contre l'antisémitisme que contre les « tabous » que l'on ferait peser, au nom de la lutte contre la haine antijuive, sur tout discours concernant les Juifs ou Israël — tabou entretenu par une « vigilance » excessive et qui se nourrirait abusivement du paravent de la mémoire de la Shoah*.

Aujourd'hui, sous la pression, on commence à entendre quelques voix juives — minoritaires il est vrai — envisager de quitter une terre de France devenue à leurs yeux décidément inhospitalière afin de gagner des rivages présumés mieux disposés, comme le Québec ou les États-Unis ! On se prend à se demander par quelle confusion ces Juifs se résignent d'avance à leur condition de parias (ou de migrants) plutôt que de poursuivre la lutte là où ils sont placés, pourquoi ils renoncent d'emblée à s'opposer à une opinion devenue, au fil des ans, de moins en moins

---

* En l'occurrence, briser les tabous équivaut à une régression qui se cache sous le manteau d'un discours d'émancipation. Dans un article de la *Frankfurter Allgemeine Zeitung* du 7 juin 2002, le philosophe Jürgen Habermas a fait justement observer que, derrière l'expression impropre de « tabou », c'était toute une morale et une éducation civique qu'on entendait en réalité « briser ». Constatant qu'il a fallu des décennies pour parvenir en Allemagne à une condamnation de l'antisémitisme qui soit largement partagée par la population, on ne saurait qualifier ce processus collectif d'apprentissage de « réflexe convulsif de défense » stabilisé par les affects, ce qu'est à proprement parler un tabou. « Supposons ainsi, écrit-il, qu'après une telle évolution des mentalités, une sensibilité particulière soit de fait liée aux victimes d'un excès passé ainsi qu'à leurs descendants, peut-être la conscience d'une obligation particulière, en tout cas le respect fondé historiquement d'une vulnérabilité, cette pudeur est-elle donc si opaque qu'il faille la décrire en terme de "tabou" ? S'agit-il d'une phobie de nature névrotique, d'un complexe, d'un symptôme de dépendance ? Non. C'est le résultat transparent d'une réflexion sur ce qui était indissoluble dans la restauration de notre estime de soi et d'une existence commune de civilisé [traduit par moi]. » Il va sans dire que je souscris pleinement à cette analyse qu'on pourrait transposer au cas français, en regrettant qu'actuellement la scène hexagonale n'offre pas sur cette question l'équivalent d'un Habermas.

résistante aux tentations de la haine antijuive, et à mettre du même coup la démocratie face à ses propres limites. Abandonner le combat contre l'antisémitisme, céder au pessimisme absolu qui s'exprime çà et là dans les milieux juifs ne sont qu'une variation moderne du consentement au retour d'une condition de paria qu'on peut refuser de se laisser imposer. C'est aussi la trahison de ce que le sionisme — qui fut d'abord une forme de lutte contre l'antisémitisme — avait de meilleur.

C'est pourtant l'opposition désormais séculaire du sionisme et du nationalisme arabe qui est devenu l'idiome le plus diffusé de la haine antijuive. L'intériorisation pathologique d'un conflit local a métamorphosé le sort fait aux Palestiniens en symbole de toutes les misères du monde. La transfiguration du conflit du Proche-Orient en équivalent universel de l'exclusion, du colonialisme, de la dette du tiers-monde, quand ce n'est pas du mal de vivre des banlieues, a abouti à un décrochage avec la réalité du terrain. Elle semble en tout cas dispenser de peser à leur juste mesure les responsabilités des uns et des autres. Laisser croire, par exemple, qu'à Jérusalem se joue une guerre mondiale ou une guerre de religion, accentue une telle dérive et encourage des lectures polarisées, captives d'une grille où l'un ne peut être que victime et l'autre bourreau. Alors que l'opinion publique en France a été longtemps acquise à la cause d'Israël, elle paraît aujourd'hui basculer et l'antisionisme se trouve en passe de devenir une sorte de « code culturel ». On ne refuse pas aux Juifs le droit de vivre, certes, ni d'être citoyen. On conteste à ce peuple le droit de se constituer en État-nation. J'ai le sentiment qu'il y a beaucoup de Juifs français qui en éprouvent un sentiment de solitude, de marginalisation et d'étrangeté. Ils retrouvent ainsi cette identité de parias qu'ils espéraient avoir depuis longtemps congédiée. Sentiment d'autant plus difficile à supporter que, quand il s'exprime, il est ridiculisé comme une exagération ou est renvoyé à la paranoïa de celui qui l'éprouve, comme si l'antisémitisme était toujours une pure vue de l'esprit, un mythe entretenu à des fins intéressées ! Là encore, se révèle le refus opiniâtre de regarder le phénomène en face.

La question des limites entre l'antisionisme et l'antisémitisme, l'un étant censé être légitime et l'autre pas, ne doit pas faire illusion. C'est plutôt la porosité entre les deux qui devrait d'abord inquiéter. À commencer par ceux qui persistent à affirmer que la meilleure manière de lutter contre l'antisémitisme est de s'opposer au sionisme (mouvement né d'abord pour combattre l'antisémitisme réveillé du tournant des XIXe et XXe siècles, il n'est pas inutile de le rappeler) ! Le principal plaidoyer des antisionistes consiste à rappeler, sans craindre l'anachronisme, qu'une grande partie du monde juif s'est, elle aussi, opposée à l'entreprise des sionistes. Cela vaut pour les socialistes et les communistes mais aussi pour les partisans de l'autonomie politique ou culturelle des Juifs en diaspora, les tenants de l'assimilation et, enfin, pour une partie du judaïsme orthodoxe. Ce dernier, après avoir longtemps rejeté l'idée même d'un État juif pré-messianique, semble aujourd'hui entretenir avec celui-ci une relation empreinte de résignation méfiante, en admettant du bout des lèvres être au moins copropriétaire de la terre d'Israël...

Mais un tel argument ne suffit pas à exonérer d'avance l'hostilité foncière à Israël de toute dérive antisémite. Si effectivement certains Juifs n'hésitent pas à manifester bruyamment leur rejet du sionisme, leurs voix sont celles d'individus et ne représentent plus une opposition politique au sionisme *interne* au monde juif. L'antisionisme n'a plus la profondeur sociologique d'antan dans les diasporas. S'il est difficile d'affirmer qu'Israël fait l'objet d'un consensus auprès de l'ensemble des Juifs du monde, on peut affirmer tout de même que le combat politique des Juifs contre le sionisme a globalement cessé. L'antisionisme non juif, lui, s'est au contraire développé au point de déborder désormais des milieux qui ont quelques motifs directs de prendre position sur ce problème. Là, il convient d'être nuancé. Certains disent contester la politique du gouvernement israélien actuel d'Ariel Sharon — ce qui peut coïncider avec les options d'une partie de l'opinion israélienne de gauche qui, elle aussi, poursuit le même combat. D'autres, en revanche, considèrent l'État d'Israël comme un implant américain dans la région, un reliquat du « colonialisme », ou, dans une phraséologie actualisée, un régime d'« apartheid ». On peut dire que ceux-là n'en critiquent pas moins le bien-fondé du sionisme « par les effets », pourrait-on dire, en l'occurrence par l'évocation des souffrances que la création de l'État a impliquées pour les Palestiniens, sans nécessairement prôner la destruction d'Israël. Ces positions méritent peut-être d'être qualifiées d'anti-israéliennes plutôt que d'antisionistes à proprement parler.

L'antisionisme radical consiste à dénier par principe aux Juifs le droit, pourtant reconnu dans le même temps à leurs adversaires palestiniens, de se constituer en État-nation. Il a sa version théologique sous la forme de l'« antisionisme absolu[2] ». Dans cette version extrême, Israël sinon les Juifs eux-mêmes deviennent des coupables par nature : responsables d'un

« péché originel » (l'expulsion de 1948), de ce qui se passe au Proche-Orient, quand ce n'est pas de tous les maux de la mondialisation ! Si les deux premiers degrés sur l'échelle de l'antisionisme ne se confondent pas nécessairement avec l'antisémitisme (même s'ils peuvent lui servir de mode d'expression autorisé), le troisième, si. Mais le passage de l'un à l'autre est imperceptible et requiert donc une attention dont le moins que l'on puisse dire au regard de la situation actuelle, c'est qu'elle n'est guère partagée ! Les dérapages sont plus fréquents que la vigilance.

Il est excessif de soutenir que l'antisionisme n'est qu'une version hypocrite ou « politiquement correcte » de l'antisémitisme, bien qu'il remplisse parfois cette fonction, comme je l'ai montré en évoquant l'affaire Roger Garaudy/abbé Pierre. Mais on reste pantois face à la passion des adversaires d'Israël, et face à leur faculté de chercher des circonstances atténuantes jusqu'aux attentats suicides (au nom du « désespoir » palestinien, par exemple). Avec le temps, la plupart des Juifs se sont de leur côté ralliés ou résignés à l'idée qu'il existe un État juif. Désormais l'identité juive — y compris l'identité de ceux pour qui elle se réduit à fustiger Israël « en tant que Juifs » — ne peut se concevoir indépendamment de l'existence, quelque part, là-bas, d'une université hébraïque, d'une langue parlée et écrite, de structures étatiques, etc. Compte tenu de cela, l'antisionisme renvoie les Juifs à leur condition de parias. Dès 1946, Hannah Arendt remarquait que les seules sympathies politiques de Kafka avaient été pour le sionisme [3], parce que l'aspiration profonde de ce mouvement visait justement à faire de ceux qui avaient été des parias, des « membres à part entière de la société humaine ». En 2002 le sionisme réalisé a, depuis longtemps, bouleversé l'existence juive, aussi bien en Israël qu'en diaspora. Paradoxalement, même l'intégration des Juifs dans les sociétés où ils vivent est conditionnée par l'existence d'un État juif. Un paradoxe qui étonne moins dès lors qu'on se souvient que le sionisme s'était aussi voulu une forme d'acculturation des Juifs à la modernité politique*. Aujourd'hui, le pire adversaire du sionisme, l'assimilation, a lui aussi besoin d'Israël. Or c'est cela qui est attaqué dans le climat actuel. Un climat qui contribue à pousser certains Juifs vers des formes d'extrémisme religieux, d'autres vers la renonciation, sinon la détestation de soi, d'autres encore, notamment parmi les jeunes, à envisager, silencieusement, de partir...

On ne peut, du reste, qu'être frappé par la facilité avec laquelle l'antisionisme réconcilie des camps qu'en apparence tout oppose. Il n'y a guère de passion politique comme l'antisionisme dans laquelle communient le skinhead, le jeune d'origine immigré, le militant paléo- ou néo-trotskiste, le membre d'ONG, le diplomate réactionnaire du Quai d'Orsay, etc. : tous se retrouvent sur la même ligne, sans que cela les trouble ni qu'un consensus à ce point hétéroclite ne semble leur poser la moindre difficulté. Un consensus

---

* Sur ce sujet, voir Leo Strauss, *Pourquoi nous restons juifs ?*, *op. cit.*, p. 33-34. Dans un commentaire de 1962 d'un texte de Nietzsche (*Aurore*, Gallimard, coll. « Idées » p. 212), Strauss, jugeant extrêmement profonde l'analyse nietzschéenne de l'assimilation des Juifs en Europe comme une « bénédiction éternelle », objecte cependant : « Le défaut le plus patent de l'analyse de Nietzsche semble le suivant : la régénération ou la purification à laquelle il pensait comme une partie du processus se révéla insuffisante en tant qu'œuvre de particuliers [...]. Elle exigeait et elle exige un acte de purification ou d'assainissement national ; et cela, à mes yeux, eut lieu dans l'établissement de l'État d'Israël », p. 34.

dont le Juif est le nouveau paria. Ce sont bien les Juifs eux-mêmes et leur place dans le monde humain qui sont donc indirectement remis en cause. C'est l'identité juive dans son idéal de normalisation, de vie mesurée et « décente », revendiquée malgré tout, dans le malstrom d'une planète où l'inhumanité des saints et des fous l'emporte sur le désir d'être homme.

Post-scriptum

Quelques réflexions pour servir à une histoire de l'antisémitisme

Je voudrais quitter maintenant l'approche personnelle de l'antisémitisme qui a été la mienne jusqu'à présent pour proposer quelques réflexions sur la longue durée du phénomène et sur le sens qu'il y a à en rechercher une origine. La constance de la haine antijuive à travers les âges confère à celle-ci l'apparence de l'éternité. Mais la notion d'éternité appliquée à l'antisémitisme a aussi son histoire, derrière laquelle on n'a guère de mal à retrouver certains stéréotypes. À commencer par celui du « Juif éternel » (*der ewige Jude*), privé d'histoire à cause de son aveuglement, lequel l'empêcherait de reconnaître la divinité du Christ. Croire en l'éternité de l'antisémitisme présuppose que, de l'Antiquité au XXIe siècle, les Juifs n'aient changé ni d'attitude, ni d'aspect, ni de mentalité. Elle implique aussi que « le Juif » antihomme appartenant à une antirace, plutôt spectre que membre d'une humanité commune, n'ait produit, au cours des siècles, ni Talmud, ni commentaires rabbiniques, ni Kabbale mais qu'il se soit cantonné « éternellement » au rôle que les religions dominantes

— chrétiennes ou musulmanes — avaient fixé pour lui (et telle semble bien être la vérité ultime de la figure du « Juif errant »). Cette conception reste manifestement captive de l'objet dont elle cherche à rendre compte. Et pourtant, il faut quand même en expliquer la longue durée. Surtout quand on pense, comme c'est mon cas, que si l'idée d'un antisémitisme « nouveau » relève de l'illusion, il faut aussi éviter de le sortir de l'Histoire[1].

La solution ne consiste peut-être pas à suivre, pas à pas, les étapes qui scandent le passage des idiomes antisémites d'un contexte historique à l'autre (bien qu'on puisse le faire partiellement), du Moyen Âge à la Renaissance, de l'Antiquité grecque, latine, égyptienne au monde islamique[2], mais de constater qu'il en va de l'essence même de cet idiome de se communiquer et que la partie communicative est, du coup, une des marques distinctives. Le mythe antijuif est un mythe *communicationnel* par définition. Dès lors, nul besoin de chercher la clef du mystère de sa longévité dans les profondeurs de la *psyché*, dans la théorie systémique, ou dans les infrastructures des sociétés. C'est une caractéristique du mythe antisémite de se transmettre, que celui-ci s'exprime sous la forme de la théorie du complot, du crime rituel, de l'usure, etc. Il n'est donc pas non plus besoin de supposer qu'il s'ancre dans les *profondeurs* de l'âme humaine pour comprendre qu'il passe d'âge en âge. Il s'accommode fort bien de la superficialité puisqu'il porte en lui les sources de sa dissémination. Hannah Arendt l'avait pressenti quand elle le comparait à un champignon qui, en un matin, recouvre la forêt ou les cultures, pour s'effacer aux premiers feux du soleil (non sans avoir pu exercer des ravages). C'est justement cette légèreté plutôt que son enracinement qui rend l'antisémitisme redoutable.

La haine la plus longue

La principale énigme qui entoure l'antisémitisme reste donc bien sa persistance. Les premières traces de manifestations antijuives attestées par des sources extrabibliques remontent aussi loin que l'an 410 avant notre ère. Elles ont pour cadre Éléphantine, au sud d'une Égypte alors dominée par les Perses. Les prêtres du dieu bélier Khnoum, heurtés par le sacrifice de l'agneau pascal que les Juifs de la garnison pratiquaient au cours de la fête de *Pessah*, fomentèrent une révolte. Le sanctuaire des Juifs fut détruit[3] (il devait être rebâti sur l'ordre du conquérant perse, un peu plus tard, au prix toutefois d'une renonciation par les Juifs aux sacrifices d'animaux). L'échange de correspondance qui a permis de reconstituer cet événement lointain conduit à penser qu'il s'agit là d'une sorte de premier pogrom connu. Il précède en tout cas de plusieurs siècles celui de l'an 38 de notre ère, lorsque la populace d'Alexandrie — dans une Égypte hellénistique cette fois — se soulève contre la puissante communauté juive de la ville.

Bernard Lazare, un des plus vaillants dreyfusards et un des premiers sionistes français, expliqua cette apparence d'éternité par la longue durée d'un peuple juif même marginalisé parmi les nations. Dans l'immédiat après-guerre, Hannah Arendt, réagissant contre la théorie de l'éternité du fléau, repoussait l'idée que l'antisémitisme moderne puisse être interprété comme un simple avatar de l'antijudaïsme médiéval[4]. Un tel amalgame recelait, à l'en croire, un danger politique majeur pour les Juifs : celui de méconnaître la véritable nature de leurs ennemis. Chercher à toute force à vouloir ramener de l'inconnu à du connu revenait, pour elle, à négliger les aspects inédits de l'antisémitisme moderne (dont elle eut par contre tendance à exagérer la nouveauté). Une telle méconnaissance expliquait, à ses yeux, la réponse, déplorable que le leadership juif avait opposée aux projets nazis d'extermination[5]. Pour elle, l'antisémitisme devait se comprendre comme un phénomène réactif qui reflète comme en un miroir — certes déformé et déformant — la place des Juifs dans la société. Discontinuité et ruptures devenaient tributaires du comportement des Juifs eux-mêmes — ce comportement devant être à son tour rapporté au développement de l'État-nation (d'où l'insistance d'Hannah Arendt sur l'émergence de la figure du « Juif de cour » et l'intérêt de la philosophe pour le Premier ministre britannique d'origine juive, Benjamin Disraeli[6]).

L'historiographie de l'antisémitisme ne me paraît pas avoir confirmé l'hypothèse arendtienne d'une coupure radicale entre les différentes formes d'antisémitisme. Il ne s'agit pas de nier que des processus de modernisation et notamment de sécularisation soient bel et bien à l'œuvre, ni de contester que l'antisémitisme à l'âge de la science n'ait son style propre. Il est certain que celui-ci s'est exprimé depuis la fin du XIXe siècle en des termes fort différents que durant l'Antiquité ou le Moyen Âge. Mais loin de suivre le tracé de la ligne droite, on constate que l'histoire de l'antisémitisme suit un parcours en zigzag, avec tours et retours vers l'amont. Et il n'est pas rare ni marginal d'y retrouver le Moyen Âge dans le monde moderne.

Pas plus qu'il n'est surprenant d'observer que des comportements que l'on pense typiques du XXe siècle sont observables dès l'Antiquité. Ainsi quand l'historien Manéthon fait des Juifs les descendants de lépreux chassés d'Égypte, ne peut-on dire que tous les ingrédients qui constituent l'antisémitisme racial se trouvent d'ores et déjà rassemblés[7] ?

Je propose donc de renoncer à l'idée d'une séparation étanche entre antisémitisme moderne (prétendument scientifique ou racial), antisémitisme médiéval — que celui-ci prenne la forme de la compétition socio-économique ou de l'*odium theologicum* (la haine religieuse) — et antisémitisme antique. Plus généralement, on doit résister au penchant caractéristique de toute étude postarendtienne qui consiste à prétendre que chaque manifestation du phénomène doit se voir qualifier d'une nouvelle appellation. Comme si à chaque ouvrage nouveau l'historien ou le sociologue était requis de forger un nouveau terme (« judéophobie », « antisémitisme », « antijudaïsme », etc.) et comme si tenir compte de la complexité d'un phénomène avait pour conséquence qu'il faille définitivement renoncer à en penser l'unité ! Il me paraît au contraire tout à fait possible de repérer dans les manifestations de l'antisémitisme ce qui n'est qu'une recomposition d'éléments préformés. Tout en conservant l'essentiel d'un *thesaurus* légué par les âges, les contextes historiques sans cesse changeants de la haine antijuive imposent une syntaxe et des canaux toujours nouveaux. La part de l'inouï est congrue, voire inexistante. Ainsi la diabolisation des Juifs, au sens littéral, qui culmine dans les massacres de la Peste noire au XIVe siècle, passe-t-elle en partie dans la conception moderne du complot. Théorie du « complot » qu'on voit à l'œuvre dès l'Antiquité et qui, d'emblée, est liée à une accusation précoce de crime rituel (quand les Grecs accusaient les Juifs d'enlever un des leurs et de le nourrir en leur Temple, afin d'offrir la victime, ainsi désignée, en sacrifice). Les accès spontanés d'antisémitisme populaire révèlent au contraire un curieux mixte de « Moyen Âge moderne », comme on a pu s'en apercevoir notamment avec l'affaire de la profanation de Carpentras (voir chapitre 2). L'histoire de l'antisémitisme se présente comme une sorte de jeu de cartes sans cesse rebattu.

La question de l'origine

Un autre écueil porte sur la recherche de *l'origine*, l'expression étant ici prise en son sens non chronologique. L'entreprise qui consiste à repérer une source unique à l'antisémitisme sur le mode de la *causa causans* (la cause déterminante) a-t-elle un sens ? Les explosions de violence contre les Juifs résultent-elles du simple jeu des acteurs, dans un contexte historique ou social donné à un moment donné, s'évanouissant quand le tissu dont ce contexte est formé se défait ? Faut-il situer l'origine dans l'« objet », autrement dit dans les faits et gestes des Juifs ou bien chez l'antisémite lui-même ? Telles sont les questions auxquelles se confronte sans relâche quiconque entreprend de réfléchir sur ce thème et qui se posent d'emblée, dès le choix du mot. On sait qu'« antisémitisme » est un terme forgé par le polémiste allemand Wilhelm Marr à la fin des années 1870 dans une brochure intitulée *Der Sieg des Judentums über das Germanentum. Vom nicht konfessionellen Standpunk aus betrachtet* (Le triomphe judaïque sur la germanité considéré d'un point de vue non confessionnel). Le contexte qui explique l'invention de ce néologisme — appelé à une longue fortune — a été bien expliqué par l'historienne israélienne Shulamit Volkov[8]. Pour l'historienne, cette trouvaille représente une étape déterminante dans la transformation d'une hostilité tournée contre une minorité particulière en équivalent universel de toutes sortes de dysfonctionnements. À l'ère de l'émancipation, l'expression passée de la vieille haine antijuive véhiculait une connotation par trop médiévale pour ses contemporains. Mais exagérer le caractère moderne, sécularisé, d'un antijudaïsme dont le contenu n'était, en réalité, guère différent de la *Judenhass* traditionnelle revient à tomber en partie dans les pièges tendus par l'antisémite lui-même*...

* Les spécialistes sont divisés sur l'application à l'histoire de l'antisémitisme de la distinction entre antijudaïsme et antisémitisme. Usuellement, la distinction oppose une haine théologique à une forme prétendument « scientifique ». L'un des meilleurs historiens de l'antisémitisme médiéval, Gavin Langmuir, propose de réserver le terme « antisémite » pour les situations où la haine antijuive est coupée de toute relation au comportement ou aux idées des Juifs réels, type de haine qu'il voit émerger au tournant du XIIe et du XIIIe siècle avec les premières accusations de crime rituel (notamment celle qui concerne le meurtre du jeune Guillaume de Norwich, en 1140). Peter Schäfer, lui, conteste que l'on puisse diviser ainsi l'Histoire. Aux trois époques (affrontement réel avec le judaïsme, xénophobie, antisémitisme) décrites par Gavin Langmuir, Peter Schäfer oppose sa propre conception de la classification. Dès l'Antiquité cohabitent les trois niveaux de comportement que Gavin Langmuir dispose chronologiquement l'un à la suite de l'autre.

Robert Chazan, de son côté, insiste sur la responsabilité des intellectuels dans la radicalisation de l'antisémitisme au Moyen Âge et la popularisation d'un préjugé qui fut d'abord propagé « au sommet » par les clercs, et, *ensuite* seulement, dans le peuple. À ses yeux, la démonomanie antijuive d'un Pierre le Vénérable,

Il est bien plus intéressant comme le propose Shulamit Volkov d'observer comment, au XIXe siècle, la *Judenhass* se métamorphose en « code culturel » à travers lequel tout et son contraire peuvent s'exprimer ou se dire : la question sociale, la critique de la modernité, la nostalgie de l'« État chrétien », le socialisme, etc. On connaît la réaction d'une des figures de la social-démocratie allemande, August Bebel, à cette évolution, lui qui éprouve à la fin du XIXe siècle le besoin de préciser à ses troupes que « l'antisémitisme est le socialisme des imbéciles ».

Mais le mal était devenu d'autant plus difficile à combattre que c'est dans les rangs des radicaux, des libéraux et des socialistes que cette transmutation du signe « Juif » en symbole d'universalité négative s'était opérée. Avec l'émergence de la notion d'antisémitisme (bientôt suivie par la formation d'éphémères partis antisémites en Allemagne), les Juifs se retrouvent durablement constitués en paratonnerre chargé d'attirer à lui tout le courant de la contestation sociale. Être antisémite, cela finit par signifier la même chose que se prononcer contre la modernité

abbé de Cluny, pour qui l'obstination des Juifs à ne pas reconnaître la divinité du Christ faisait douter de leur humanité, aurait, à l'ère du réveil de l'hérésie dans la chrétienté occidentale, joué un rôle plus important et plus durable dans la constitution de l'antisémitisme à l'époque médiévale que les massacres des croisés dans la vallée du Rhin, en 1096. Voir Gavin Langmuir, *History, Religion, and Antisemitism*, Centennial Book, University of California Press, 1993, et *Toward a Definition of Antisemitism*, *op. cit.* Peter Schäfer, *Judeophobia. Attitudes toward the Jew in the Ancient World*, *op. cit.* Robert Chazan, *Medieval Stereotypes and Modern Antisemitism,* University of California Press, 1997. Sur tous ces sujets on se référera à l'œuvre de Léon Poliakov : *Histoire de l'antisémitisme. I. Du Christ aux Juifs de cour. II. L'Âge de la science*, *op. cit.*

séculière ou contre l'exploitation capitaliste. Encore une fois : transformée en « code culturel » la haine antijuive devient un signe de reconnaissance dans des cercles qui peu à peu vont excéder ceux des fanatiques pour devenir la chose du monde la mieux partagée* !

---

* Un processus d'universalisation de la haine antijuive semble être en train de se reproduire sous nos yeux avec l'antisionisme. La critique d'Israël ou de ses politiques a en effet progressivement perdu son caractère de position particulière, et son enracinement dans le conflit du Proche-Orient pour devenir, par un phénomène d'« abstraction cognitive », un signe de reconnaissance. Une signe d'une généralité telle qu'il est bien souvent légitime de parler désormais comme le fait Pierre-André Taguieff en terme d'« antisionisme absolu » (*La Nouvelle Judéophobie*, *op. cit.*). La confusion croissante entre antisémitisme et antisionisme se laisse voir dans cette opinion ressassée à l'envi par les adversaires d'Israël qui veut qu'une puissance aussi occulte que puissante dissuaderait toute critique de l'État juif ou de sa politique — alors même que ladite critique paraît au contraire des plus répandues, y compris aux États-Unis. Voir à ce sujet l'article de Josef Joffe dans l'hebdomadaire *Die Zeit* du 7 novembre 2002. Dans les divers appels au boycott universitaire et économique qui ont été lancés depuis décembre 2001, les glissements se laissent observer à un rythme de plus en plus précipité dans le sens de l'universalisation négative. Voir, encore à titre de symptôme, l'article paru dans la revue *Multitudes* (éd. Exils, octobre 2002), une publication de gauche radicale dirigée par Yann Moulier Boutang (« La nouvelle économie israélienne et l'Intifada. Note sur la campagne pour le boycott », signé mystérieusement : Naxos). Là encore on frise la limite, et souvent du mauvais côté. On peut lire des phrases du genre « les appels au boycott des produits israéliens sont symboliquement signifiants et tout à fait utiles : un élément d'hygiène éthique ». Il est surtout question de boycotter *intelligemment* au lieu de se cantonner aux « bretzels » et aux « oranges ». D'où une description de l'économie israélienne mondialisée qui n'est pas sans rappeler les obsessions de jadis sur la « fortune anonyme et vagabonde » chères à l'extrême droite d'avant-guerre. À propos de l'industrie israélienne de haute tech-

De Moïse à la « personnalité autoritaire »

Quelles réponses les Juifs apportent-ils à ces transformations de la haine en code culturel et social ? À la fin du XIXe siècle et au début du XXe, on pouvait croire au combat contre l'antisémitisme par la science. Un médecin juif d'Odessa, le Dr Leo Pinsker, déçu de l'émancipation et maître à penser du mouvement présioniste des « Amants de Sion » (*Hovevei Zion*), pensa pouvoir opposer ainsi à l'universalisation pseudo-scientifique de l'antisémitisme la continuité d'un dérangement de l'âme antijuive, l'unité à travers le temps d'une folie dont la structure rappelait celle de la peur des revenants (la hantise). Pour cela il inventa le terme de « judéophobie* ». Mieux valait

---

nologie, l'auteur note ainsi que celle-ci s'est implantée « grâce aux réseaux étendus de la diaspora, en cherchant partout des opportunités ». Auparavant il était question de la « sharonisation de la politique américaine », etc. Voir également mon article sur le boycott — vite étendu aux entreprises « juives » —, vieille pratique qui figure en bonne place dans l'histoire et l'arsenal des pratiques antisémites (*Le Monde*, 2 octobre 2002). Voir aussi Shulamit Volkov, *Judisches Leben und Antisemitismus im 19. und 20. Jahrhundert*, « Antisemitismus und Anti-Zionismus : Unterschiede und Parallelen », *op. cit.* Voir enfin de Bat Ye'or, *Juifs et chrétiens sous l'islam : les dhimmis face au défi intégriste*, *op. cit.* Pierre-André Taguieff (*La Nouvelle Judéophobie*, *op. cit.*) montre comment l'antisionisme de la nouvelle gauche a servi de médiation au déchaînement des incidents antijuifs dans des banlieues travaillées par l'islamisme politique (qu'il distingue de l'islam).

* Il est piquant de constater que le terme « judéophobie » a aujourd'hui les faveurs de ceux qui pour des raisons diverses rechignent à concevoir l'antisémitisme comme un phénomène de longue durée. Tel est le cas de l'orientaliste Maxime Rodinson

pour les Juifs céder la place plutôt que de s'exposer à affronter l'âme malade de l'Europe, expliqua-t-il dans son *Auto-émancipation* de 1881 devenu le bréviaire de générations entières. La tentative « phylogénétique » d'un Freud cherchant à reconstituer la genèse de l'antisémitisme à partir du « meurtre » de Moïse par les Hébreux, en dépit de notables différences de perspective, s'inscrit elle aussi dans cette tradition d'une lecture *médicalisée* de l'antisémitisme. *L'Homme Moïse et la religion monothéiste* fait le lien entre la théorie de la religion telle que Freud l'avait développée en 1912 dans *Totem et Tabou* et une étude de l'antisémitisme dont l'ombre ne cessait de s'étendre autour du fondateur de la psychanalyse.

Freud pensait pouvoir expliquer la genèse de l'antisémitisme à partir d'une théorie du refoulement de l'assassinat de Moïse par les Hébreux. L'existence juive ne cesserait de réanimer aux yeux des autres peuples le souvenir affreux d'un événement qui avait été au préalable encrypté dans les tréfonds de l'inconscient humain : un assassinat constitutif, celui-là, de la religion en général et non seulement du judaïsme, celui du père de la horde primitive, tué par

---

pour qui la haine antijuive est irréductible à une seule et même hostilité (M. Rodinson emploie du reste le terme systématiquement au pluriel) identique du Moyen Âge à nos jours. C'est aussi le cas de Pierre-André Taguieff qui veut à tout prix que l'antisémitisme soit « nouveau » à chacune de ses manifestations. Tous deux rechignent à attribuer le terme à son inventeur réel, Leo Pinsker, pour la simple et bonne raison que Pinsker y avait eu recours pour des motifs exactement inverses. Il cherchait, lui, à ancrer l'antisémitisme dans une réalité psychologique transgénérationnelle afin de rendre compte de son caractère indéracinable. La seule raison légitime de préférer l'expression de « judéophobie » tiendrait, à mon avis, au fait qu'elle n'a pas été forgée par un antisémite.

ses propres enfants parce qu'il monopolisait les femmes de la tribu à sa seule jouissance. C'est ce réveil de l'insupportable culpabilité, conséquence de ce lointain parricide, que l'on retrouve, pour Freud, au fondement de la haine antijuive. La religion des Hébreux serait odieuse aux autres peuples dans la mesure où elle réveillerait les tourments enfouis d'une culpabilité générale. La thèse fascine toujours les plus grands historiens du judaïsme (comme Yosef Hayim Yerushalmi qui l'aborde toutefois de façon critique). Récemment l'égyptologue Jan Asmann n'a pas hésité à prendre la défense du Moïse de Freud[9]. La reconstruction freudienne résiste en ce qu'elle signale à juste titre la relation essentielle qui lie la perception des Juifs et le rapport à soi, élément central de l'antisémitisme. Pourtant, Freud, en cherchant à attribuer aux Hébreux la responsabilité du meurtre de Moïse, demeure tributaire de l'idéologie qui assigne à l'*objet* la source de la haine qu'il suscite. Une thèse qu'on peut, sans grande difficulté, rapporter au contexte de la « haine de soi » typique de si nombreux intellectuels juifs, dans les pays de langue allemande, au début du XXe siècle, même si Freud est resté un Juif tout à fait « assumé ».

Par la disproportion entre le « châtiment » infligé et le crime prétendu, la Shoah a de toute façon vieilli cette perspective (qui n'a cependant pas totalement disparu). On la retrouve au début des années 50 dans les réflexions d'un psychanalyste de la deuxième génération, juste après celles des disciples immédiats de Freud : Rudolph Loewenstein (qui fut à Paris l'analyste de Jacques Lacan). Certes, dans *Psychanalyse de l'antisémitisme*, paru au début des années 50, Loewenstein mettait en évidence l'impossibilité de réduire l'analyse de l'antisémitisme à la pure psychologie, fût-elle collective. La « judéophobie » devait être pensée comme un phénomène social par essence. Mais Loewenstein n'en persistait pas moins à établir une relation entre certaines « caractéristiques spéciales » attribuées aux Juifs et la fantasmagorie antisémite. Si les chrétiens haïssent les Juifs, c'est parce que ceux-ci reproduisent la figure du « père sévère » et la culpabilité qui procède de sa mise à mort, que le christianisme a cherché au contraire à abolir par la rédemption et la divinisation du Fils. Dans ce cadre théorique, l'antisémitisme continue à fonctionner comme une sorte d'outil favorisant la projection des conflits œdipiens mal résolus et auxquels les Juifs offrent un terrain particulièrement favorable[10].

Ce que les formes extrêmes prises par l'antisémitisme nazi ont finalement imposé aux chercheurs, c'est une meilleure prise en compte du décalage entre la réalité démographique juive extrêmement minoritaire et l'importance cyclopéenne que les Juifs prennent aux yeux de leurs adversaires nourris par la littérature des *Protocoles des Sages de Sion* à partir des premières décennies du XXe siècle. L'universalisation de la prétendue « question juive » et la diffusion du thème de la conspiration mondiale ont fait basculer le balancier de l'analyse. De l'observation du comportement des Juifs, on est passé à la psychopathologie de l'antisémite. Ce renversement coïncide avec l'enquête qui, dans les années immédiatement postérieures à la Seconde Guerre mondiale, a vu dans la « personnalité autoritaire » le terreau propice du fascisme aussi bien que de l'antisémitisme. Menée à l'initiative de l'American Jewish Committee par un groupe de sociologues et de philosophes qui comptait de nombreux immigrés d'origine allemande ou autrichienne ayant fui le nazisme[11] (en particulier le philosophe Theodor Adorno), réalisée sur la base de plus de mille questionnaires distribués à des sujets résidant à l'ouest des États-Unis, cette étude est demeurée fameuse dans l'histoire de la sociologie parce qu'on lui doit l'utilisation systématique des échelles de mesure comparative (entre le degré de racisme et d'antisémitisme et l'autoritarisme de la personne interrogée). La publication des résultats, au début des années 50, a donné lieu à une vaste controverse.

Le portrait de l'antisémite qui en ressort dans les contributions rédigées par Adorno a pour arrière-plan un environnement relativement préservé des horreurs de la guerre et de l'Occupation — la Californie d'il y a une soixantaine d'années. En cela l'enquête conserve une certaine coïncidence avec notre univers européen contemporain. Pour faire court, je dirai que nous sommes, d'une certaine façon, aussi éloignés dans le temps des atrocités de la Seconde Guerre mondiale que les Américains des années 40 l'avaient été géographiquement. Adorno utilise, à sa manière, certaines notions forgées par la psychanalyse. Au centre de son interprétation des résultats on trouve un conflit triangulaire entre plusieurs instances de la psychologie individuelle : le moi, le ça (les instincts) et le surmoi (l'instance de la morale et de la rationalisation). Le cas de la personnalité autoritaire présente cette particularité que le surmoi y est annexé au ça. Le premier abdique sa fonction qui consiste précisément à *domestiquer* l'instinct et se met à le servir et à en développer la puissance par la ratiocination. La raison morbide justifie l'injustifiable. Selon Adorno, le surmoi, assujetti, réduit à n'être plus que le porte-parole des passions aveugles, abdique pour n'avoir plus comme seule et unique fonction que l'extériorisation d'une violence que le sujet n'est plus à même de contenir en lui-même et qu'il doit projeter, afin de réduire la tension qui le mine. Les morsures de la culpabilité, résultats de cet affrontement intérieur, font de la personnalité autoritaire un malade, obsédé par les fantômes et les conspirations imaginaires qu'engendre le mécanisme de la projection. Une personnalité prompte à monter aux extrêmes, tendance qui est le symptôme d'un moi paranoïde plongé dans la tâche infinie qui est celle de chercher à s'approprier de force une réalité nécessairement fuyante : tel était le terreau de l'antisémitisme selon Adorno.

L'un des exemples de l'enracinement de l'antisémitisme dans la psychopathologie de la personnalité autoritaire était l'obsession de l'ubiquité juive. Par là, l'antisémite s'efforce de combler le hiatus entre la réalité et la puissance qu'il prête aux Juifs (« ils sont partout »). Le recours systématique à la théorie du complot appartient, pour les mêmes raisons, à ce type de structure mentale. La conspiration vise à combler le décalage entre la prétendue puissance juive et la faiblesse démographique des Juifs qui peuplent le globe[12]. Cette phobie de l'ubiquité juive* reproduit

---

* Dans un entretien accordé à *L'Histoire* du 20 novembre 2002, et consacré à la théorie du complot en général, le philosophe Marcel Gauchet signale un genre analogue d'incohérence à propos de l'antisionisme : « Reste cette grosse différence, dit-il, par rapport à l'ancienne problématique : l'existence même d'Israël. Si les Juifs veulent dominer le monde, pourquoi leurs efforts sont-ils tendus vers la préservation d'un tout petit État national, avec lequel il est peu probable qu'ils parviennent à dominer le monde ou même une région du monde ? Israël met à mal l'imaginaire antisémite classique. Car la préservation d'Israël n'est pas un but compatible avec un imaginaire du complot. » Pour réduire cette dissonance, l'imaginaire en question « peut toutefois se rattraper en réinscrivant la politique israélienne dans

sous une forme actualisée la figure du « Juif caché » (baptisé ou assimilé) typique de l'antisémitisme intellectuel de la fin du XIXe et du XXe siècle[13]. Après avoir reproché aux Juifs d'être trop différents, on finit par les accuser d'être trop fondus dans le décor !

Au milieu de nombreuses remarques qui, aujourd'hui encore, conservent toute leur pertinence, Adorno s'interroge, dans son commentaire des résultats, sur ce décalage entre les Juifs réels et la puissance que les antisémites leur prêtent. Le maître de l'école de Francfort remarque ainsi, à propos du caractère paranoïaque de la haine antijuive, qu'il est douteux qu'une meilleure exposition et une plus grande visibilité des Juifs suffisent à réduire ou à diminuer l'antisémitisme. Inutile donc d'inviter un voisin antisémite pour lui montrer ce que les Juifs font et sont. Ni peut-être de lui faire lire des livres sur le judaïsme, sa tradition, ce que ses textes disent, etc. L'entendement de l'antisémite est un entendement ébréché, arc-bouté pathologiquement sur des distinctions binaires entre amis/ennemis, incapable de plus rien percevoir sainement et par conséquent inapte à tirer des leçons d'une rencontre avec autrui. Cette réflexion faisait peut-être allusion aux efforts désespérés des Juifs allemands — mais cela vaut pour d'autres contextes — d'exposer sans cesse les beautés de la religion, de la culture ou de l'histoire des Juifs. Ces tentatives montrent, entre parenthèses, le caractère vain du mouvement muséal qui n'a cessé de se

---

l'ensemble de la politique mondiale. Israël n'est-il pas le bras armé des États-Unis dans la région, une région rendue stratégique, de surcroît, par ses ressources pétrolières ? ». Cette description pertinente s'applique tout à fait à l'article de *Multitudes* évoqué plus haut.

développer au sein des communautés juives d'Europe, tout au long du XXe siècle [14]. Face à ce gouffre entre le point de vue du persécuté et les facultés endommagées du persécuteur, seule la psychopathologie semble en mesure d'expliquer le fanatisme de l'antisémite, et rien de ce qui vient des Juifs ne peut contribuer à l'explication. La déformation est telle qu'elle exclut toute relation au comportement des Juifs que Freud ou Loewenstein prenaient encore en compte dans leurs explications. Par là, l'étude de l'antisémitisme congédie enfin l'« objet » et le paradigme action/réaction, pour braquer la lunette du côté de l'antisémite lui-même.

Au-delà des problèmes soulevés par l'interprétation de l'antisémitisme en termes de projection des conflits du moi, l'enracinement de la judéophobie sur le terreau de la « personnalité autoritaire a le désavantage de négliger le caractère social et historique du phénomène au profit des éléments psychologiques ou comportementaux. C'est ce travers que de nombreux auteurs, y compris parmi les psychanalystes, se sont efforcés d'éviter. Ainsi, Rudolph Loewenstein critiquait-il Leo Pinsker parce que son « diagnostic » de la haine antijuive tendait exagérément à conclure à la maladie mentale. Si l'antisémite est bel et bien un malade pour Loewenstein, il doute qu'aucune cure individuelle puisse jamais venir à bout de sa pathologie, tant la dimension sociale et historique du mal est incompressible.

Or, pour constituer une explication crédible, la psychopathologie doit être en mesure de démontrer que la mentalité collective d'une époque présente des ressemblances frappantes avec une disposition psychique — fût-elle définie par la « personnalité autoritaire » ou par toute autre disposition. À cet égard, l'étude de l'Allemagne à la fin du XIXe siècle et au début du XXe offrait un terrain idéal à ce genre de comparaison. Mais celle-ci ne valait pas pour d'autres temps. Surtout, elle n'était pas en mesure de rendre raison de la longue durée de l'antisémitisme. En effet, se contenter d'additionner à une époque donnée les « personnalités autoritaires » n'aurait pas servi à grand-chose. Il fallait donc expliquer autrement comment, par toutes sortes de transformations, la haine antijuive se métamorphosait en « code culturel », adaptable ou ingérable par le névrosé ou par le psychotique tout autant que par le bien portant. Serrant de trop près les entendements hallucinés, la psychopathologie de l'antisémitisme risquait en outre de perdre de vue les « gens ordinaires » et les mécanismes d'abstraction et d'universalisation au travers desquels le préjugé devient une vision du monde (antimoderne, anticapitaliste, etc.), voire un consensus négatif au sein duquel les Juifs sont investis d'une signification centrale, bien au-delà des limites définies par le champ de la simple « phobie ».

Quand les Juifs « freinent » l'histoire

M'inspirant de Theodor Adorno et de Max Horkheimer[15] je dois évoquer une autre façon de concevoir l'origine de l'antisémitisme. Les deux philosophes estiment que le développement de la société capitaliste aboutit, à un certain stade, à une confusion entre l'ordre de la société et l'ordre de la nature*.

---

* Cette confusion vise à gommer l'impression de terreur liée aux relations primitives avec la nature. Dans le monde moderne, la technique remplit, pensent-ils, le rôle de l'ancienne magie en

Mais il y a pour eux une part irréductible de duperie dans cette métamorphose prétendue qui représente la vie sociale comme un organisme aussi réglé que le mouvement des marées. Face à cette illusion qui est celle de l'homme moderne, tout ce qui vient rappeler le caractère trompeur de la naturalisation du social remettrait à vif la souffrance lancinante engendrée par la conscience sourde que ce processus de modernisation/naturalisation est un faux. Si le Juif, son corps même, en vient à remplir une fonction de protagoniste dans ce drame, c'est que sa simple existence s'en viendrait déranger la métamorphose rêvée du corps social en entité organique. Elle vient rappeler les étapes antérieures et dépassées du procès de domestication de la nature. Elle matérialise les limites de la domination de la nature en introduisant la dimension de l'Histoire. Le caftan des orthodoxes évoquerait le costume à longues basques de la noblesse polonaise, excitant les lazzis et l'hostilité du monde moderne. Dans la société à venir, l'imitation de la nature par la société devra être parfaite au point de faire oublier les étapes antérieures qu'elle a dû franchir pour devenir ce qu'elle sera... Or, telle que l'antisémite la pense et la construit, la figure du Juif n'évolue pas au cours

---

prenant la fonction fétiche mais tout aussi illusoire d'imitation de la nature — peut-être avec une efficacité accrue. Cette théorie n'est pas sans évoquer le célèbre texte de Marx sur le fétichisme de la marchandise dans lequel l'auteur du *Capital* étudie par quel renversement l'ordre de domination entre les hommes est remplacé par un ordre prétendument naturel entre les choses. « Le caractère fétiche de la marchandise et son secret », *Le Capital*, tome I, Éditions sociales, 1975, p. 83-95. L'idée développée par Freud dans *Totem et Tabou*, selon laquelle la névrose constituerait la trace d'un état antérieur de l'humanité, n'est pas très éloignée non plus de ces développements.

des siècles. Il n'est doté d'aucune existence historique mais d'une éternité de fantôme symbolisée, dans la culture populaire, par le personnage d'Ahasver (le « Juif errant » ou mieux nommé dans la sphère germanophone par l'expression « Juif éternel »). Cette soi-disant antiquité immuable fige un passé qu'on voudrait à tout prix dépasser, pour être résolument moderne. L'antisémitisme a donc pour fonction sociale de faire croire qu'il est bel et bien au pouvoir de la société de chasser les spectres insistants de sa *préhistoire.*

Adorno et Horkheimer vont plus loin. La transfiguration des Juifs tient à ce que ceux-ci se retrouvent souvent à l'« avant-garde » et s'en voient gratifiés du qualificatif de « colonisateurs du progrès* ». Le réflexe qui a associé longtemps le Juif au révolutionnaire (notamment à l'époque où *La Dialectique de la raison* fut rédigée) s'ancrerait dans cette croyance, même si les Juifs réels n'ont pas tous, loin s'en faut, le goût pour la table rase. C'est également par le culte de l'attente messianique considérée comme instant propre à introduire de l'hétérogénéité dans le temps, que le Juif se voit accusé de déstabiliser une société qui ne veut, au contraire, que se calfeutrer dans le confort de l'organique.

---

* Autre motif de détestation du judaïsme : le fait que la *réconciliation* y joue, selon Adorno et Horkheimer, un rôle primordial : « Les dominateurs ne pourront subsister qu'aussi longtemps que les dominés transformeront les objets de leurs aspirations en objets de leur haine. Ils y parviennent au moyen de la projection pathologique, car même la haine aboutit à l'union avec son objet — en le détruisant. C'est la face négative de la réconciliation. La réconciliation est le concept suprême du judaïsme et l'attente de cette réconciliation donne à son cheminement tout son sens ; c'est l'incapacité d'attendre qui produit la réaction paranoïaque. » *La Dialectique de la raison*, *op. cit.*, p. 217.

La tragédie juive provient de ce que le mouvement même — ici perverti — de réduction de la dimension historique du réel correspond apparemment à un processus *rationnel.* Dans sa fureur à s'annexer le monde, c'est bien une démarche qui a le style de la raison que suit l'antisémite. Mais la raison se trouve en réalité employée à briser les cadres mêmes de la raison. Une contradiction intérieure en forme d'autodestruction qui aboutit, chez l'antisémite, à une incapacité supplémentaire de penser, c'est-à-dire de reconnaître les bornes qui séparent la réalité du moi et qui n'est pas sans engendrer une grande souffrance. Maladie de la raison retournée contre elle-même, l'antisémitisme ne saurait être du coup arraisonné. « Assez puissante pour briser » par sa violence autodestructrice « les limites de la raison », la ratiocination antisémite reste imperméable à une rationalité remise sur ses rails. Pour Adorno et Horkheimer, cette dialectique infernale contamine jusqu'à la conscience de soi de la victime. Le Juif finit par reproduire — ou refléter — l'instabilité maladive et la frénésie de son persécuteur perdu dans sa quête impossible d'une communauté organique et d'une « société naturelle ». « S'émanciper individuellement et socialement, écrivent-ils, c'est s'opposer à la fausse projection, et tout Juif qui saurait un jour vaincre celle-ci en lui cesserait de ressembler au malheur aveugle qui fond sur lui comme sur tous les autres persécutés, qu'ils soient des animaux ou des hommes. » Je reprends ce programme à mon compte.

En supprimant le Juif, l'antisémite assassine ce qu'il connaît si bien en lui-même : son familier refoulé. Plus la différence est minime, plus brutale est la violence qu'elle suscite (c'est la dimension mimétique de l'antisémitisme). Ne faut-il pas sauver la société et tuer les scories qui empêchent celle-ci d'être aussi lisse qu'une machine vivante et homogène (une nature), reproductible à l'infini et à l'identique ? Ainsi, supposent Adorno et Horkheimer, l'aversion des antisémites pour le nez « juif » proviendrait-elle moins de ce que sa forme évoquerait un Orient mystérieux et hostile que parce que le nez serait par excellence un principe d'individuation au milieu du visage [16].

Quand les Juifs accélèrent l'histoire

D'autres reprochent aux Juifs non de freiner l'histoire mais au contraire d'en précipiter le cours. Les Juifs n'exhiberaient plus les restes putréfiés d'une humanité passée mais au contraire précipiteraient la venue de l'apocalypse. Tel est le cas du philosophe du droit gravement compromis avec le nazisme, Carl Schmitt. Pour Schmitt la politique se lit comme une forme sécularisée de théologie. Des études récentes ont montré à quel point la haine des Juifs, loin d'avoir été, chez lui, une simple concession de style au nazisme (dont il fut l'un des théoriciens du droit les plus appréciés) ou le produit d'un pur opportunisme, travaille le cœur même de sa pensée — sans doute une des philosophies politiques les plus influentes au XXe siècle —, et cela bien avant l'arrivée de Hitler au pouvoir. On peut estimer que si ce philosophe a été amené à faire un bout de chemin avec les nazis, c'est parce que son antisémitisme l'y portait et non l'inverse [17]. C'est ainsi qu'en octobre 1936, clôturant un colloque consacré à l'« influence juive dans la science juridique », Schmitt proposa en guise de conclusion quelques mesures concrètes afin de contrecarrer l'odieuse emprise des Juifs sur la discipline ! À commencer par l'épuration des bibliographies puis des bibliothèques — ces bibliothèques à propos desquelles les étudiants nazis, à la veille de pratiquer leurs spectaculaires autodafés, exigeaient que les ouvrages écrits en allemand par des auteurs juifs fussent désormais estampillés comme « traduits de l'hébreu[18] ». Schmitt, lui, préférait vaticiner sur « la polarité bizarre du droit juif et du chaos juif, du nihilisme et de l'anarchie et du positivisme juridique [la théorie de Hans Kelsen, son grand rival], du matérialisme sensualiste grossier et du moralisme abstrait ». Mais pas question de conclure, de ce caractère disparate, à l'inanité d'une définition monolithique du Juif dans laquelle il voyait au contraire la preuve même de l'essence inorganique, « non séparée » du Juif ferment de dissolution. Pourtant, il ne pouvait que constater à son époque la diversité politique des Juifs qui se répartissaient en socialistes ou marxistes mais aussi en Juifs conservateurs ou libéraux. Bref, il n'était pas malaisé de s'apercevoir que tous n'étaient pas révolutionnaires. Pour Schmitt cependant, semblable diversité n'était qu'un rideau de fumée, une façade derrière laquelle se dissimulait un comportement uniforme[19]. S'il y a une apparence d'incohérence entre l'essence polarisée de la « dialectique juive » et l'uniformité du comportement juif, Schmitt la résout, non en choisissant entre l'une ou l'autre, mais en les assortissant vaille que vaille, au moyen de la théorie du complot qui permet de résoudre toutes les contradictions. Le sésame de l'histoire juive, pense-t-il, se réduit à un changement de masque ! Ainsi, la capacité des Juifs à donner le change, à faire croire qu'ils s'ébattent dans l'histoire alors qu'ils ne se réduisent qu'à la reproduction naturelle ou animale, ne s'explique que par leur « faculté d'adaptation » hors pair et leur « virtuosité dans le mimétisme » (*die Virtuosität der Mimikry*). Décidément, il y a une explication à tout dans l'univers de la ratiocination antijuive !

Ainsi pour Schmitt, les Juifs représentent-ils pour les Allemands une catégorie d'ennemis fort différente de celle des Français ou des Anglais. L'antisémitisme de Schmitt, sans doute la formulation la plus sophistiquée jamais atteinte au XXe siècle, ne se laisse nullement dissoudre en « xénophobie radicale » ni en hostilité raciste. Ce que les Juifs matérialisent avant tout à ses yeux, c'est un « esprit » (*Geist*) qui a pour particularité de se nourrir des faiblesses du peuple hôte (le fameux « parasitisme »). Ce faisant, il met ces faiblesses en évidence (sens ultime de la célèbre formule de l'historien Heinrich von Treischke : « Les Juifs sont notre malheur »). Par là se trahit aussi l'intimité du Juif et de l'antisémite dont on peut dire à nouveau qu'elle est une relation brisée de soi à soi accompagnée de la peur de voir ses propres béances mises à nu[20]. Le Juif pour Schmitt aussi représente l'altérité la plus intime, l'ennemi intérieur par excellence, une forme vide certes, mais dont la puissance n'en est pas moins éminemment destructrice*.

---

* La forme la plus actualisée de la notion de complot juif s'énonce en termes de « lobby ». C'est l'utilisation prêtée au président Mitterrand de cette expression qui fut l'un des points de départ de ce livre (voir mon article du 6 septembre 1999 dans *Le Monde*). Saul Friedländer, qui retrouve en la prolongeant l'intuition du philosophe Vladimir Jankélévitch considérant l'antisémitisme comme la haine des « petites différences », estime que la vision qui conjugue la radicale altérité de l'essence avec la similitude apparente n'est pas propre à l'idéologie nazie. Elle la partage avec l'image des Juifs que se sont forgée un certain nombre de chrétiens militants, critique déterminée d'une modernité sécu-

Quelques années plus tard dans un commentaire du *Léviathan*[21] de Thomas Hobbes, le parasitisme juif se double, dans la vision hallucinée d'un Schmitt, du cannibalisme (non sans écho avec le mythe shakespearien de Shylock) : « Mais, écrit-il, les Juifs se tiennent à distance et observent comment les peuples de la Terre s'entretuent ; à leurs yeux, ces pratiques d'“égorgement et d'abattoir” réciproques sont conformes à la loi, et elles sont casher, c'est pourquoi ils mangent la chair des peuples tués et en vivent. » Plusieurs thèmes s'entrelacent ici : celui du complot ; l'idée que les Juifs représentent moins une race inférieure ou un peuple étranger que l'antitype diabolique des nations au milieu desquelles ils sont dispersés. Enfin la démonomanie « sécularisée » de Carl Schmitt culmine dans l'allusion à l'anthropophagie — qui n'est autre que la version la plus répandue de la calomnie de crime rituel*.

---

larisée démocratique ou capitaliste. À commencer par le Georges Bernanos de *La Grande Peur des bien-pensants* (*in Essais et écrits I*, Paris, 1971 [1931]), biographe enthousiaste d'Édouard Drumont. L'indifférence avec laquelle la plus grande partie des catholiques et des protestants accueilleront les persécutions et l'extermination des Juifs par l'Allemagne hitlérienne découle de cet esprit qui a, d'une certaine façon, permis l'entrée de l'« enseignement du mépris » dans la modernité. *Cf.* « Europe's Inner Demons », *art. cit.*

* Gavin Langmuir, *Toward a Definition of Antisemitism*, *op. cit.*, p. 263-282. On notera un autre extrait du discours prononcé par Carl Schmitt lors de cette conférence et reproduit dans l'ouvrage pionnier de Max Weinreich, *Hitler's Professors. The Part of scolarship in Germany's Crimes against the Jewish People*, Yiddish Scientific Institute — Yivo, New York, 1946, p. 40 : « Les grands discours du Führer et de ses compagnons d'armes prononcés le jour de la convention du Parti sous le signe de l'honneur (*Parteitag der Ehre*) à Nuremberg nous ont montré avec une clarté époustouflante l'état de la bataille à mener dans le contexte

On pourrait objecter que l'univers de référence des auteurs que j'ai évoqués jusque-là est celui d'un antisémitisme paroxystique culminant à l'époque nazie dont ils furent les contemporains. *La Dialectique de la raison* a été élaborée en pleine guerre mondiale. En quoi ces théories sont-elles transposables à une période d'antisémitisme de plus basses eaux ? Le caractère radical de la réalité qui les a suscitées ne risque-t-il pas de faire « rater » la réalité de l'antisémitisme actuel ? Ne court-on pas le risque de la « *reductio ad Hitlerum* » dont Leo Strauss craignait, à juste titre, qu'elle n'obscurcisse notre déchiffrage de la complexité du monde ? Le risque de la surinterprétation ne doit toutefois pas en occulter un autre, qui, malheureusement, a plus souvent cours : celui de la minimisation. Si la vague des premiers écrits sur l'antisémitisme a accompagné et suivi la Shoah, par la suite, notamment aux États-Unis, cette question a perdu de son acuité et a été supplantée par l'étude des préjugés racistes ou xénophobes. À l'explication psychologique, voire psychiatrique, de l'antisémitisme, plus ou moins rapportée à la psychanalyse — laquelle respectait encore une certaine spécificité du phénomène parce qu'elle mettait au premier plan les sources religieuses — a succédé l'étude du « préjugé ». Étude dont le terrain de préférence était l'*Homo*

idéologique contre le judaïsme. [...] Nous devons libérer l'esprit allemand de toutes les falsifications juives, falsifications du concept d'esprit (*Geist*) qui a rendu possible à des immigrants juifs de qualifier de non spirituel (*ungeistig*) le merveilleux combat du Gauleiter Streicher [il s'agit du rédacteur en chef de la revue *Der Stürmer*, spécialisée dans l'antisémitisme le plus grossier et le plus violent]. » Tel était l'homme dont Raymond Aron doutait, quand il le rencontra pour la première fois en 1954, qu'il ait été un partisan de Hitler et des nazis !

qualunque et non le névrosé frôlant la psychose ou la « personnalité autoritaire ». Cette mutation a fait son chemin jusque dans les études sur la Shoah où les grands travaux sur le nazisme ont été complétés par des recherches sur la société allemande et ses assassins « ordinaires ». Quelle que soit la nature du mal, il fallait à tout prix que le méchant soit banal ! Certes, il est essentiel de comprendre la possibilité d'un développement de la haine dans un contexte « normal ». Mais la possibilité d'analyser l'antisémitisme *sui generis* n'en a-t-elle pas été perdue ? L'antisémitisme n'en est-il pas devenu un peu moins perceptible ? Je crois, de mon côté, utile un retour en arrière dans l'explication. Non certes par attachement religieux ou maniaque à une quelconque « spécificité » de la haine antijuive, mais parce que la reconnaissance du phénomène pour ce qu'il est me paraît l'imposer*.

Le Juif de l'antisémite et le Juif réel

Accélérateur ou frein de l'Histoire, le comportement des Juifs est mis en relation avec l'histoire de l'antisémitisme. On a vu que cette relation ne posait un problème que dans le cas où l'observateur établirait entre les Juifs et la haine qui les entoure un rap-

* En disant cela je suis évidemment conscient de tout ce qu'il y a de vieilli dans la perspective de *La Dialectique de la raison*. Ce qui paraît devoir être retrouvé et conservé, en revanche, c'est le souci d'interpréter l'antisémitisme comme un phénomène non résiduel, mais au contraire comme un processus qui accompagne la modernité.

port de cause à effet*. Or cette limite si difficilement tracée semble à nouveau en passe d'être franchie par des historiens qui estiment que l'apaisement des relations entre le judaïsme et le christianisme et le recul de l'antisémitisme de l'Église permettent de reconsidérer l'antisémitisme en replaçant les Juifs en position d'acteurs de leur propre histoire. Une attitude qui a, pour arrière-fond idéologique, la sortie de l'identité victimaire, même s'il ne s'agit certes plus de faire des Juifs les responsables « en dernière analyse » des persécutions dont ils sont les victimes.

Ainsi un spécialiste israélien de l'université hébraïque de Jérusalem, Israel Jacob Yuval, classé parmi les « nouveaux historiens » bien que lui-même s'en défende, a-t-il suggéré récemment de substituer à la traditionnelle relation filiale historique ou théologique, qu'il est convenu de tracer entre le judaïsme et le christianisme, un lien de *fratrie* et de concurrence. Judaïsme et christianisme constitueraient deux croyances rivales nées d'un tronc commun — le *corpus* biblique — qu'ils interprètent différemment, le tout dans une observation mutuelle et hostile dont le développement des mythes antijuifs résulterait en grande partie.

---

* Ainsi soutient-on parfois que la pratique de la circoncision constituerait une des racines de l'antisémitisme, particulièrement de l'accusation de crime rituel. C'est à propos de la circoncision que Spinoza écrit : « J'attribue [à ce signe] une telle valeur en cette affaire [ici Spinoza parle de la haine des nations propre selon lui à préserver la conservation des Juifs] qu'à lui seul je le juge capable d'assurer à cette nation juive une existence éternelle » (*Traité théologico-politique*, traduction de Charles Appuhn, Garnier-Flammarion, Paris, 1965, p. 82). Pour Freud, par exemple, l'angoisse de castration est « la plus profonde racine de l'antisémitisme », *in* « Analyse d'une phobie chez un petit garçon de cinq ans (le petit Hans) » dans *Cinq Psychanalyses*.

Prenant pour exemple la *Haggadah*, le récit lu le soir de la fête de *Pessah* qui commémore la sortie d'Égypte, Yuval offre une lecture originale de ce texte qui devrait être considéré, à l'en croire, comme une sorte de contre-Évangile. Ainsi, la discrétion qui entoure la personne et même le nom de Moïse dans la *Haggadah* reflète-t-elle à ses yeux le souci de ne glorifier aucun « homme providentiel » qu'on pourrait finir par confondre avec la figure du Christ. L'influence sous-jacente du christianisme sur le rite juif s'étendrait donc jusqu'à la fête la plus familiale et la plus nationale des Juifs, le *Seder*, rite par ailleurs le plus pratiqué au-delà des sphères du judaïsme orthodoxe. En outre, chez les auteurs de la *Haggadah* on retrouverait l'influence d'une exégèse chrétienne, en l'occurrence celle de la lecture « typologique », laquelle consiste à faire des personnages et des événements de l'Ancien Testament autant de « figures » — de types — du Nouveau. Une telle relecture du judaïsme n'est pas sans conséquence sur la théorie de l'antisémitisme. Yuval suggère à partir de ces prémisses de repenser de fond en comble la perception que les chrétiens pouvaient avoir des Juifs, dans les cités romaines ou médiévales avant que les « juiveries », « carrières », *aljamas* et autres ghettos ne les dérobent aux regards de leurs voisins. Il commence par faire observer que la tessiture sonore des grandes villes modernes traversées de voitures et zébrées de lumières a enlevé encore un peu plus de visibilité aux populations minoritaires, en l'occurrence aux Juifs, par rapport à l'urbanisme du Moyen Âge. C'est avec l'époque moderne, dans la structure urbaine qui lui correspond, que le ghetto aurait trouvé sa version la plus hermétique[22]. Première conclusion : à l'adresse de ceux pour qui les progrès de l'urbanisation vont de pair avec ceux des mentalités et qui voient dans la ville le signe même de l'émancipation, on doit constater au contraire que la diminution de la haine n'est pas coextensive à la croissance des agglomérations*. Au Moyen Âge au contraire, dans les venelles silencieuses de cités aux dimensions modestes, le rituel juif était au moins entendu, aperçu sinon compris et parfois accepté par l'environnement. Il conservait une publicité que l'urbanisation survenue après la sortie du ghetto lui aurait paradoxalement fait perdre.

Si on admet l'hypothèse de Yuval, on peut supposer que le goût pour le sang dont les Juifs sont soupçonnés correspondrait à une perception confuse par l'environnement chrétien de la circoncision, de l'abattage rituel, ou de la tradition médiévale qui consistait à pendre une effigie d'Aman le jour de la fête de Pourim. Ce genre de conception a toutefois l'inconvénient de ramener l'explication de l'antisémitisme à l'« objet » dont l'historiographie — on l'a vu — s'était péniblement détachée. Pourtant, on peut parfaitement assigner une origine au crime rituel sans pour autant revenir à une causalité de l'objet. Ainsi n'est-il pas interdit de considérer cette légende noire comme un avatar parmi d'autres de la vertu magique prêtée au sang dans les sociétés primitives antiques ou médiévales. Un goût morbide que bien des poètes du bas Moyen Âge partageaient, quand on les surprend à

* Il ne faudrait pas en conclure, ce qui serait absurde, que le Moyen Âge aurait été plus « philosémite » que l'époque moderne. En effet, la proximité avec les Juifs peut aussi bien nourrir le fantasme que le guérir, puisque par définition l'antisémitisme se présente lui-même sous les apparences de la raison et du coup peut se payer le luxe d'être réfractaire à l'évidence empirique, à la preuve comme à l'argumentation — celle-ci fût-elle administrée sur le mode du voisinage.

s'ingénier à trouver des détails de plus en plus atroces pour décrire les tourments infligés au Christ. Au point qu'on a pu parler d'une véritable recrucifixion littéraire du Christ ! Fruit d'une sourde révolte impossible à exprimer de façon directe contre l'Église officielle, cette évolution n'aurait pas été sans engendrer parallèlement un puissant sentiment de culpabilité dans les populations chrétiennes. C'est cette culpabilité qui, d'après certaines interprétations, se serait déchargée par une projection de plus en plus cruelle à l'encontre des Juifs culminant dans l'accusation de crime rituel[23]. En somme, les tendances à l'œuvre dans la société chrétienne suffisent à rendre raison de l'antisémitisme, sans qu'il soit nécessaire, comme le propose Yuval, de rapporter cette pathologie au Juif ni à son messianisme supposé vengeur[24].

On peut ajouter que la mentalité médiévale dans laquelle la corporation joue une fonction sociale essentielle, et qui rend systématiquement l'individu responsable des actes d'une collectivité et réciproquement, explique que l'opprobre porté sur un Juif engage l'ensemble de la communauté[25]. On n'est donc pas obligé de rapporter l'obsession de la « solidarité juive » des antisémites à une observation éventuellement envieuse, éventuellement biaisée de la pratique juive de l'entraide communautaire. Bref, on peut continuer à analyser la formation des mythes antisémites sans recourir pour cela aux faits et gestes des Juifs ni aux conditions sociales ou économiques dans lesquelles ils vivent. L'antisémitisme, comme le pensait Jean-Paul Sartre dans ses *Réflexions sur la question juive*, reste bien en son fond l'affaire des non-Juifs.

On trouve chez Wittgenstein une remarque à propos de l'antisémitisme, phénomène qui suscite chez le philosophe un « aveu d'incompréhension ». « Lorsque vous ne pouvez pas démêler une pelote, écrivait-il, la chose la plus intelligente est de vous en rendre compte, et la plus convenable, de le reconnaître*. » Ce désarroi théorique devant la complexité particulière du phénomène n'est-il pas, comme le suggère un commentateur[26], une des raisons de l'antisémitisme dans la mesure où il serait difficile à un Juif de se comprendre et, *a fortiori*, de se faire comprendre ? L'explication est séduisante. Mais il est difficile d'en tirer les mêmes conclusions que l'auteur du *Tractatus* pour qui la judéité désigne aussi une certaine forme d'*esprit*, une construction psychique spéciale qui, certes, trouve son incarnation la plus remarquable dans le judaïsme historique, mais que l'on peut tout aussi bien repérer ailleurs (« Rousseau a quelque chose de juif dans sa nature », écrit ainsi Wittgenstein). En revanche, je lui reprends volontiers cette intuition qu'il est vain de chercher une cause à l'antisémitisme. S'il faut pour terminer suggérer un type de lutte efficace, je conclurais de ce qui vient d'être évoqué que le meilleur est d'opérer un divorce, si possible par consentement mutuel, entre le Juif imaginaire des antisémites et les Juifs, individus ou collectivités, réels. Et cela, tant que l'antisémite n'est pas parvenu à anéantir ce qu'il croit être son objet

---

* Leo Strauss pensait de son côté que si signification universelle de l'expérience des Juifs il y avait, celle-ci consistait en ce qu'elle offrait le spectacle d'un problème humain impossible à résoudre : « Le problème juif, comme on l'appelle, est l'illustration la plus simple et la plus accessible du problème humain » *Pourquoi nous restons juifs, op. cit.*, p. 51.

dans son enlacement meurtrier. Le travail social de l'historien de l'antisémitisme se résume donc à désassembler ces fils tissés au cours des siècles afin de découdre deux figures, celle de l'antisémite et celle du Juif, dont l'étreinte a fini par être mortelle pour le dernier. Ce n'est ni facile ni évident. Mais c'est sans doute une des tâches de cette histoire.

Notes

Introduction

1. Sous la direction d'Emmanuel Brenner, *Territoires perdus de la République. Antisémitisme, racisme et sexisme en milieu scolaire*, « Mille et une nuits », Paris, Fayard, 2002.

2. Tout récemment encore, dans l'enquête-pamphlet de Daniel Lindenberg, un proche de la revue *Esprit*, *Le Rappel à l'ordre. Enquête sur les nouveaux réactionnaires*, La République des idées/Le Seuil, Paris, 2002, p. 62.

3. Sur ce sujet je renvoie à ma contribution au volume des actes du forum *Le Monde*/Le Mans (26-28 octobre 2001) publié sous la direction de Thomas Ferenczi sous le titre *Devoir de mémoire et droit à l'oubli*, éditions Complexe, Bruxelles, 2002 : « Y a-t-il un bon usage de la mémoire ? », p. 225-235.

4. Voir encore Daniel Lindenberg, *op. cit.* Il semble que, désormais, dénoncer l'antisémitisme en France, voire tenir un discours sur la haine antijuive soient devenus à même de vous classer, aux yeux de certains, parmi les réactionnaires.

5. Comme Pierre-André Taguieff dans *La Nouvelle Judéophobie*, Fayard, « Fondation du 2 mars/ Mille et Une Nuits », Paris, 2002.

6. Le sociologue Shmuel Trigano a cherché à montrer dans son dernier ouvrage, *L'Ébranlement d'Israël. Philosophie de l'histoire juive*, Le Seuil, Paris, 2002, comment, dans les années 80, les Juifs

ont subi un processus symbolique de « dénationalisation » pour être investis du rôle d'icône de l'étranger-bien-intégré, donné en exemple à suivre aux populations d'origine maghrébine. Le pouvoir politique mitterrandien se serait en somme servi des Juifs pour faire passer des messages à une immigration dont l'afflux provoquait, en réalité, un profond trouble identitaire. La flambée antijuive des années 2000-2001 serait, selon lui, la conséquence de cette instrumentalisation, et une réponse, à nouveau par Juifs interposés, des « enfants d'immigré » à un tel message. Via les violences contre les Juifs et contre leurs lieux de culte, les enfants de l'immigration exprimeraient leur rejet de la société française (ou leur exclusion). Cette analyse a été également développée dans *L'Observatoire du monde juif*, n° 1, novembre 2001, où les incidents antijuifs sont méthodiquement recensés (de l'automne 2000 à l'automne 2001). Voir également pour d'autres chiffres *Les Antifeujs. Le livre blanc des violences antisémites en France depuis septembre 2000*, copublié par l'Union des étudiants juifs de France et SOS Racisme, Calmann-Lévy, Paris, 2002.

7. Klaus Holz, *Wissens soziologier einer Weltanschaung* (Hamburger Edition, Hambourg, 2001), voir notamment le chapitre VII intitulé « Marxistisch-leninistischer Antizionismus (Slánský-Prozess) », p. 431-482. Il semblerait que certains procès, cette fois de déstalinisation, notamment dans la Pologne de la fin des années 50 aient suivi la même stratégie, première trace de la capacité d'adaptation de l'antisémitisme à l'ère poststalinienne. On a mis ainsi sur le banc des accusés un certain nombre d'apparatchiks de l'époque stalinienne en privilégiant ceux qui étaient d'origine juive. Ce fait nous a été signalé grâce au manuscrit inédit de Barbara Sowinska qui avait été secrétaire, en 1942, des renseignements de l'organisation militaire clandestine d'obédience communiste. Enlevée en 1949, elle fut l'un des principaux témoins à charge du procès de 1957 intenté à une sélection de staliniens (Romkowski, Rozanski, Fejgin) qu'elle qualifia elle-même dans ses souvenirs de « parodie ». Seul le dernier chapitre (le vingt-huitième) de ce livre de 800 pages a été traduit en français. Voir, de Gabriele Eschkenazi et Gabriele Nissim, *Les Juifs et le communisme après la Shoah. Une illusion trahie*, traduit de l'italien par Catherine Rustici, avec une préface de François Fejtö, éditions de Paris, Paris, 2000 [1995], p. 248.

8. Certaines des analyses ou de mes réactions à chaud que je restitue peuvent prêter à sourire aujourd'hui. Par leur balourdise

et leurs excès, elles portent parfois au scepticisme celui-là même qui les a éprouvés, dès lors qu'il y réfléchit à plus de vingt années de distance (comme dans le cas du premier chapitre consacré à l'attentat de la rue Copernic). Si j'ai choisi de les prendre quand même pour point de départ, c'est que j'ai voulu constater phénoménologiquement la présence de l'antisémitisme via les bouleversements et les distorsions qu'il provoque chez celui qui en est l'objet. Même les exagérations, les mythes, les rêves peuvent être ici mis à contribution comme matériaux pour l'analyse. On peut résumer les choses en affirmant que la preuve de l'antisémitisme est ici apportée « par les effets ».

Écrire l'histoire partiellement à travers l'écriture de soi ne va pourtant pas de soi dès lors qu'on prétend également à une forme de vérité dans le discours, ou « véridiction ». Je signalerai simplement la proximité que je ressens avec la description d'un soi dont la labilité ne peut ni complètement renoncer à l'identité ni parvenir non plus à la certitude de soi-même sur le mode du « Je pense » cartésien, telle qu'elle est développée par le philosophe Paul Ricœur dans *Soi-même comme un autre* (Le Seuil, Paris, 1990). Entre le peu de certitude de son maintien dans le temps (que Paul Ricœur nomme la « mêmeté ») et la nécessaire persistance qui est requise par des expériences comme la *promesse*, Paul Ricœur suggère que l'identité narrative et la mise en intrigue sur le modèle de l'écriture littéraire constituent le meilleur moyen de parvenir à une attestation, certes précaire, du moi (contre certains philosophes anglo-saxons qui, désespérant du moi, en arrivent à soutenir que l'« identité n'est pas ce qui importe »). Le choix d'une telle approche se construit d'abord contre un réductionnisme qui tend à replier l'essentiel de l'identité sur le cerveau. Un autre réductionnisme, sociologique celui-là, entend réduire le moi à la pure objectivité du « point de vue des acteurs » ou de « la position de l'agent dans le champ » où la subjectivité se perd également dans l'altérité (on parle aussi de conception « externaliste »). L'identité narrative de Paul Ricœur me paraît avoir l'avantage d'éviter au moi la régression au rang de simple fiction ou la perte dans les « intentions objectives » chère à Pierre Bourdieu, qui rendent la prise en compte du sujet superflue. Elle lui confère au contraire ce qu'il peut espérer de mieux en matière d'« attestation ». Pas plus qu'en histoire on ne saurait parvenir au degré zéro de l'estimation ni du commentaire, dit encore Paul Ricœur, pas plus ne peut-on, si on est réaliste, arriver à l'arasement complet de la subjectivité. Tel est, en tout cas, le postulat qui me guide dans la présente entreprise, et qui, du reste, est aussi ce qui la rend possible.

9. « La Mémoire suspectée de Binjamin Wilkomirski », *Le Monde*, 23 octobre 1998.

10. La meilleure contribution à l'analyse de cette « affaire » demeure celle de l'historien suisse Stefan Mächler, qui fut chargé par l'agent littéraire de Wilkomirski d'un rapport définitif sur la question, *Der Fall Wilkomirski Über die Wahrheit einer Biographie,* Zurich, Taschenbuch, Pendo, 2000. Sur l'utilisation des rêves comme matériau de l'histoire, on consultera l'ouvrage de Charlotte Beradt, *Rêver sous le IIIe Reich*, traduit de l'allemand par Pierre Saint-Germain, Payot, coll. « Critique de la politique », Paris, 2002 [1966].

11. Sur la thèse selon laquelle le journal intime constituerait un genre littéraire à part entière avec ses règles propres, imposant son style et le contenu à celui qui l'écrit, lequel s'illusionne quand il croit, *via* son journal, restituer son moi dans une transparence absolue, je renvoie à l'ouvrage de Pierre Pachet, *Les Baromètres de l'âme*, Hatier, Paris, 1990.

12. Voir également le chapitre VI. D'Isaac Deutscher on lira *Essai sur le problème juif*, traduit de l'anglais par Élisabeth Gille-Nemirowski, Payot, coll. « Études et documents », Paris, 1969 (*The non-Jewish Jew* est paru en anglais en 1968).

13. *Le Sens de la révolution juive*, traduit de l'hébreu, Les Éditions de la Terre retrouvée, Paris, 1947.

14. Sur la rencontre entre l'intelligentsia juive et un certain romantisme anticapitaliste, voir Michael Löwy, *Rédemption et Utopie. Le judaïsme libertaire en Europe centrale*, PUF, coll. « Sociologie d'aujourd'hui », Paris, 1988.

15. Elias Canetti écrit dans *Masse et Puissance*, traduit de l'allemand par Robert Rovini, Gallimard, « Tel », Paris, 1966, p. 241 : « L'instant de survivre est instant de puissance. L'effroi d'avoir vu la mort se dénoue en satisfaction, puisque l'on n'est pas soi-même le mort. [...] Mais il importe que le survivant s'avance *seul* en présence d'un ou de plusieurs morts. Il se voit et se sent seul et, s'agissant de la puissance que lui confère cet instant, il ne faut jamais oublier qu'elle découle de son *unicité* et d'elle seule. »

16. Un texte autobiographique de Pierre Bourdieu doit être publié dans une traduction en allemand, chez Suhrkamp. Voir

également, du même Pierre Bourdieu, *Science de la science et réflexivité*, « Cours et travaux », Raisons d'agir, Paris, 2001, p. 184-223.

1. Copernic ou la prise de conscience

1. Cité dans *Pourquoi nous restons juifs*, *op. cit.*, p. 62.
2. Il serait cependant exagéré de soutenir que Valéry Giscard d'Estaing a perdu sa présidence à Copernic. Sa cote de popularité s'effritait régulièrement depuis quelques mois.
3. Voir, sous la direction de Léon Poliakov, *Histoire de l'antisémitisme, 1945-1993*, Le Seuil, Paris, 1994, p. 121-164, et de Valérie Igounet, *Histoire du négationnisme en France*, Le Seuil, Paris, 2000.
4. L'application du « modèle d'enclave » à l'explication du fondamentalisme, notamment du judaïsme orthodoxe, a été développée par l'orientaliste israélien Emmanuel Sivan (voir son article « Pour la cause de Dieu » in *Le Politique et le religieux, Les Cahiers du Centre de recherche français de Jérusalem* (CNRS), série « Hommes et société », Jérusalem, 1995, p. 256-289). « Cette culture, explique ainsi Emmanuel Sivan à propos du fondamentalisme islamique, correspond assez au modèle de l'enclave [...], énoncé par Mary Douglas comme étant celui qui répond le mieux aux besoins des dissidents (qui constituent par définition une minorité). Pour survivre, un tel groupe doit veiller à ce que, la plupart du temps, la majorité de ses membres se conforme à ce modèle d'enclave. Ce qui ne veut pas dire que le moule ne puisse subir des transformations ou que l'enclave ne puisse se combiner avec des éléments appartenant à d'autre modèles. » Le maintien de l'enclave, l'entretien des « grilles » qui l'isolent constituent une tâche quotidienne et laborieuse. La définition permanente des frontières entre le dedans et le dehors finit par absorber toutes les énergies du groupe dissident, au détriment du développement du contenu de cette identité. Ce qui explique pourquoi l'intégrisme va presque toujours de pair avec un appauvrissement spirituel de la religion.
5. Dans *Le Syndrome de Vichy*, Le Seuil, « Point-Histoire », Paris, 1990, Henry Rousso situe, p. 269, l'épisode de la mode rétro dans le milieu des années 70, la vague s'essoufflant, selon lui, dès 1978.

6. Jan Assmann, *Das Kulturelle Gedächtnis. Schrift, Erinnerung und politsche Identität in frühen Hochkulturen*, Munich, Beck, 1997, et mon propre article intitulé « Y a-t-il un bon usage de la mémoire ? » cité note 3 de l'introduction.

7. Sur l'affaire Darquier de Pellepoix et plus généralement sur l'atmosphère de l'époque on se reportera à Henry Rousso, *Le Syndrome de Vichy*, *op. cit.*

8. Alfred Fabre-Luce, *Pour en finir avec l'antisémitisme*, Julliard, Paris, 1979. La critique de François Furet parut dans *Le Nouvel Observateur* du 17 septembre 1979 (elle est reprise dans le recueil publié par Calmann-Lévy en 1999 sous le titre *Un itinéraire intellectuel*, p. 473-476).

9. Cité *in* H. Rousso, *op. cit.*, p. 129.

2. Le désengagement des clercs : Carpentras

1. Paul de Man était un professeur de littérature comparée de l'université de Yale qui mourut à l'âge de soixante-quatre ans. Père de la théorie de la « déconstruction », il avait été l'un des relais qui permirent à la philosophie de Jacques Derrida de se faire connaître aux États-Unis. Un chercheur découvrit que cet universitaire d'origine belge avait pendant les années d'Occupation donné de fréquentes chroniques (une centaine) dans la presse — notamment *Le Soir* de Bruxelles —, parmi lesquelles certaines à contenu fortement antisémite. Jacques Derrida tenta, dans *Mémoires pour Paul de Man*, Galilée, Paris, 1988, de défendre son ami. Pendant la guerre, de Man avait tempêté contre la contamination de la littérature par les Juifs, tout en condamnant l'« antisémitisme vulgaire ». De Man ne voulait-il pas exprimer par là que tout antisémitisme est vulgaire, suggérait Derrida animé en l'occurrence d'un esprit d'indulgence quelque peu exagéré. Célèbre philosophe allemand du droit, Carl Schmitt (1888-1985), critique acerbe de la démocratie et de la République de Weimar, d'abord proche du catholicisme conservateur, devint après 1933 chef de file de la corporation des juristes nazis. On évoquera sa relation aux Juifs dans le post-scriptum qui clôt cet ouvrage, mais il est d'ores et déjà possible de souligner que sa philosophie constitue peut-être l'expression la plus sophistiquée de l'antisémitisme au XXe siècle.

2. À la même époque, François Mitterrand annonçait, le 25 octobre 1989, dans un discours devant le Parlement européen, une réactivation du dialogue euro-arabe avec la convocation d'une conférence, en décembre à Paris, réunissant les douze pays européens et les pays arabes. Évoquant le conflit du Proche-Orient, il déclarait entre autres : « Des résolutions ont été adoptées. Elles sont claires aussi bien sur le droit d'Israël de disposer de son État derrière des frontières sûres et reconnues et de posséder aussi les moyens de son droit. Là-dessus, l'intransigeance s'impose moins — mais en même temps, et c'est la contradiction de l'Histoire et la difficulté de notre tâche, sur le droit aussi éminent, et sur la même terre, du peuple palestinien qui a bien droit à sa patrie, sur laquelle il pourrait édifier les structures de son choix. En tout cas, quelle que soit la dialectique employée, rien n'autorise cette répression continue où l'homme devient gibier et où reprend l'éternel va-et-vient de l'agresseur et de l'agressé, de celui qui tue, de celui qui meurt. Je pense que ce qui se passe en Cisjordanie a assez duré. » (*Le Monde*, 27 octobre 1989). Ces propos attirèrent une protestation du grand rabbin Joseph Sitruk.

3. « *Lifnei 'ivver lo titen mikhchol* », *Lévitique*, 19,14. La tradition rabbinique explique cette injonction dans le contexte de la condamnation de l'escroquerie.

4. Voir Isaac Deutscher, *op. cit.*, p. 186.

5. *Spectres de Marx*, Galilée, Paris, 1993.

6. Sur le courant tiers-mondiste missionaire et la transfiguration de la cause palestinienne en « théologie de la palestinité », voir Bat Ye'or, *Juifs et chrétiens sous l'islam*, Berg International, Paris, 1993, p. 223-227. Bien que l'utilisation du terme Palestine ne soit pas attesté avant le IIe siècle de notre ère, certains s'entêtent à faire de Jésus un « Palestinien ». Sur la notion de « palestinisme » — expression utilisée à cette époque par Jorge Semprun qui y voyait émerger une forme particulièrement perverse et subtile de l'antisémitisme —, voir p. 261.

7. *Libération* daté du 15 juin 1989 rapportait lesdits propos.

8. J'en voyais une trace dans les écrits d'un des acteurs les plus exotiques de la Révolution, le disciple du faux messie Jacob Frank, Lucius Junius Frey, auteur d'une *Philosophie sociale*. Voir l'étude de Gershom Scholem, *Du Frankisme au Jacobinisme*, Gallimard/Le Seuil, Paris, 1981.

9. Voir Gavin Langmuir, *Toward a Definition of anti-Semitism*, Berkeley et Los Angeles, University of California Press, 1990,

p. 265. La littérature sur la question du crime rituel est immense. Nous nous contenterons d'évoquer en plus du livre de Gavin Langmuir : Marie-France Rouart, *Le Crime rituel ou le sang de l'autre*, Berg international, Paris, 1997 ; Daniel Tollet, *Accuser pour convertir*, PUF, Paris, 2000 ; R. Po-Chia Hsia, *The Myth of Ritual Murder. Jews and Magic in Reformation Germany*, Yale University Press, New Haven et Londres, 1988 et l'ouvrage de Gilbert Dahan qui aborde également cette question, *Les Intellectuels chrétiens et les juifs au Moyen Âge*, Cerf, Paris, 1990. Sur l'affaire de Valréas : « Enquête sur un meurtre imputé aux Juifs de Valréas », d'A. Molinier, *Le Cabinet historique*, Paris, janvier-février 1883, p. 121-133. Je remercie l'historienne Danièle Iancu de m'avoir communiqué une copie de ce texte.

10. « Les Juifs d'Avignon et du Comtat et la Révolution française », *in Les Juifs et la Révolution française*, sous la direction de Bernhard Blumenkranz et Albert Soboul, Franco-Judaïca 4, 1989, Paris [1976].

11. Voir Nicole Leibowitz, *L'Affaire Carpentras*, Plon, Paris, 1997.

12. On trouve, dès 1990, les premières traces d'un tel tournant dans un article de la revue *Le Débat* (mai-août 1990), contemporain de Carpentras, intitulé « Les mauvaises surprises d'une oubliée, la lutte des classes ». Le philosophe Marcel Gauchet y explique l'origine de la « fracture sociale profonde » responsable, selon lui, des succès du Front national. La « lutte des classes » n'est plus vue comme l'affrontement entre prolétaires et bourgeois mais comme une crevasse qui va en s'approfondissant entre le peuple exposé au harcèlement de la « petite délinquance » et les « élites ». Un certain climat intellectuel florissant au sein d'une « technocratie moderniste » aurait provoqué au sein de ces « élites », au cours des années 70, la stigmatisation des souffrances des classes populaires sous le sobriquet dévalorisant d'« idéologie sécuritaire ». Tandis que, jadis, leur dénuement même était supposé protéger les pauvres de la criminalité, désormais ce sont eux qui feront les frais de la nouvelle « violence sociale », épargnant les mieux matériellement défendus, ajoutait le philosophe. Pour lui, ce double phénomène de refus de protection et de révolte des élites mettait en cause le contrat social lui-même. L'article a été repris dans le recueil intitulé *La Démocratie contre elle-même*, Gallimard, « Tel », Paris, 2002, p. 207-228.

13. Sur le fait que la société libérale, parce qu'elle admet

l'existence d'une sphère privée, est contrainte d'admettre des « discriminations », nous dirions des « différences », on comparera avec Leo Strauss, *Pourquoi nous restons juifs*, *op. cit.*, p. 18 *sq.*

14. *L'Express*, 20 janvier 1989.

15. *Art. cit.*, p. 29.

16. *Libération*, 27 novembre 1990, « Comment combattre Le Pen, réflexion ou imprécation ? ». Dans cet article, Paul Yonnet rappelle qu'il a dénoncé, en 1986, l'utilisation que le chanteur Renaud avait faite de l'expression de « génocide palestinien » dans sa chanson *Miss Maggie*. Globalement, Yonnet s'attaque par un raisonnement assez obscur au palestinisme en expliquant que la connotation de l'expression « internationale juive » ne pouvait avoir le même champ de référence dans les générations d'avant- et d'après-guerre. Tandis que chez les uns, l'expression renvoie à l'antisémitisme traditionnel, chez les autres, elle évoque la solidarité — « compréhensible », ajoute ici Yonnet — des communautés juives avec Israël. Or la confusion de sens qui consiste à délictualiser l'expression risque de profiter aux antisémites « en raison des risques de voir l'antisionisme arabo-musulman s'attacher dans l'avenir les services des débris du pétainisme ». Les nouvelles générations, ne comprenant pas l'opprobre qui s'attache à ces mots, pourraient l'attribuer à une manipulation juive pour soutenir Israël. Le risque, effectivement, est réel. Mais on ne voit guère comment la dédramatisation d'une expression telle qu'« internationale juive » pourrait servir à l'empêcher.

17. Bien que les exemples bibliques d'union exogamique abondent dans la Bible, celle-ci est proscrite dans Deutéronome, 7, 3-4, à propos de l'union des enfants d'Israël avec les Cananéens adonnés à l'idolâtrie. Comme le constate pourtant le *Dictionnaire encyclopédique du judaïsme*, p. 708-711 (Cerf, 1993), l'histoire juive montre la constance de la pratique de la mixité en matière de mariage. Aujourd'hui, et depuis 1982, une grande partie des dirigeants du judaïsme réformé, puissant aux États-Unis, reconnaissent la patrilinéarité, et le privilège accordé à la matrilinéarité est, au moins, débattu dans le courant libéral du judaïsme au sens large. Quant aux Juifs convertis, ils représentent au regard de la *Halakha* des Juifs au sens plein du terme.

18. « De même que l'accusation d'anthropophagie qui est au cœur du crime rituel s'éclaire au regard des questions que pose

aux mangeurs de cochon la chair si humaine, si enfantine, de l'animal, la dimension proprement métaphysique de cet usage du sang que nous venons de voir progressivement se révéler nous appelle à regarder maintenant du côté des croyances les plus intimes des chrétiens, de ce qui les rendrait, eux, si différents des Juifs », *La Bête singulière. Les Juifs, les chrétiens et le cochon*, de Claudine Fabre-Vassas, Gallimard, Paris, 1994, p. 170.

19. Notons que ces « retournements » de la mentalité populaire de la chrétienté firent aussi leur chemin dans le discours scientifique. Par exemple, chez le père de l'ethnologie, John Frazer, lequel manifeste une certaine obstination dans son *Rameau d'or* (réédité en collection « Bouquins », 1981, Paris, Robert Laffont) à mettre en évidence le caractère central du sacrifice humain et de la mise à mort rituelle des premiers-nés chez les « Sémites » en général et chez les Hébreux en particulier — en dépit des interdictions bibliques (où Frazer voit un décalage entre la *Hochkultur* des prophètes et la réalité du « terrain »). Voir, dans *Le Rameau d'or*, « Le Dieu qui meurt », chapitre VI (« le Fils du roi offert en sacrifice »), p. 115-135. Dans ses notes sur Frazer le philosophe Ludwig Wittgenstein parle de l'effet d'ébranlement que produit toute évocation du sacrifice humain : « Oui, écrit-il, d'où vient, d'une façon générale, le caractère profond et funèbre du sacrifice humain ? Est-ce que ce sont uniquement les souffrances de la victime qui nous impressionnent [...] ? Non, ce caractère funèbre et profond ne se comprend pas de lui-même. Si nous nous contentons de connaître l'histoire de l'acte extérieur ; c'est au contraire une connaissance intime en nous-même qui *nous* permet de réintroduire ce caractère », *Notes sur* Le Rameau d'Or *de Frazer*, L'Âge d'homme, Lausanne, 1982, p. 29 (*Bemerkungen über Frazers* Golden Bough in *Vortrag über Ethik und andere kleine Schriften*, édité par Joachim Schulte, Francfort, 1989, p. 43).

20. Gavin Langmuir, *Toward a Definition of Antisemitism*, Berkeley et Los Angeles, University of California Press, 1990, p. 225. On remarque que l'inversion projective fonctionne comme la pierre philosophale de la fabrication des mythes anti-juifs. Au Moyen Âge, lors de la fête de Pourim, les Juifs avaient coutume de pendre en effigie leur ennemi abattu Aman — ce que le public chrétien aurait pu, d'après l'historien Cecil Roth, interpréter comme une parodie de la Crucifixion. Ou du moins

comme un appel à la vengeance pour les avanies que les chrétiens faisaient subir aux Juifs.

21. R. Po-Chia Hsia, *The Myth of Ritual Murder*, *op. cit.*, p. 3 *sq*.

22. Daniel Tollet, *Accuser pour convertir*, PUF, Paris, 2000, p. 24.

23. Le paiement de dix florins remplace cette mise à mort rituelle qui sera encore atténuée — bien que conservée symboliquement — par la substitution de cochons parés et voués au même sort, où Claudine Fabre-Vassas qui rapporte le fait (*La Bête singulière. Les Juifs, les chrétiens et le cochon*, Gallimard, Paris, 1994, p. 184) voit une nouvelle trace de la confusion entre les Juifs et les cochons dans l'imaginaire chrétien. Jean-Claude Schmitt (« La Genèse médiévale de la légende et de l'iconographie du Juif errant », *Le Juif errant, un témoin du temps*, p. 55-73) date du premier tiers du XIIIe siècle les premières mentions du personnage, il les rapproche de la proclamation par le concile de Latran IV du dogme de la « présence réelle » du corps et du sang du Christ dans l'hostie et le vin consacrés, en 1215. C'est ce même concile qui prescrivit que les Juifs soient distingués des chrétiens par l'habillement et qui exigea que ceux-ci ne se montrent pas en public pendant la semaine sainte.

24. *Vom heiligen Simon* (1478), cité *in* Marie-France Rouart, *L'Antisémitisme dans la littérature populaire*, Berg International, Paris, 2001, p. 45-46.

25. Po-Chia Hsia, *The Myth of Ritual Murder*, *op. cit.*, p. 43-46.

26. Willehad Paul Eckert, « Der Trienter Judenprozess und seine Folge », *in Die Macht der Bilder*, *Antisemitische Vorurteile und Mythen*, Picus Verlag, Vienne, 1995, p. 86-110. Voir aussi Po-Chia Hsia, *The Myth of Ritual Murder*, *op. cit.*, p. 72-82 *sq*. Hsia montre que, sous prétexte d'organiser un procès pour crime rituel, les autorités de Ratisbonne se livrèrent à un authentique complot politique visant une mise à mort judiciaire, dans une ville où la condition des Juifs s'était précarisée et dont certains magistrats souhaitaient obtenir l'expulsion en mettant main basse sur leurs biens. L'opposition de l'empereur Frédéric III fit échouer cette manœuvre, l'épisode évoluant en confrontation entre les magistrats de la ville hostiles aux Juifs (torturés et maintenus des années en prison) et l'Empire — le sort des Juifs représentant l'enjeu de cette révolte locale contre une autorité

lointaine. On remarquera, en passant, que les accusations de crime rituel ont fourni l'occasion d'assister aux premiers balbutiements de renaissance politique juive — les notables juifs des autres cités ayant évidemment intérêt à ce que leurs coreligionnaires des villes voisines fussent innocentés (en intervenant probablement auprès de l'archiduc). Une « politique juive » née de la lutte contre l'antisémitisme et qui se déploie pour lutter contre sa propagation... À leur manière, les Juifs de Trente conduits par Samuel avaient également tenté une démarche politique en se dénonçant pour prévenir, en vain, le sort qui les guettait et mettre fin à la rumeur.

27. Le fil qui est ici dévidé fait de l'accusation de crime rituel un mythe quasi exclusivement antisémite. L'historien Carlo Ginzburg (*Le Sabbat des sorcières*, traduit de l'italien par Monique Aymard, « Bibliothèque des histoires », Gallimard, Paris, 1992 [1989] p. 87) estime pour sa part que l'homicide rituel est réservé aux Juifs sur une période de quelque trois cent cinquante ans à partir de la seconde décennie du XIIe siècle et qu'il n'apparaît presque jamais contre des groupes hérétiques. Marie-France Rouart (dans *Le Crime rituel*, *op. cit.*, p. 129) conteste ce point de vue en estimant que l'accusation de sang « s'est écrite à l'encontre de toute forme de dissidence religieuse, politique ou sociale ». Mais elle n'évoque à l'appui de sa réfutation que les rumeurs qui poursuivent au XIXe siècle les Tsiganes de Hongrie, les francs-maçons ou les occultistes.

28. Lors du pogrom de Bucarest (21-23 janvier 1941) au cours duquel cent vingt Juifs furent assassinés, plus de mille familles juives pillées et de nombreuses synagogues incendiées, les légionnaires massacrèrent treize Juifs dans les abattoirs de Bucarest et placèrent sur les corps par dérision un petit écriteau sur lequel était marqué « viande casher ». Voir Radu Ioanid, *The Holocaust in Romania*, Ivan R. Dee, Chicago, 2000, p. 58 (le livre a été publié dans une version française sous le titre de *La Roumanie et la Shoah*, éditions de la Maison des sciences de l'homme, Paris, 2003), et Carol Iancu, *La Shoah en Roumanie*, éd. Université Paul-Valéry, Montpellier, 2000, p. 22.

29. Les exemples de cette imagerie foisonnent, voir à ce sujet Joshua Trachtenberg, *The Devil and the Jews. The Medieval Conception of the Jew and its Relation to Modern Antisemitism*, Meridian Book, Cleveland et New York, 1961 [1943], p. 30 ; Marie-France Rouart, *Le Crime rituel*, *op. cit.*, p. 223.

30. *Le Monde*, 7 août 1996. L'article d'Hervé Gattegno cite de larges extraits des auditions des prévenus les 30 et 31 juillet 1996 réalisées par les policiers d'Avignon.

31. On peut aussi penser à d'autres thèmes qu'il met en jeu. Par exemple, la longue résistance opposée par la culture populaire à une doctrine « officielle » de la mort qui prétend distinguer radicalement l'âme immortelle et immatérielle du corps périssable et qui, depuis Platon, considère la mort comme une rupture irréversible des liens qui unissent l'une à l'autre. L'obsession des revenants, des spectres, des vampires, bref, de toutes les manifestations qui prétendent au contraire réintégrer le mort dans la vie, exprime une forme de protestation sourde contre la mort philosophique des élites, la mort-délivrance qu'a fini par entériner la doctrine officielle de l'Église. Rendre poreuses les frontières entre le décès et la vie, l'ici-bas et l'au-delà, entre d'une certaine façon dans une culture d'opposition. Voir à ce sujet Claudio Milanesi, *Mort apparente, mort imparfaite. Médecine et mentalité au* XVIIIe *siècle*, Payot, Paris, 1991. La conception populaire de la mort avait tout de même fini par se christianiser quelque peu, au Moyen Âge, montre cet auteur. À cette christianisation correspond l'invention du Purgatoire, lieu de compromis à mi-chemin entre la Terre et le Ciel. Mais ce compromis, explique Claudio Milanesi, est à nouveau abandonné à l'époque des Lumières, quand la partie savante de la société le transfère dans les traités de médecine et l'applique à la description des « morts imparfaites » — abandonnant à nouveau le folklore à ses fantômes. Elias Canetti a par ailleurs consacré quelques pages admirables à la formation du sentiment de puissance que finit par éprouver tout promeneur déambulant au milieu des sépultures dans *Masse et Puissance*, « Sur le sentiment des cimetières », *op. cit.*, p. 292-293.

32. L'empalement représente non seulement un élément décisif de la profanation de Carpentras mais également, comme on l'a dit, de la réception de celle-ci.

33. Edgar Morin, *La Rumeur d'Orléans*, Le Seuil, Paris, 1969. Dans un essai récent, Christina von Braun a montré comment l'image de la jeune fille sacrifiée s'est substituée, au XIXe siècle, à celle de l'enfant martyr victime d'un crime rituel juif. On la retrouve dans l'obsession du « péché contre la race » cher à l'antisémitisme nazi (*Rassenschande*). Voir « Antisemitische Stereo-

type und Sexualphantasien » *in Die Macht der Bilder. Antisemitische Vorurteile und Mythen, op. cit.*, p. 180-191.

34. Sur ce thème voir de Christina von Braun, « Antisemitische Stereotype und Sexualphantasien », *ibid.*, p. 180-191. À propos de la sous-littérature brodant sur ce thème, bien avant l'arrivée des nazis au pouvoir *cf.* Édouard Conte et Cornelia Essner dans *La Quête de la race. Une anthropologie du nazisme*, Hachette, coll. « Histoire des gens », Paris, 1995. Il y est longuement question du roman d'Artur Dinter, *Péché contre la race*, p. 31 *sq*. Sur le thème de la jeune fille dans la diffusion de l'antisémitisme après 1945, on se référera à l'ouvrage d'Edgar Morin, *La Rumeur d'Orléans, op. cit.*

35. Voir Christina von Braun, *art. cit.*

3. L'abbé Pierre ou pitié pour les antisémites !

1. Dans un livre d'entretiens avec Luc Rosenzweig, l'ancien ambassadeur d'Israël à Paris, Elie Barnavi fait état d'un sondage réalisé avant et après le 11 septembre 2001. Signalant un décalage entre l'hostilité du « microcosme parisien » et ce qu'il appelle « la France d'en bas », il constate que la vision d'Israël qui prévalait avant la guerre des Six Jours de 1967 a laissé place « à une autre tout aussi fantasmatique, d'un pays surpuissant, arrogant et dominateur ». Luc Rosenzweig, résumant les données que font apparaître, sur cette question, les diverses enquêtes, affirme de son côté que celles-ci « révèlent un net accroissement du soutien à la cause palestinienne qui obtient une majorité relative des sondés alors que le taux des personnes qui « ne se prononcent pas » reste très élevé, approchant ou dépassant les 50 % selon les différents instituts de sondages ». *La France et Israël, une affaire passionnelle*, Perrin, Paris, 2002, p. 91.

2. Sur le négationnisme à cette époque, voir Valérie Igounet, *Histoire du négationnisme en France*, Le Seuil, Paris, 2000, « Une vieille taupe, troisième version », p. 460-472. L'ouvrage, par ailleurs bien documenté, ne fait qu'évoquer, en passant, l'intervention de l'abbé Pierre au cœur de l'affaire Garaudy.

3. Maxime Rodinson, *Peuple juif ou problème juif ?* La Découverte/Poche, Paris, 1997 [1981], p. 23-74.

4. À l'inverse, si certains philosophes passionnément nourris

de la pensée contre-révolutionnaire, comme Carl Schmitt, ont tant détesté les Juifs, c'est en partie parce qu'ils jugeaient que l'émancipation de ceux-ci symbolisait la ruine de l'« État chrétien ». Il faut noter qu'à la fin des années 40, Roger Garaudy utilise, lui aussi, la référence révolutionnaire pour d'autres usages. C'est ainsi qu'il compare en 1949 Victor Kravchenko, ce transfuge soviétique qui avait dénoncé l'existence de véritables camps de concentration en URSS et qui fut attaqué par une partie des intellectuels français sympathisant avec le communisme, avec les émigrés de Coblence : « On découvre dans le livre de Kravchenko cette permanence de sentiments pour l'ancien régime et cette liberté qu'il a choisie et qu'il va porter au point culminant dans les dernières pages, cette vieille liberté pour quelques privilégiés de l'argent d'exploiter les autres et de les asservir... C'est exactement dans ces termes que les émigrés de Coblence parlaient de la France lorsqu'ils essayaient d'ameuter contre les libertés naissantes du peuple français l'internationale des tyrans de l'Europe. Ce que cherchaient les émigrés de Coblence, c'était créer un état d'esprit propice à la guerre sainte contre leur propre peuple. Ils cherchaient à obtenir le manifeste de Brunswick et c'est ce que nous voyons aujourd'hui M. Kravchenko chercher », cité *in* Thierry Wolton, *La France sous influence. Paris-Moscou, 30 ans de relations secrètes*, Grasset, Paris, 1997, p. 106.

5. Voir les articles de Per Ahlmark « Combatting Old/New Antisemitism », Meir Litvak, « Features of Arab Antisemitism », *Annual Report*, Vidal Sassoon International Center for the Study of Antisemitism, SISCA, Jérusalem, octobre 2002, p. 14-17.

6. Sur ce sujet voir l'ouvrage de Bat Ye'or, *Juifs et chrétiens sous l'islam*, *op. cit.*, p. 269 *sq.* ainsi que son analyse de la « palestinolâtrie » des Églises d'Orient qui, au moment du concile Vatican II, figurèrent parmi les opposants les plus vifs au renoncement par l'Église à l'accusation de « peuple déicide » appliquée aux Juifs.

7. Pierre-André Taguieff, *Les Protocoles des Sages de Sion. Études et documents*, *op. cit.*, tome 1, p. 283.

8. *Le Secret de l'abbé Pierre*, Mille et une nuits, coll. « Les petits libres », Paris, juin 1996, p. 11 et *passim*.

9. Ainsi pour le père Moubarac, professeur à l'Institut catholique de Paris et à l'université de Louvain-la-Neuve ainsi qu'à l'Institut orthodoxe de Damas, « ce ne sont pas seulement des

Psaumes, ce sont encore des livres entiers de la Bible qu'il m'est devenu difficile, parce qu'infiniment pénible, de lire » *in* Bat Ye'or, *Juifs et chrétiens sous l'islam*, *op. cit.*, p. 226. Une certaine tendance au néomarcionisme se retrouve sous la plume du théologien protestant allemand Adolf von Harnack qui écrit en 1921 : « Le rejet de l'Ancien Testament au IIe siècle eût été une erreur, chose que la Grande Église a refusé de faire, à juste titre. Le maintien de l'Ancien Testament au XVIIe siècle a été le destin auquel la Réforme n'a pas encore su échapper. Mais le fait que depuis le XIXe siècle on l'ait conservé au sein du protestantisme, à titre de document canonique, est la conséquence d'une paralysie religieuse et ecclésiastique », cité *in* Jacob Taubes, *La Théologie politique de Paul, Schmitt, Benjamin et Freud*, traduit de l'allemand par Mira Köller et Dominique Séglard, Le Seuil, Paris, 1999 [1987 et 1996], p. 94.

10. Bat Ye'or, *Juifs et chrétiens sous l'islam*, *op. cit.*, p. 292.

11. La solidarité des Juifs s'exprime à travers des formules célèbres : *Kol Israël arèvime zé bazé* (toute personne en Israël est garante l'une de l'autre), voir *Lévitique* 26,37 et traité du Talmud de Babylone, Sanhedrin 27b.) L'un des commentaires que fournit la *Guemara* de cette expression consiste à préciser que les fils sont châtiés pour les fautes des pères si et seulement si ceux-ci persistent dans la mauvaise voie et reproduisent les péchés de leur géniteur. La pratique de la *Haloukah* (les dons que les émissaires venus du sol eretzisraélien recueillaient auprès des communautés de la diaspora) peut également être évoquée ici comme exemple de cette coresponsabilité juive.

12. La LICRA avait porté plainte contre les signataires de cet appel et contre Jacques Fauvet, alors directeur du *Monde*, pour « provocation à la discrimination, à la haine ou à la violence envers un groupe de personnes à raison de leur appartenance à une ethnie, une nation, une race ou à une religion déterminée ». Elle fut déboutée en appel le 11 janvier 1984, arrêt confirmé par la Cour de cassation le 4 novembre 1987 qui jugea « qu'il s'agit là de la critique licite de la politique qui serait pratiquée par un État, de l'idéologie qui l'inspire et non de provocation raciale ». S'agissant du contenu de l'extrait cité, on retrouve chez James Frazer cet éloge du prophétisme, haute culture précoce mais marginale, qui sert à mieux vilipender le comportement des « Juifs réels » de l'époque biblique. Voir *Le Rameau d'or, Adonis*, tome 2, *op. cit.*, p. 219 *sq.*

13. Pour Yves Chevalier, cet appel est un exemple typique de « renversement auto-victimaire » et d'un processus de culpabilisation systématiquement mené en direction de la communauté juive dès lors qu'elle prétend s'identifier à Israël, *L'Antisémitisme*, Cerf, Paris, 1989, p. 360. La mention du Livre de Josué se retrouve dans *Les Mythes fondateurs de la politique israélienne* : « Le successeur de Moïse, Josué, poursuivit lors de la conquête de Canaan, de manière systématique, cette politique de purification ethnique commandée par le Dieu des armées » (p. 53 *sq*).

14. La tendance à vouloir expulser du canon l'Ancien Testament se retrouve au XXe siècle dans l'œuvre du théologien protestant Adolf von Harnack, auteur de *Marcion. Das Evangelium vom fremden Gott*, Leipzig, 1921. Mais Roger Garaudy tourne carrément en dérision la prétention à la spécificité du Génocide des Juifs. Pour lui, la seule véritable Shoah c'est l'extermination des populations cananéennes par les armées du successeur de Moïse !

15. Dans le livre de Jacques de Lacretelle, *Silbermann*, Gallimard, Paris, 1922, qui raconte une amitié brisée par l'antisémitisme entre deux lycéens, l'un protestant, l'autre juif, ouvrage dont la lecture m'a profondément marqué, je note — sans en tirer de conséquences — que l'oncle d'Amérique chez qui Silbermann s'en va, renonçant à tous ses projets d'intégration à la culture française, se nomme Joshua (Josué).

16. *Le Point*, 4 mai 1996.

17. « Paix pour l'abbé Pierre », *Le Figaro*, 22 avril 1996.

18. *L'Express*, 2 mai 1996.

19. *Le Monde*, 4 mars 1998 ; voir aussi *Libération*, 17 décembre 1997.

20. Tel fut le cas de Robert Redeker, *Le Monde*, 13 mars 1998. Voir *Les Temps modernes*, « La toile d'araignée du révisionnisme » (été 1996).

21. Pourtant, l'histoire de l'hostilité franco-allemande, dans ses expressions les plus extrêmes, est relativement courte, en tout cas courte comparée à la longue durée de l'antisémitisme. Encore une fois, faut-il se résoudre à dissoudre l'antisémitisme dans le jeu des circonstances ou des acteurs et renoncer à en penser l'unité au profit d'une conception intrinsèquement « plurielle » ? Oui, s'il s'agit de révoquer la thèse de l'éternité de l'antisémitisme. Non, si l'on s'efforce de penser la transmission, observable, des mythes antijuifs d'une période à l'autre. Telle est l'objection

principale que l'on peut faire à Maxime Rodinson qui est l'auteur de la formule « racisme de guerre » sous laquelle, en 1980, lui aussi minimisait déjà certaines formes de la judéophobie arabo-musulmane (*Peuple juif ou problème juif ? op. cit.*, p. 267).

22. Nous nous référons à une publication du Vidal Sassoon International Center for the Study of Antisemitism : *The Socio-Historical Background of Holocaust Denial in Arab Countries. Reactions to Roger Garaudy's The Founding Myths of Israeli Politics*, par Goetz Nordbruch, édité par l'Université hébraïque de Jérusalem, in *Analysis of Current Trends in Antisemitism*, 2001. Dans *Le Monde diplomatique* d'août 1998, l'universitaire américain Edward Saïd, d'origine palestinienne, publia une « réponse » fort critique « aux intellectuels arabes fascinés par Roger Garaudy ».

23. Goetz Nordbruch, *op. cit.*, p. 8.

24. Sur tout cela on consultera *Qu'est-ce que le nazisme ?* de Ian Kershaw, Gallimard, « Folio », Paris, 1997 [1993], p. 373 *sq*.

25. Sur ce que fut réellement cet accord, voir l'analyse détaillée de Yehuda Bauer, *Juifs à vendre ?* éd. Liana Lévi, traduit de l'anglais par Denis Authier, Paris 1996 [1994], p. 21-55.

26. Comme l'écrit Radjab Al-Bana, le rédacteur en chef de l'hebdomadaire égyptien *Uktubar* (17 janvier 1997), cité par Goetz Nordbruch, *op. cit.*, p. 6.

27. *Ibidem*, p. 8.

28. Voir à ce sujet Giorgo Agamben, *Ce qui reste d'Auschwitz*, Payot Rivage, Paris, 1999, pour la traduction française (le Musulman étant considéré comme le seul témoin de l'extermination et comme prototype d'une transformation propre à l'époque moderne dont les camps seraient le « laboratoire ») et la critique d'Agamben par Philippe Ménard et Claudine Kahan, *Giorgo Agamben à l'épreuve d'Auschwitz*, Kimé, Paris, 2001.

29. Voir l'article de ce dernier publié dans la revue israélienne *Zmanim* (en hébreu, sous le titre « Les Arabes et l'Holocauste, analyse des problématiques d'une conjonction de coordination »), n° 53, été 1995, Tel-Aviv, p. 63.

30. *Ash-Shahab* (un journal palestinien), 6 février 1998, *ibidem*, p. 13.

31. Les exemples abondent. Parmi les plus spectaculaires il faut noter l'ouvrage du ministre de la Défense syrien, le général Mustafa Tlass, *Fatir Sahyun* (« Le pain azyme de Sion »). Lors d'un débat sur la discrimination raciale à la Commission des

droits de l'homme de l'ONU, le 8 février 1991, la représentante de la Syrie, Mme Nabila Saalan, a repris à son compte les accusations de crime rituel portées au Moyen Âge contre les Juifs. Après avoir évoqué « les crimes nazis perpétrés par les autorités sionistes d'occupation », elle a invité tous les membres de la Commission à lire « Le Pain azyme de Sion », « livre précieux, qui confirme [...] le caractère raciste du sionisme ». Dans cet ouvrage publié en 1985, le général syrien Mustafa Tlass se livrait à cette mise en garde : « Le Juif peut vous tuer et prendre votre sang, afin de confectionner le pain azyme. J'espère avoir accompli mon devoir en présentant les pratiques de l'ennemi de notre nation historique », *Le Monde*, 12 février 1991. Autre exemple cité par une universitaire israélienne, Rivka Yadlin, dans *Demonizing the Others, Antisemitism, Racism and Xenophobia*, dirigé par Robert Wistrich, Hardwood academic publishers, Amsterdam, 1999, p. 314 : un représentant du FPLP au Conseil national palestinien, élu de la ville de Khan Younès, dans la bande de Gaza, estimait que la modification de la Charte de l'OLP appelant à la destruction d'Israël devait être conditionnée à l'abandon de l'extrémisme juif tel qu'il s'exprimait à découvert dans *Les Protocoles des Sages de Sion*. L'appel à la destruction d'Israël s'est « universalisé » en projet de contre-croisade humanitaire pour la destruction des Juifs — ce qui a culminé à la conférence de Durban, en septembre 2001.

32. C'est ce que constatait Pierre-André Taguieff dans un article publié dans la revue *Esprit* (août-septembre 1996) sur l'affaire de l'abbé Pierre et Roger Garaudy. Sur ce point, je partage entièrement son analyse. Voir aussi sa *Nouvelle Judéophobie*, *op. cit.*

33. Voir à ce sujet Emmanuel Sivan, *Mythes politiques arabes*, traduit de l'hébreu par moi-même, Fayard, coll. « L'esprit de la cité », Paris, 1995, p. 23-67, « Croisades ». Le mythe d'Israël/État croisé n'était pas un mythe proprement antisémite mais un mythe politique, qui pouvait s'appliquer aussi bien à l'Occident en général qu'aux Juifs. Dès lors que la Shoah est en cause, ce sont bien les Juifs en tant que tels qui sont visés.

34. Cité par Rivka Yadlin, *in Demonizing the Others*, qui concède que ce genre d'appel au meurtre pourrait parfaitement demeurer de l'ordre du folklore nauséabond si la situation politique troublée de l'islam en général n'en révélait pas un état d'esprit fort inquiétant. Un orientaliste de l'université de Chicago,

David Cook, a montré après les attentats du 11 septembre 2001 comment la faiblesse des ressources des textes fondateurs de l'islam en matière d'antijudaïsme a contraint les tenants de plus en plus influents de l'apocalyptique islamiste à multiplier les emprunts à la tradition biblique et chrétienne : « Modern Muslim Apocalyptic Litterature Part I : Sunni Arabic Material » dont les thèses ont été résumées dans l'hebdomadaire *Die Zeit*.

35. *Le Débat*, n° 96, septembre-octobre 1997, « Pédagogiser la Shoah », p. 125.

36. La polémique court le long de quatre articles publiés par *Le Monde* : « Lettre à un ami israélien » (3 août 2001), une réponse de l'ambassadeur d'Israël en France Elie Barnavi : « À propos d'un "ami" français » (8 août 2001) et de Pierre-François Veil : « Réponse à Pascal Boniface » (13 août 2001) et derechef une réponse dudit Boniface : « Est-il interdit de critiquer Israël ? » (31 août 2001).

37. Maxime Rodinson, *Peuple juif ou problème juif ?*, *op. cit.*, p. 288. « L'image prédominante du Juif, écrit-il, avait été, avant la guerre, celle d'un révolutionnaire famélique, pourchassé et persécuté dans les pays d'Europe centrale et de l'Est [...]. Après la guerre, les Juifs étaient plutôt regardés comme de respectables bourgeois, partisans de l'ordre et ennemis du communisme qui les tourmentait, injustement et cruellement persécutés. »

38. Voir le chapitre 5.

4. Deux saisons à Bordeaux : autour du procès de Maurice Papon

1. Il faut excepter le cas, assez ambigu, de l'ancien gouverneur de Pologne, le juriste Hans Frank, qui, au procès de Nuremberg, adopta la posture du converti et du pénitent. Non sans bémols du reste, comme le montre Telford Taylor dans ses Mémoires, *Procureur à Nuremberg*, traduit de l'anglais (États-Unis) par Marie-France de Paloméra, Le Seuil, Paris, 1995 [1992], notamment p. 553. Concernant le procès de Bordeaux, je renvoie à mon étude, « Penser le procès Papon », parue dans *Le Débat*, janvier-février 1999, Gallimard.

2. Parmi les nombreux ouvrages qui ont suivi de peu la fin du procès, signalons le recueil des articles de Jean-Michel Dumay,

Le Procès de Maurice Papon, Fayard, Paris, 1998 ; le compte rendu d'Éric Conan, *Le Procès Papon. Un journal d'audience*, Gallimard, Paris, 1998 ; de Bertrand Poirot-Delpech, *Papon : un crime de bureau*, Stock, Paris, 1998. L'analyse des débats à laquelle j'adhère le plus volontiers reste celle de l'historien Robert Paxton « The Trial of Maurice Papon », *New York Review of Books*, 16 décembre 1999.

3. *Nombres*, chapitres 22 à 24.

4. Chez Max Weber, la mésaventure de Balaam illustre le mépris des prophètes de l'époque de la monarchie pour une prophétie mercenaire dont la qualité des augures dépend des émoluments qu'on lui verse. L'incapacité de Balaam à répondre à la demande de Balak qui lui a pourtant promis monts et merveilles s'il exécutait son ordre symboliserait la transformation de la prophétie en instance critique d'un pouvoir royal israélite lui-même passé de la fière confédération des Hébreux à une monarchie bureaucratique à l'égyptienne, dans laquelle le roi n'est plus juché sur un âne mais sur un char de combat (depuis l'époque davidique).

5. Talmud de Babylone, Sanhedrin, 106a. Voir Edmond Fleg, *Moïse raconté par les Sages*, Albin Michel, coll. Espaces libres, 1953, rééd. 1997, p. 12-15. Voir également le *Sefer Haggadah*, de Haïm Nachman Bialik et I. Ravnitzky, *op. cit.*, p. 73. On pourrait voir dans l'attitude de Job une sorte de préfiguration du silence intellectuel face à l'antisémitisme. Max Weber, *Le Judaïsme antique*, traduit de l'allemand par Freddy Raphaël, Pocket, coll. Agora, 1998, p. 144 *sq.* et p. 161.

6. Talmud de Babylone, traité Sanhedrin, 105b *sq.* La figure de Balaam, considéré comme un prophète dont le don aurait dégénéré en magie, est, par endroits, confondue avec celle de Jésus dans le Talmud : c'est ainsi que l'on précise en Sanhedrin 106b que Balaam mourut (tué par un brigand) à trente-trois ans : voir *Jésus raconté par les Juifs. Textes du IIe au Xe siècle*, traduits de l'hébreu et de l'araméen par Jean-Pierre Osier, Berg International éditeurs (première publication sous le titre *L'Évangile du Ghetto*, 1984, rééd. 1999, p. 144-145).

7. Voir les avis contradictoires du conseil de Maurice Papon, *in Plaidoirie de Jean-Marc Varaut devant la cour d'assises de la Gironde au procès de Maurice Papon fonctionnaire sous l'Occupation*, Plon, Paris, 1998, notamment les pages 216 *sq.* et de

Me Arno Klarsfeld représentant l'Association des fils et filles de déportés juifs de France, *Papon, un verdict français*, Ramsay, Paris, 1998, notamment p. 99-108.

8. *Le Monde*, 6 décembre 1990.

9. *Le Monde*, 6 décembre 1991.

10. *Psychanalyse de la collaboration. Le syndrome de Bordeaux 1940-1945*, de Maurice-David Matisson et Jean-Paul Abribat, « Hommes et perspectives », Le Journal des psychologues, Marseille, 1991, dont les p. 252-313 contiennent un long entretien des deux auteurs avec Michel Bergès.

11. Le fils du grand rabbin obtiendra qu'un chapitre du livre de René Terrisse (*Bordeaux 1940-1944*, Librairie académique Perrin, Paris, 1993), lequel soutenait cette thèse, soit modifié. Michel Cohen-Colin a réédité quelques éléments du « journal » de son père, dont une partie avait été déjà publiée en 1967, dans une version légèrement remaniée et dans un texte édité à compte d'auteur : *Mon père Joseph Cohen. Grand rabbin de Bordeaux de 1920 à 1975 (précisions et preuves apportées lors de ma déposition au procès Papon)*, septembre 1998.

12. Dans son ouvrage traduit en français, l'historien de Yad Vachem, Dan Michman, cherche à établir une distinction entre « corps dominant » et « corps dirigeant » (jouissant de la reconnaissance spontanée des dirigés). La catégorie de « Conseil juif », *Judenrat*, concept selon lui plus « administratif » que politique, relève à l'évidence du premier terme. Le même raisonnement s'applique, sur ce point précis, aux « fonctionnaires » juifs sous l'Occupation. *Pour une historiographie de la Shoah. Conceptualisations, terminologie, définitions et problèmes fondamentaux* (Hashoah ve'hikrah), traduit de l'hébreu par Nelly Hansson, In Press, Paris, 2001 [1998].

13. Quant au condamné, il restera persuadé qu'il a fait l'objet d'un vaste complot d'origine américaine visant à déstabiliser la France en la plongeant perpétuellement dans une culture de la honte, par une évocation répétitive de Vichy. Après s'être identifié à Joseph K. puis à Dreyfus il achèvera sa métempsycose imaginaire en se comparant au Christ et en pardonnant à ses bourreaux « qui ne savent pas ce qu'ils font ».

14. Hervé Roten, *Musiques liturgiques juives, parcours et escales*, Musiques du monde, Cité de la musique/Actes Sud, Arles, 1998, p. 168.

15. *Campagne de France et siège de Mayence*, Montaigne, Paris, 1933, p. 119. Tout ce passage doit beaucoup à l'influence qu'a exercée sur moi le livre d'Alexandra Laignel-Lavastine, dont l'écriture fut contemporaine du procès de Bordeaux, *Jan Patočka. L'esprit de la dissidence*, « Le bien commun », Michalon, Paris, 1998.

16. Par exemple : Henry Rousso, *La Hantise du passé*, Textuel, coll. « Conversations pour demain », Paris, 1998 : entretien avec Philippe Petit. Publié dans la foulée du procès Papon.

17. Un message qu'il tint à répéter, dans une publication récente, *La Spoliation antisémite sous l'Occupation : consignations et restitutions. Rapport définitif (novembre 2001)*, Caisse des dépôts et consignations, p. 70-71. À nouveau dans ces mêmes pages on retrouve la théorie qui assimile l'antisémitisme à une forme extrême de xénophobie, l'étranger comme le Juif étant rejetés par le « nationalisme fermé » que représente Vichy selon l'expression de Michel Winock, appelé aussi l'« ethnocentrisme ».

18. En empêchant les Juifs d'exercer la plupart des professions, par exemple, ne produit-on que de l'« exclusion » ? Ne les empêche-t-on pas de vivre au sens le plus matériel du terme ? On notera l'utilisation abusive d'anachronismes (apartheid en est un), tolérables dès lors qu'il est question de faire une lecture a minima de l'histoire de Vichy, l'exonérant d'intentions meurtrières !

5. Un mythe renaissant : le « judéo-bolchevisme »

1. Voir à ce sujet le document troublant du général Vassili Petrenko qui commandait les troupes soviétiques à leur arrivée à Auschwitz, le 27 janvier 1945, *Avant et après Auschwitz*, traduit du russe par François-Xavier Nérard, Flammarion, Paris, 2000 [2000]. Également : Raul Hilberg, *Exécuteurs, victimes, témoins*, traduit par Marie-France de Paloméra, Gallimard, NRF Essais, Paris, 1994 [1992]. Si beaucoup de Juifs partirent effectivement à l'est de l'URSS, il n'est pas établi que cela ait été le résultat d'une volonté particulière de Moscou de protéger ses concitoyens juifs en tant que Juifs : R. Hilberg, *ibidem*, p. 274 *sq.*

2. Le Monde des livres, 29 septembre 1995.

3. Robert Laffont/Calmann-Lévy, Paris, 1995.

4. Richard Bernstein, *Dictatorship of Virtue*, Alfred A. Knopf, New York, 1995.

5. François Furet, *Le Passé d'une illusion. Essai sur l'idée communiste au XXe siècle*, Le Livre de poche, première édition : Robert Laffont, Paris, 1995, p. 553. Sur ce point sensible, la mise à jour ne tardera guère. Dans l'échange avec Ernst Nolte dont il va être question plus bas, François Furet, mieux inspiré ou disposant de sources moins partiales, répondra avec davantage de fermeté à son interlocuteur qui exprimait sa lassitude face à la mise en scène permanente de la culpabilité allemande dont une exposition sur les crimes de la Wehrmacht constituait, selon lui, un nouvel avatar. Si l'historien français admet que le refus de comparer les crimes fascistes et les crimes communistes est déplorable, cela ne devrait pas pour autant porter Nolte, dit-il, « à méconnaître le rôle de la Wehrmacht dans les horreurs commises par les troupes allemandes en Pologne et en Russie ».

6. *Ibidem*, p. 270-272.

7. Son nom demeurait associé à un vif débat intellectuel connu sous l'appellation d'*Historikerstreit* (la querelle des historiens de 1986). La plupart des textes de l'*Historikerstreit* ont été traduits en français dans le recueil intitulé *Devant l'histoire. Les documents de la controverse sur la singularité de l'extermination des Juifs par le régime nazi*, Cerf, Paris, 1988 (avec une préface de Luc Ferry).

8. Ce qui signifie : « condamné par sa propre loi », *Brutus, de claris oratoribus*, 305.

9. Sur l'influence de Nolte en Allemagne, voir une longue note diffusée sur l'Internet par la Friedrich Ebert Stiftung (Digitale Bibliothek) de Michael Schneider, *Gesprachskreis Geschichte*, Bonn, 1995.

10. Ernst Nolte, *Fascisme et communisme, op. cit.*, p. 54.

11. J'ai consacré à ce colloque un article intitulé « Un historien "révisionniste" applaudi à Paris » dans *Le Monde* du 17 juin 2000. Le numéro 122 de la revue *Le Débat* (novembre-décembre 2002) proposait à nouveau plusieurs articles « Autour de *La Guerre civile européenne* d'Ernst Nolte », Gallimard, Paris, p. 140-186.

12. *Le Monde*, 17 juillet 2000.

13. François Furet, *Un itinéraire intellectuel, op. cit.*, p. 473. Les italiques sont de moi-même. Sur la définition des Juifs comme peuple du désert et nomade par nature, cette fois dans un sens dépréciatif, voir Werner Sombart, *Les Juifs et la vie économique*,

Paris, 1923 (traduit de l'allemand par Salomon Jankélévitch). Voir le commentaire que Freddy Raphaël propose de ce texte dans son *Judaïsme et capitalisme*, *op. cit.*, p. 318 : « "Nous ne voulons pas que disparaisse ce regard juif, triste et profond." Une telle compassion révèle en fait que [Werner Sombart] a besoin du Juif souffrant pour mieux goûter son propre bonheur ; pour lui, le "bon" Juif c'est celui qui est harassé par le malheur. » Ici François Furet semble être tombé dans les pièges d'une idéologie d'époque valorisant le nomadisme, la différence, la parole, et l'infinité d'un désert où serait censée surgir la Parole divine de façon privilégiée... La citation de W. Sombart est reprise de *Die Zukunft der Juden*, Berlin, 1912, p. 57. Ces propos sont d'autant plus surprenants chez Furet que celui-ci savait gourmander, à juste titre, la gauche pour sa propension à avoir toujours « besoin du malheur pour penser la particularité juive ou sinon du malheur de la menace du malheur » *in Un itinéraire intellectuel*, *op. cit.*, p. 461.

14. François Furet, *Un itinéraire intellectuel*, *op. cit.*, p. 472.

15. « En même temps, l'existence internationale de l'État d'Israël entraîne les diasporas dans des solidarités qui sont probablement en train de mondialiser en retour l'antisémitisme, sous une forme et à une échelle encore inédites », *ibidem*.

16. De fait, comme l'a noté l'historien Ian Kershaw, bon nombre de ses arguments proviennent sans trop de critiques de cette littérature-là. De même reprend-il des éléments de l'argumentaire nazi qui alléguait du prétendu danger que faisaient peser les concentrations de population juive pour justifier que dans l'esprit des perpétrateurs les massacres des *Einsatzgruppen* aient pu se justifier au titre de « combat préventif contre l'ennemi ». Ian Kershaw, *Qu'est-ce que le nazisme ?*, *op. cit.*, p. 373 et 374. On peut rapprocher *mutatis mutandis* cette obsession de pousser à engager un « débat objectif » avec les négationnistes de celle de Roger Garaudy (voir chapitre 3) qui plaidait une cause pas si éloignée dans ses *Mythes fondateurs de la politique israélienne*.

17. Ernst Nolte, *Fascisme et communisme*, *op. cit.*, p. 91.

18. Parmi les ouvrages consacrés aux relations du pouvoir soviétique avec la minorité juive, on signalera, de Laurent Rucker, un récent *Staline, Israël et les Juifs*, PUF, Paris, 2001. Voir également, de Gabriel Eschenazi et Gabriele Nissim, *Les Juifs et le communisme après la Shoah. Une illusion trahie*, *op. cit.*

19. L'étude la plus complète se trouve dans *Polin. Studies in Polish Jewry*, vol. 8 : *Jews in Independent Poland 1918-1939*, dirigé par Antony Polonsky, Ezra Mendelsohn et Jerzy Tomaszewski, The Littman Library of Jewish Civilisation, Londres et Washington, 1994 : « The Polish *Kehillah* Elections of 1936 : a Revolution Re-examined » de Robert Moses Shapiro, p. 206-227. Sur le Bund en Pologne, voir de Daniel Blatman, *Notre Liberté et la vôtre. Le mouvement ouvrier juif Bund en Pologne 1939-1949*, coll. « Histoires-Judaïsme », Cerf, Paris, 2002 [Yad Vashem, 1996].

20. Il s'agissait en somme d'une victoire pour le Bund mais pas pour le bundisme. Quant aux résultats, voici les éléments que l'on peut en extraire : à Varsovie la participation fit un bond par rapport aux élections de l'année précédente passant de 29,5 % des inscrits à 42,9 %. Le Bund rafla 26,6 % des suffrages. Les données de 43 villes importantes sur 83 relativisent toutefois cette victoire puisque le pourcentage se situe à 11,8 % des votants. Mais n'oublions pas qu'il s'agissait d'une élection à vocation essentiellement religieuse. Les deux partis sionistes de gauche (Poalei Zion et Poalei Zion « De gauche ») emportèrent 20,9 % des sièges, les divers sionistes 29,1 % et les orthodoxes de l'Agoudat Israël, qu'on accusait d'être par trop déférents devant le pouvoir en place : 31,9 %. Le score des socialistes baissa dans les communautés rurales.

21. Simon Doubnov, *Le Livre de ma vie. Souvenirs et réflexions. Matériaux pour l'histoire de mon temps*. Traduit du russe et annoté par Brigitte Bernheimer, préface de Henri Minczeles, Cerf, coll. « Histoires-judaïsmes », Paris, 2001 [1934, 1935 et 1957], p. 783.

22. Paru d'abord dans la revue *Vierteljahrsheften für Zeitgeschichte*, l'essai fut reproduit intégralement dans la *Frankfurter Allgemeine Zeitung* du 30 octobre 1999. La traduction est de moi.

23. Stéphane Courtois, Nicolas Werth, Jean-Louis Panné, Andrzej Paczkowski, Karel Bartosek, Jena-Louis Margolin, *Le Livre noir du communisme. Crimes, terreur, répression*, Robert Laffont, Paris, 1997, p. 41. Rappelons que la préface plaide pour un Nuremberg du communisme.

24. La réception de cette polémique fut pour le moins feutrée en France.

25. Yoram Sheftel, *L'Affaire Demjanjuk. Les secrets d'un procès-spectacle*, J.-C. Lattès, Paris, 1994. Il était parvenu à établir

que le « document Travniki », une carte d'identité au nom de l'accusé établissant qu'il avait été parmi les auxiliaires ukrainiens servant dans les camps d'extermination, n'était qu'un faux grossier forgé par le KGB (bien que son client, au procès, ait témoigné d'une science assez étonnante des uniformes que portaient lesdits Travniki). Voici le récit de sa visite : « Sur la droite une plaque commémorative était clouée au mur, où étaient gravés les noms des quelque trente membres du [futur] KGB de Simferopol tombés au cours de la "grande guerre patriotique", c'est-à-dire la Seconde Guerre mondiale. Quelle ne fut pas ma surprise et ma colère quand, en déchiffrant la liste, je constatai que le premier patronyme était Polonski et le dernier Levinstajn, et tout ce qu'il y avait entre, c'étaient des noms du genre Salmonovitch, Geler, etc. Presque trente noms de fils de l'alliance ! Le meilleur de la jeunesse juive de Russie, berceau du sionisme, avait ainsi vendu son âme au Satan rouge à partir de 1917 et dans les générations qui suivirent », p. 338 de la version en hébreu (traduite par moi) [1993].

26. Nikita Petrov et Konstantin Skorkin, *Kto rukowodil NKWD 1934-1941. Sprawotschnik* (Qui dirigeait le NKVD entre 1934 et 1941 ?), rédaction de N. Ochotin, A. Roginski, Swenja, Moscou, 1999. Ne lisant pas le russe, j'y ai eu accès via un compte rendu de la *Frankfurter Allgemeine Zeitung*, du 30 mars 2000 intitulé « Wer waren Stalins Vollstrecker ? » (Qui étaient les bourreaux de Staline ?). Je les ai vérifiés dans la communication écrite remise par Nikita Petrov lors d'un colloque qui a eu lieu à la Maison des sciences de l'homme organisé par le Centre d'études russes de l'EHESS, le Harvard Ukrainian Research Institute et l'Instituto Italiano per gli Studi Filosofici, les 25 et 27 mai 2000.

6. De la haine de soi à l'identité juive négative

1. Theodor Lessing, *La Haine de soi. Le refus d'être juif*, Berg International éditeurs, Paris, rééd. 2001 [1930], traduit de l'allemand par Maurice-Ruben Hayoun. Voir le collectif sous la direction d'Esther Benbassa et Jean-Christophe Attias, *La Haine de soi. Difficiles identités*, Éditions Complexe, Bruxelles, 2000. *Sexe et caractère* d'Otto Weininger a été traduit de l'allemand par Daniel Renaud et est paru à L'Âge d'homme, Lausanne, 1975.

2. Voir de Jacques Le Rider, *Le Cas Otto Weininger. Racines de l'antiféminisme et de l'antisémitisme*, PUF, Paris, 1982.

3. Isaac Deutscher (1907-1967), né dans une famille orthodoxe d'origine galicienne, devenu communiste polonais puis biographe de Staline et de Trotski. *Essais sur le problème juif*, traduit de l'anglais par Élisabeth Gille-Nemirowski, Payot, collection « Études et documents », Paris, 1969 [1968].

4. *Jonas*, traduit de l'hébreu par Jérôme Lindon, Minuit, Paris, 1955. Il avait également été republié en 1990.

5. Jérôme Lindon, *Jonas*, *op. cit.*, p. 9.

6. *Ibidem*, p. 52-53.

7. *Ibidem*, p. 59.

Conclusion

1. Sur la question des courbes de l'antisémitisme et, plus généralement, de la mesure du phénomène on consultera l'historien Simon Epstein, « Cyclical Pattern in Antisemitism : The Dynamics of Anti-Jewish Violence in Western Countries since the 1950s », *Acta*, nº 2, Jérusalem, SICSA, The Vidal Sassoon International Center for the Study of Antisemitism. The Hebrew University of Jerusalem, 1993. Voir également, émanant du même organisme *Annual Report*, Jérusalem, octobre 2002.

2. Bien décrite par Ruth Bat Ye'or dans *Juifs et chrétiens sous l'Islam, op. cit.* et Pierre-André Taguieff, dans sa *Nouvelle Judéophobie*, Mille et Une Nuits, Fondation du 2 mars, Fayard, Paris, 2002.

3. « Ce qui est humainement vrai, écrit-elle, ne peut jamais consister dans l'exception, mais seulement dans ce qui est ou devrait être la règle. C'est cette connaissance qui engendra l'inclination de Kafka pour le sionisme. Il se rattacha à ce mouvement qui voulait mettre fin à la position d'exception du peuple juif et qui voulait faire de lui "un peuple semblable aux autres peuples" », *La Tradition cachée*, *op. cit.*, p. 217-218.

Notes

Post-scriptum

Quelques réflexions pour servir à une histoire de l'antisémitisme

1. Dès lors, l'expression de « haine la plus longue » de Robert Wistrich (*The Longest Hatred*, Schocken Books, New York, 1991) semble la plus appropriée.

2. Comme le suggère Klaus Holz, dans *Nationaler Antisemitismus*, *op. cit.*, inspiré ici par la sociologie de Niklas Luhmann.

3. Voir Peter Schäfer, *Judeophobia. Attitudes toward the Jews in the Ancient World*, Harvard University Press, Londres, 1997, p. 121-136. Une traduction française doit paraître aux éditions du Cerf. Voir également Joseph Mélèze Modrzejewski, *Les Juifs d'Égypte de Ramsès II à Hadrien*, « Quadrige », PUF, Paris, 1997 [1991], p. 37-71.

4. Hannah Arendt, *Les Origines du totalitarisme. Sur l'antisémitisme*, Calmann-Lévy, « Politique Points », Le Seuil, Paris, 1984 [1968].

5. Sur ce sujet : mon propre ouvrage sur les *Judenräte*, à paraître chez Gallimard dans la collection « NRF-Essais », en particulier le chapitre intitulé « Juger les victimes ? » ; voir également de Martine Leibovici, *Hannah Arendt, une Juive. Expérience, politique et histoire*, Desclée de Brouwer, coll. « Midrash », Paris, 1998.

6. Voir aussi, sur l'influence de la figure de Benjamin Disraeli sur la formation de l'antisémitisme moderne, notamment sur le philosophe allemand Carl Schmitt, l'ouvrage de Nicolaus Sombart, *Les Mâles Vertus des Allemands*, Cerf, coll. « Passages », Paris, 1999.

7. Ici je renvoie aux travaux du sociologue allemand Ulrich Beck qui voit dans la gestion du « risque » un facteur de plus en plus déterminant de la légitimité politique et qui considère que la situation des sociétés postindustrielles est redevenue comparable à celle des cités médiévales exposées aux épidémies et donc à un destin dont elles n'ont pas la maîtrise. La différence avec le Moyen Âge réside en ce que le risque provient, dans la société moderne, d'une nature entièrement rationalisée et annexée par

le social, nature dont le nuage radioactif constitue la métaphore par excellence. De même dans un tout autre champ l'historien britannique Ian Kershaw considère le nazisme comme une irruption médiévale dans la politique moderne, symptôme, selon lui, d'une crise de l'État, et d'un retour à un mode de domination « charismatique ». Voir Ulrich Beck, *La Société du risque. Sur la voie d'une autre modernité* (*Risikogesellschaft*), traduit de l'allemand par Laure Bernardi, Aubier, coll. « Alto », Paris, 2001 [1986] et Ian Kershaw, *Hitler. Essai sur le charisme en politique*, traduit de l'anglais par Jacqueline Carnaud et Pierre-Emmanuel Dauzat, Gallimard, coll. « NRF Essais », Paris, 2002.

8. Voir, Shulamit Volkov, *Judisches Leben und Antisemitismus im 19. und 20. Jahrhundert*, « Antisemitismus als kultureller Code », Munich, C. H. Beck, 1990.

9. Yosef Hayim Yerushalmi, *Le Moïse de Freud. Judaïsme terminable et interminable*, traduit de l'anglais (États-Unis) par Jacqueline Carnaud, Gallimard, coll. « Essais », Paris, 1993. Jan Assmann, *Moïse l'Égyptien. Un essai d'histoire de la mémoire* (*Moses der Ägypter. Entzifferung einer Gedächtnisspur*), traduit de l'allemand par Laure Bernardi, Aubier, « collection historique », Paris, 2001 [1997].

10. Je renvoie le lecteur à ma propre préface à la réédition de l'ouvrage de Rudolph Loewenstein, *Psychanalyse de l'antisémitisme*, PUF, coll. « Perspectives critiques », Paris, 2001 [1952]. Une tentative récente de penser l'unité de l'antisémitisme a été réalisée par le sociologue Yves Chevalier. Il s'agit d'expliquer le phénomène à travers le paradigme du « bouc émissaire » dans l'esprit des travaux de René Girard.

11. Theodor W. Adorno, *Studien zum autoritären Charakter*, Suhrkamp Taschenbuch, Francfort, 1995.

12. Voir à ce sujet Norman Cohn, *Histoire d'un mythe, la « conspiration juive » et les Protocoles des Sages de Sion*, Gallimard, coll. « La suite des temps », 1967, et Pierre-André Taguieff, *Les Protocoles des Sages de Sion. Faux et usages de faux*, *op. cit.*

13. Voir à propos de la centralité de l'antisémitisme dans l'œuvre du philosophe Carl Schmitt et son obsession du « Juif caché » l'ouvrage de Raphael Gross, *Carl Schmitt und die Juden, Eine deutsche Rechtslehre,* Suhrkamp, Francfort, 2000, ainsi que le livre de Nicolaus Sombart, *Les Mâles Vertus des Allemands. Autour du syndrome Carl Schmitt*, *op. cit.*

14. Sur ce sujet on lira, de Jacques Ehrenfreund, *Mémoire*

juive et nationalité allemande. Les Juifs berlinois à la Belle Époque, PUF, « Perspectives germaniques », Paris, 2000.

15. *La Dialectique de la raison, op. cit.*, fut d'abord publiée à New York en 1944, puis rééditée en 1969 à Francfort, *op. cit.*

16. Saul Friedländer estime, lui aussi, que la haine antijuive à l'ère moderne s'arc-boute sur une perception du Juif comme incarnation d'une altérité radicale et intérieure. « Europe's Inner Demons », *in Demonizing the Other : Antisemitism, Racism, Xenophobia*, dirigé par Robert Wistrich, Harwood Academic Publisher, Amsterdam, 1999, p. 210-222.

17. Telle est la thèse de Raphael Gross, *Carl Schmitt und die Juden, op. cit.*, notamment p. 120-134. La même chose pourrait être dite du philosophe de Zurich, inspirateur d'Emil Cioran, Ludwig Klages, l'un des penseurs les plus populaires du IIIe Reich. Sur le sujet on consultera de Tobias Schneider « Ideologische Grabenkampfe. Der Philosoph Ludwig Klages und der Nationalsozialismus 1933-1938 » in *Vierteljahrhefte für Zeitgeschichte*, Oldenbourg, 2001. À propos de Carl Schmitt et de la question de l'antisémitisme on pourra lire, en français, de Nicolaus Sombart, *op. cit.*

18. « Le Juif qui ne peut que penser juif mais écrit en allemand est un imposteur », déclarait le document préparatoire d'une association d'étudiants aux autodafés du 30 mai 1933. Cité *in* Sander Gilman, *Jewish Self-Hatred. Anti-semitism and the hidden language of the Jews*, The John Hopkins University Press, Baltimore et Londres, 1992, p. 309 *sq.*

19. Qu'un penseur hostile prétende assigner aux Juifs une uniformité d'espèce n'est cependant pas une raison suffisante pour renoncer à toute tentative de penser l'unité profonde de l'existence juive.

20. Voir l'analyse de l'antisémitisme à travers le paradigme du « bouc émissaire » par le sociologue Yves Chevalier dans *L'Antisémitisme, op. cit.*, une des rares contributions françaises théoriques à l'étude de l'antisémitisme qui ne se réduise pas à de la pure érudition. Je ne pense pas que l'on puisse expliquer toutefois, comme le fait l'auteur, la formation et la spécificité de l'antisémitisme en recourant seulement à l'analyse systémique et au processus d'« émissarisation » (dont la description est fortement inspirée par la philosophie de René Girard). L'opposition qu'il dresse entre un antijudaïsme de confrontation religieuse, légitime, et l'antisémitisme à proprement parler me semble peu

convaincante, même si elle s'autorise de l'autorité de Gavin Langmuir.

21. *Der Leviathan in der Staatlehre des Thomas Hobbes*, cité *in* S. Friedländer, *art. cit.*, p. 219. Une traduction française est parue à l'automne 2002 sous le titre *Le Léviathan dans la doctrine de l'État de Thomas Hobbes. Sens et échec d'un symbole politique*, traduit par Denis Trierweiler, Le Seuil, Paris, [1938].

22. Israel Jacob Yuval a soutenu ces thèses dans des articles publiés d'abord par la revue *Zion*, vol. 58 et vol. 59 (1993 et 1994 en hébreu) qui firent sensation, repris depuis dans son livre *Chnei Goyim bevitnekh* (Deux peuples en ton sein), Am 'Oved, Tel-Aviv, 2000.

23. Cette thèse est développée par Joshua Trachtenberg, *The Devil and the Jews. The Medieval Conception of the Jew and its Relation to Modern Anti-semitism*, Meridian Books, Philadelphie, 1961 [1943], p. 155 et p. 248, note 44.

24. Sur la formation de l'antisémitisme à partir de la peur de Satan et l'émergence d'un véritable « racisme religieux » qui serait le fait de l'Église militante, et non de la condition sociale et économique des Juifs, voir Jean Delumeau, *La Peur en Occident, XIVe-XVIIIe siècle. Une cité assiégée*, Arthème-Fayard, Paris, 1978 (Hachette-Pluriel).

25. *Ibidem*, p. 167.

26. Il s'agit de Jacques Bouveresse dans *Notes sur le* Rameau d'or *de John Frazer*, *op. cit.*

Index

C

D

H

I

J

K

L

M

N

O

P

R

S

T

U

V

W

Y-Z

Table

Photocomposion Nord Compo
Villeneuve-d'Ascq, Nord

Impression réalisée sur CAMERON par

BUSSIÈRE CAMEDAN IMPRIMERIES

GROUPE CPI

à Saint-Amand-Montrond (Cher)
pour le compte des Éditions Robert Laffont
en février 2003